A-Z M

C000246773

Key to Map Page

Large Scale City

Map Pages

Rail Connections Map   back cover   and Hospices   ... ...

REFERENCE

Motorway	**M6**	Car Park	**P**
Under Construction		Church or Chapel	†
		Fire Station	■
A Road	A34	House Numbers A and B Roads only	24 42
B Road	B4284		
		Hospital	**H**
Dual Carriageway		Information Centre	**i**
		National Grid Reference	⁴08
One-way		Police Station	▲
Traffic flow on A Roads is indicated by a heavy line on the driver's left.	→	Post Office	★
All one-way streets are shown on Large Scale Pages 4-11	⇒	Toilet	▽
		with facilities for the Disabled	**&**
Restricted Access		Educational Establishment	
Pedestrianized Road		Hospital or Health Centre	
Railway	Level Crossing / Station / Tunnel	Industrial Building	
Midland Metro The boarding of Metro trains at stations may be limited to a single direction, indicated by the arrow.	Station	Leisure or Recreational Facility	
		Place of Interest	
Built-up Area	BROOK ST.	Public Building	
		Shopping Centre or Market	
Map Continuation	46 Large Scale City Centre 6	Other Selected Buildings	

SCALE

Map Pages 12-111
1:21120 3 inches to 1 mile

0   ⅛   ¼ Mile

0   100 200 300 Metres

4.74 cm to 1 km   7.62 cm to 1 mile

Map Pages 4-11
1:10560 6 inches to 1 mile

0   1/16   ⅛ Mile

0   100   200 Metres

9.47 cm to 1km   15.24 cm to 1 mile

Copyright of Geographers' A-Z Map Company Ltd.

Head Office : Fairfield Road, Borough Green, Sevenoaks, Kent TN15 8PP   Tel: 01732 781000
Showrooms : 44 Gray's Inn Road, London WC1X 8HX   Tel: 020 7440 9500

OS Ordnance Survey This product includes mapping data licensed from Ordnance Survey® with the permission of The Controller of Her Majesty's Stationery Office. © Crown copyright 2002. Licence number 100017302

Edition 1 2000   Edition 1A (part revision) 2002   Copyright © Geographers' A-Z Map Co. Ltd. 2002

2 KEY TO MAP PAGES

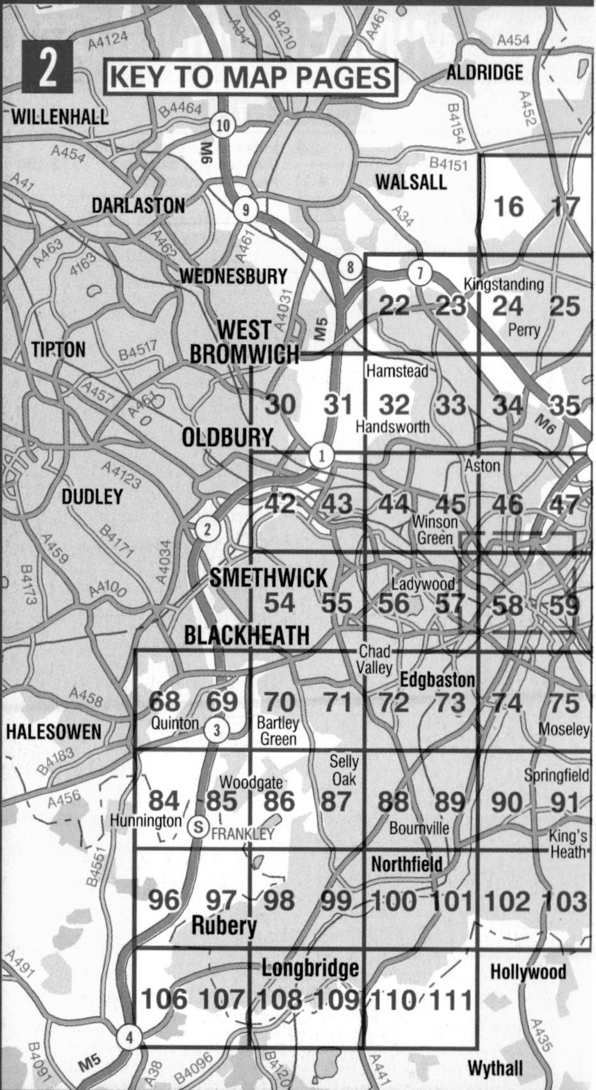

A4124

WILLENHALL

B4464

M6 **10**

ALDRIDGE

A454

B4210

A461

B4154

A452

DARLASTON

A454

A41

A463

A462

A461

M6 **9**

WEDNESBURY

WALSALL

A34

B4151

16 **17**

A4167

TIPTON

B4517

WEST
BROMWICH

M5

M5 **8**

7

Kingstanding

22 **23** **24** **25**
Perry

A457

A4034

A461

OLDBURY

30 **31**

Hamstead

32 **33**

Handsworth

34 **35**

M6

DUDLEY

A4123

A459

B4171

A4034

1

2

42 **43**

44 **45**
Winson
Green

Aston

46 **47**

A4100

B4473

SMETHWICK

54 **55**

56 **57**

Ladywood

58 **59**

BLACKHEATH

Chad
Valley

Edgbaston

A458

68 **69**
Quinton

3

70
Bartley
Green

71

72 **73**

74 **75**

Moseley

HALESOWEN

B4183

A456

Woodgate

84 **85**
Hunnington

S

FRANKLEY

86 **87**

Selly
Oak

88 **89**

Bournville

Springfield

90 **91**

King's
Heath

B4551

96 **97**
Rubery

98 **99**

100 **101**

Northfield

102 **103**

A491

Longbridge

Hollywood

106 **107** **108** **109** **110** **111**

4

M5

A38

B4096

A441

A435

M5

B4991

Wythall

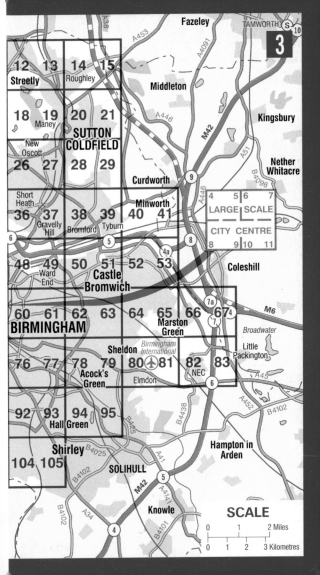

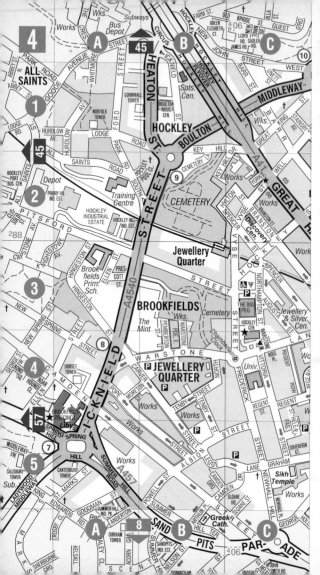

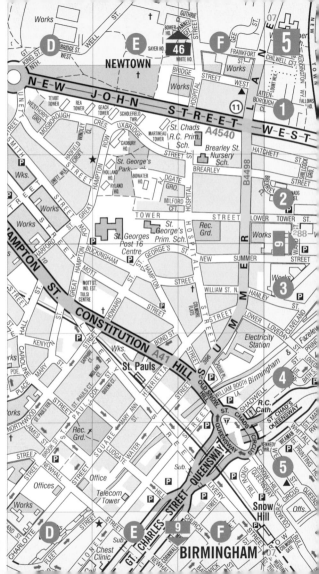

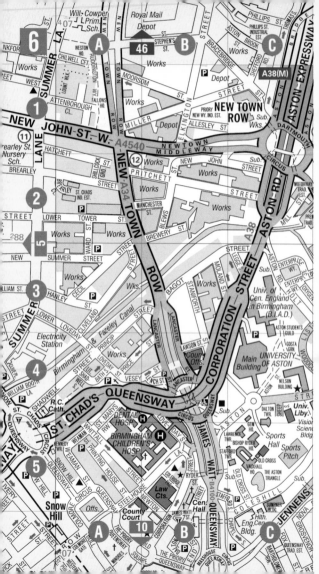

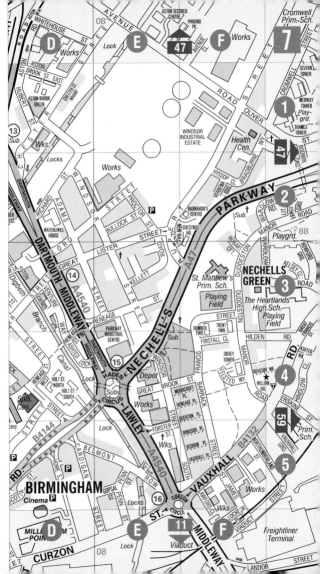

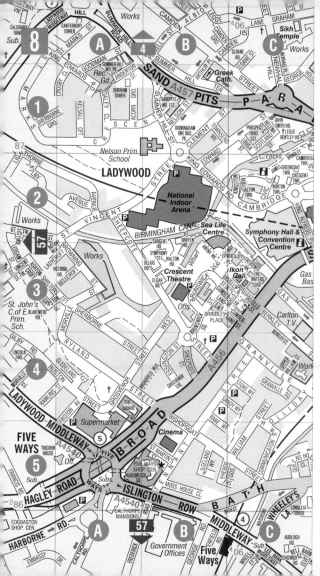

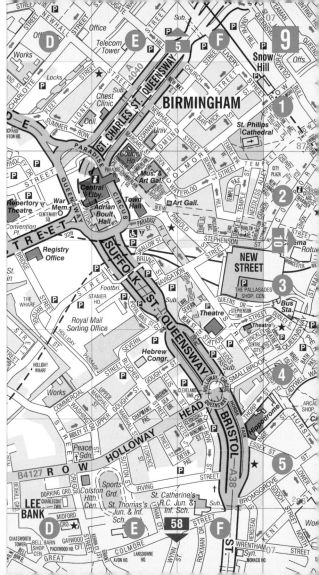

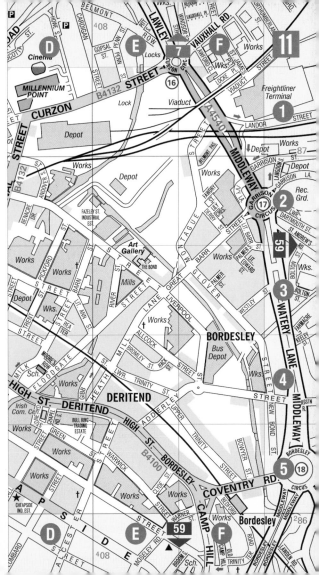

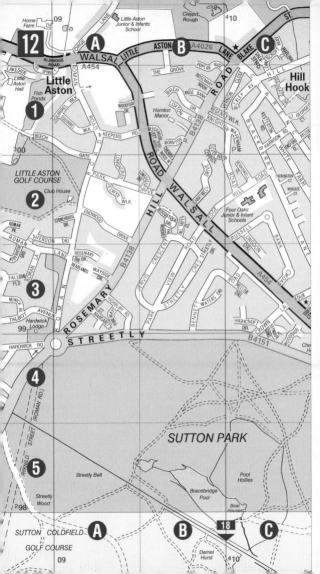

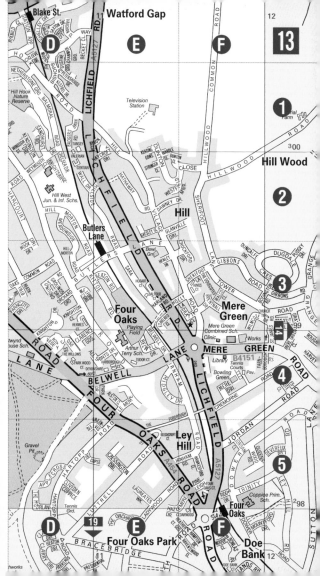

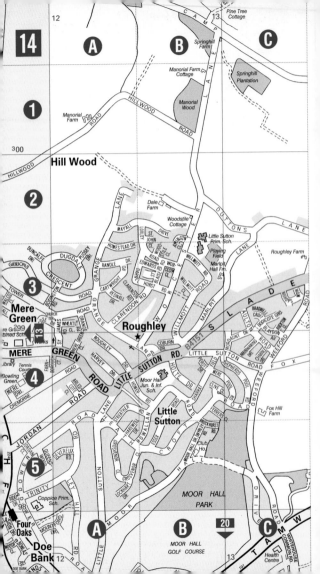

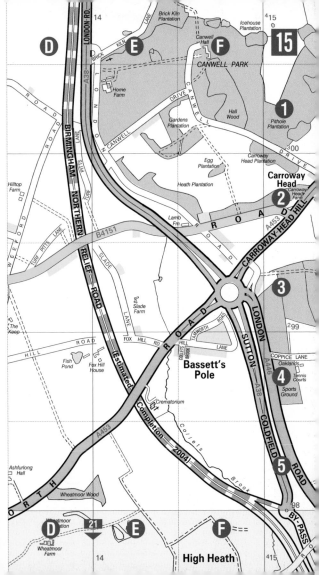

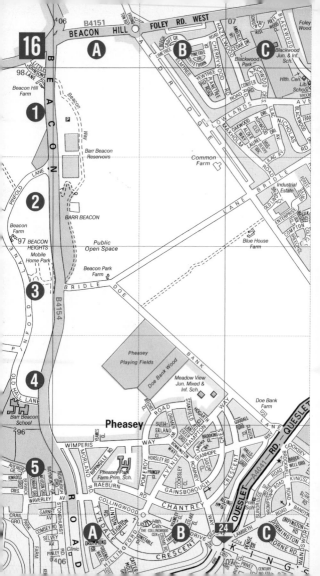

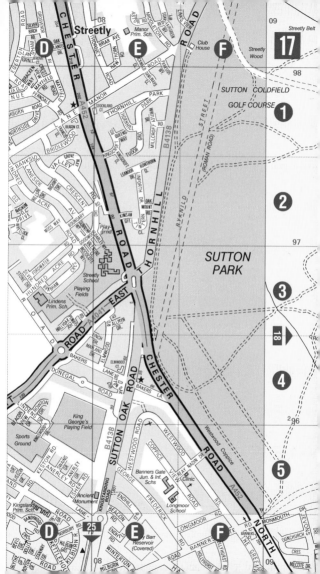

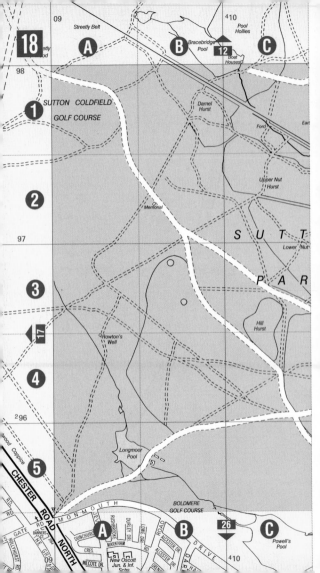

18

09   410

Streetly Belt   Pool Hollies

A   **B**   Bracebridge Pool   **12**   **C**

98   Boat House

Streetly Wd

1   SUTTON   COLDFIELD

GOLF   COURSE   Darnel Hurst

Ford   Eart

2   Upper Nut Hurst

Memorial

97   S U T T

Lower Nut

3   P   A   R

Hill Hurst

17   Rowton's Well

4

296

Longmoor Pool

5   BOLDMERE

GOLF COURSE

CHESTER ROAD NORTH   MONMOUTH   **A**   **B**   **26**   **C**   Powell's Pool

RUSHBROOKE   DURLEY DR.   LOWE DR.   ALCESTER DR.   DRIVE   410

GATE   BANNERS   THE GRO.   DUNCHURCH CRES.   MARKHAM   ALCESTER DR.

HOLLYHURST   MILCOTE DR.   New Oscott Jun. & Inf. Schs

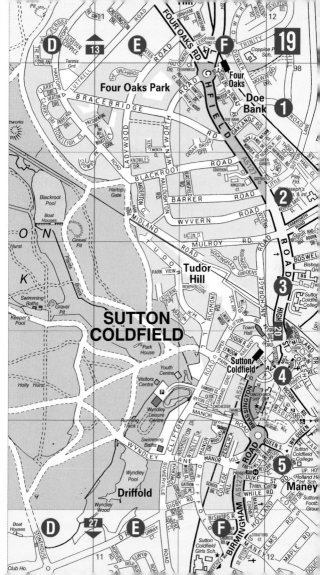

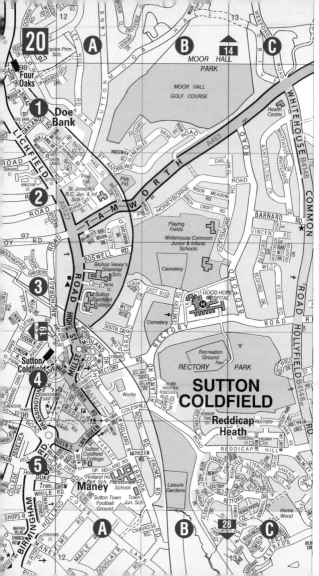

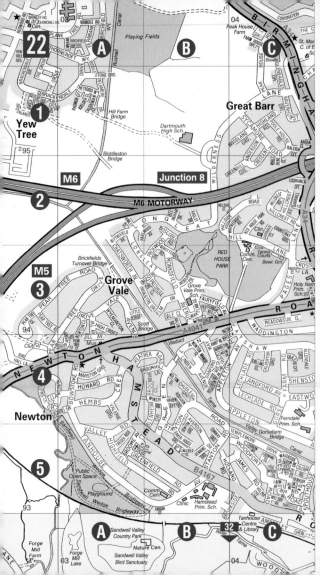

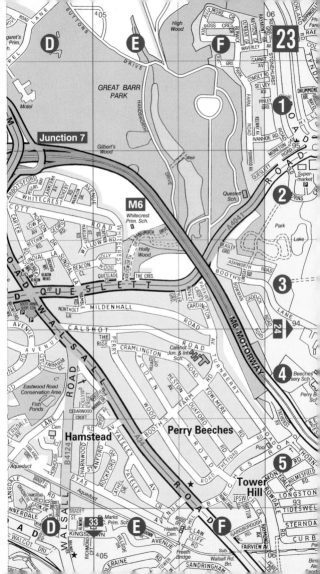

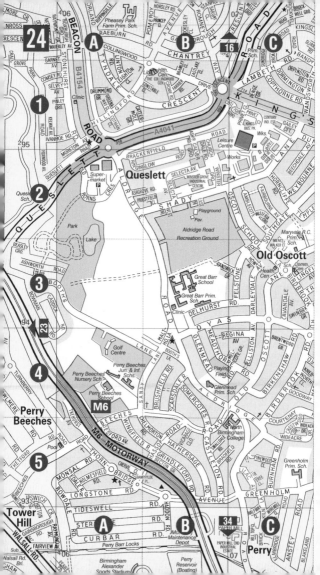

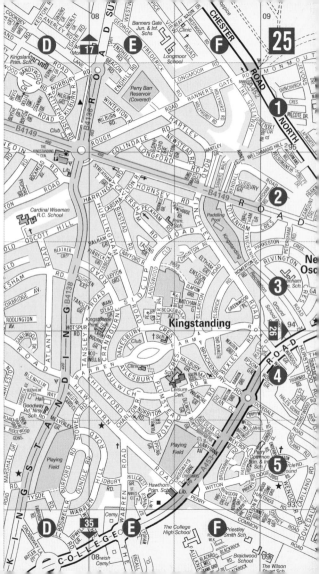

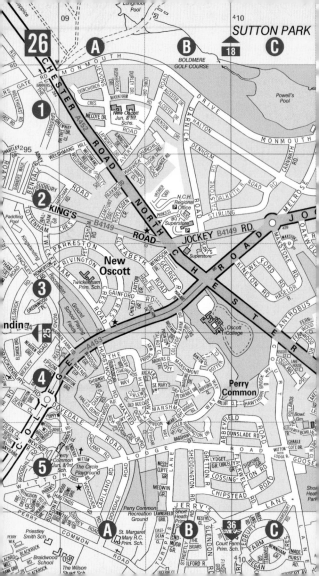

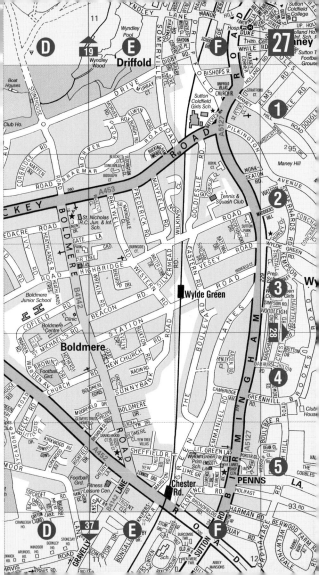

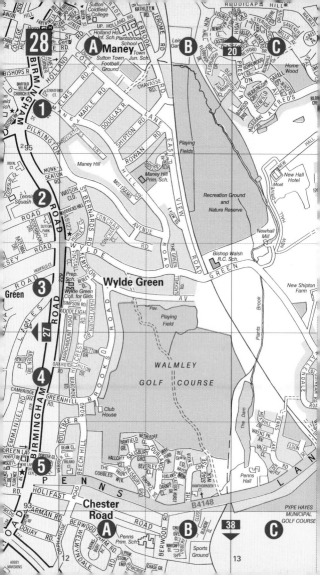

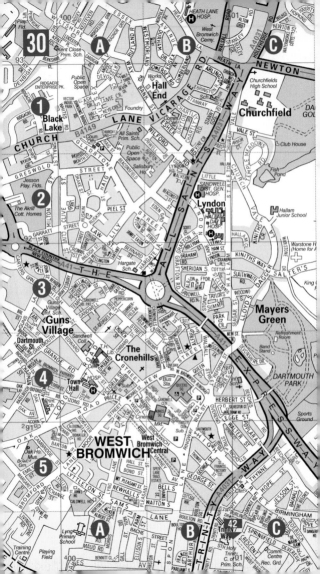

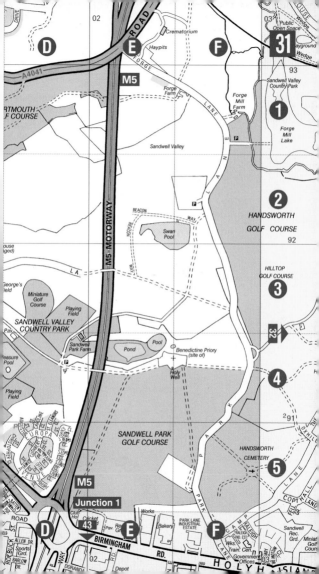

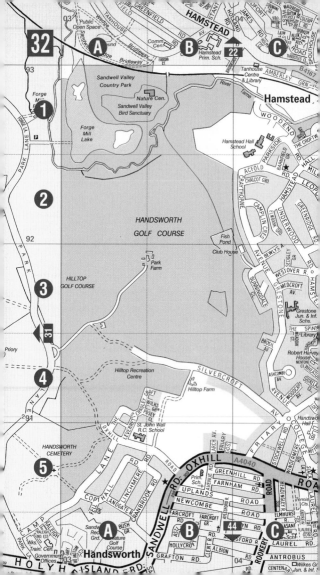

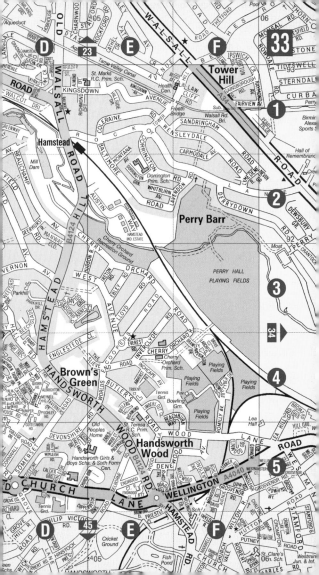

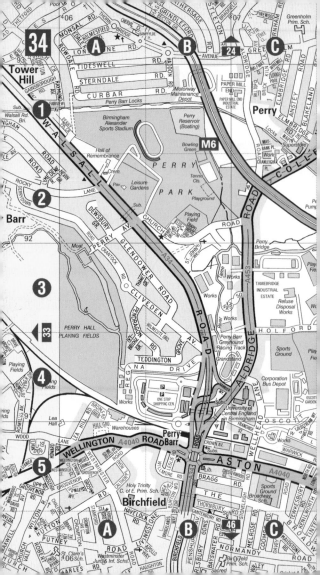

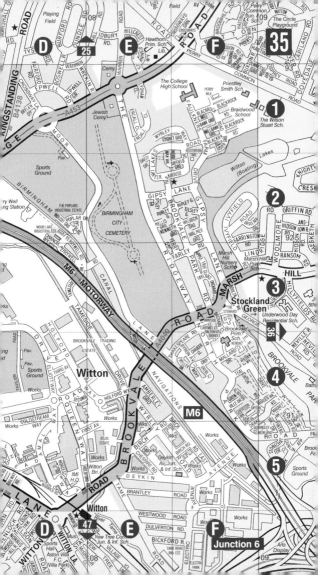

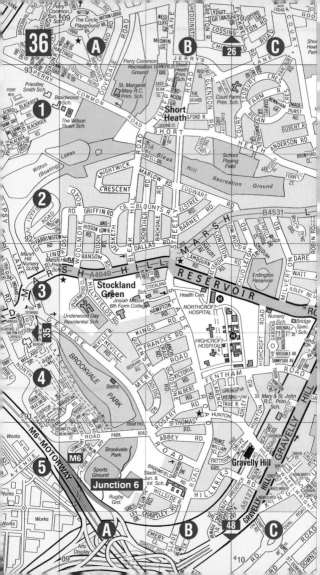

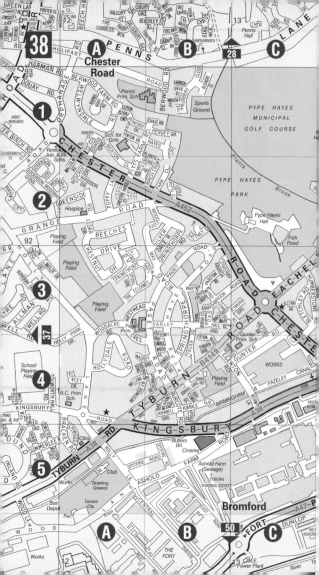

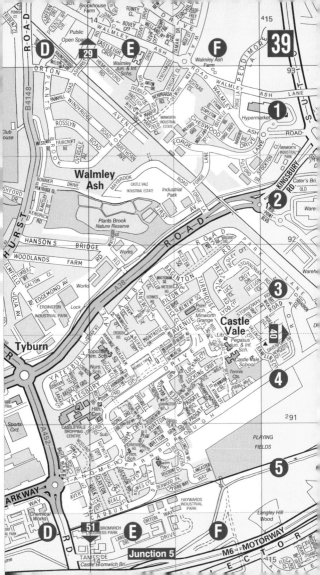

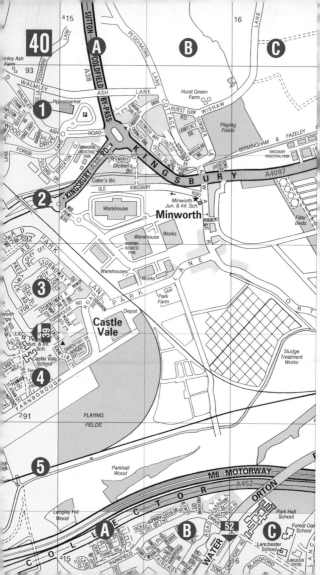

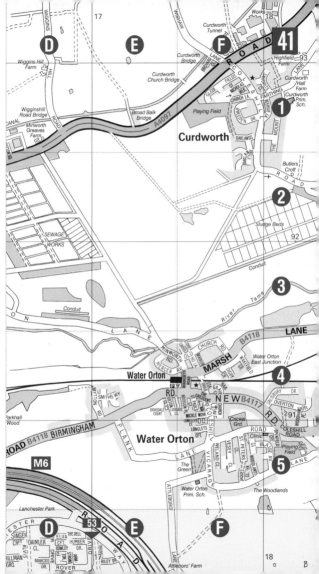

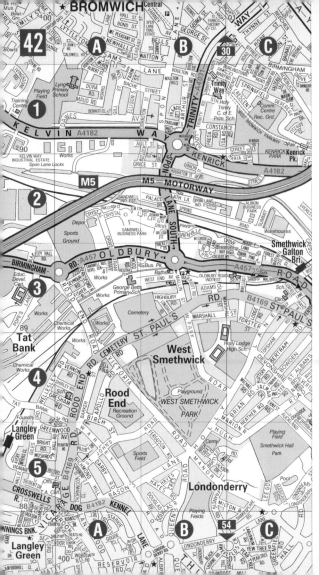

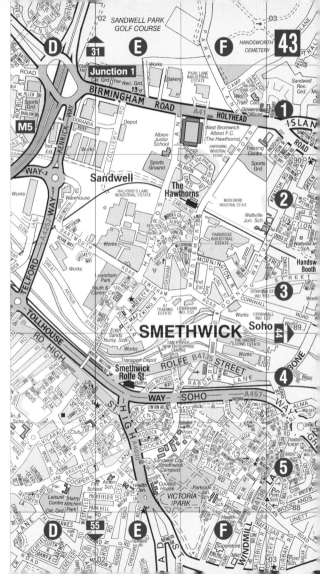

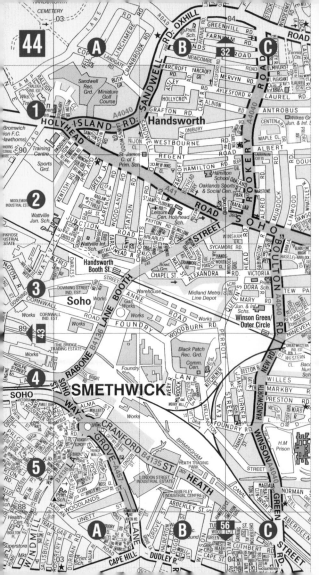

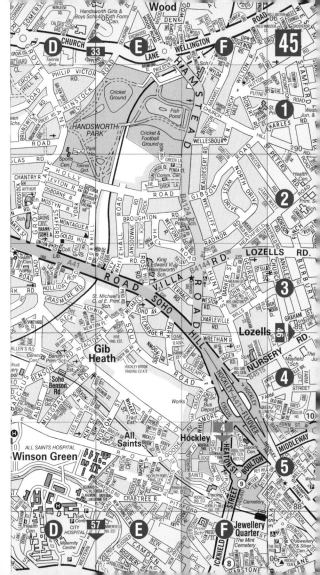

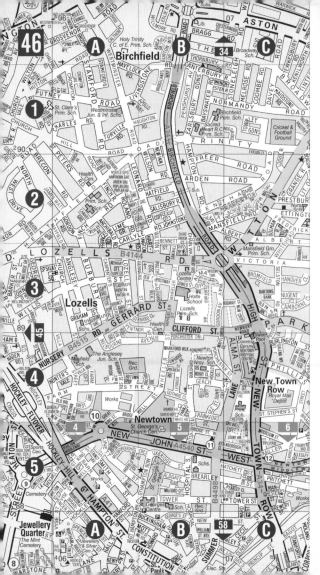

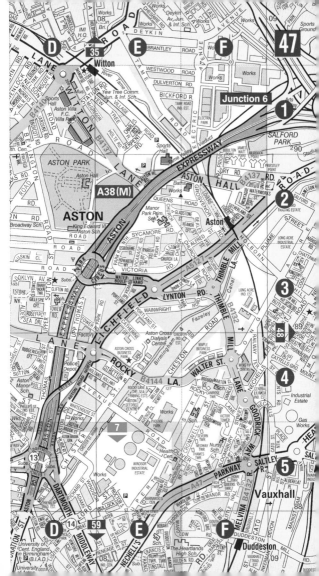

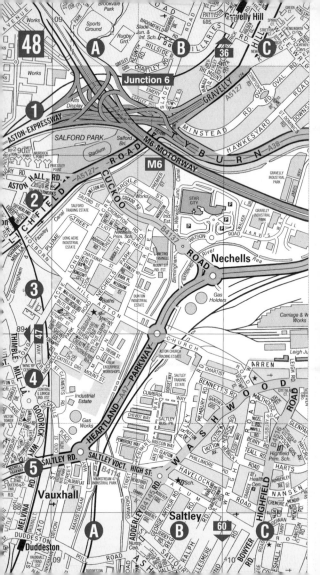

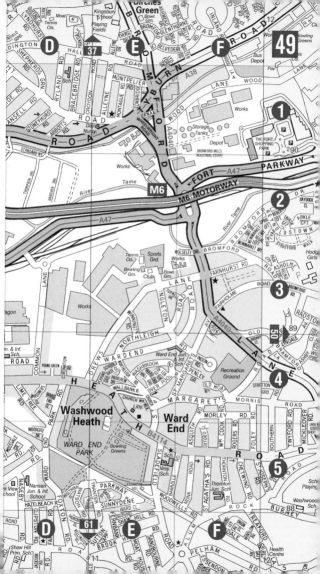

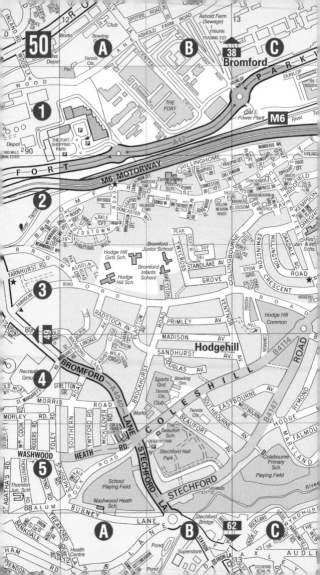

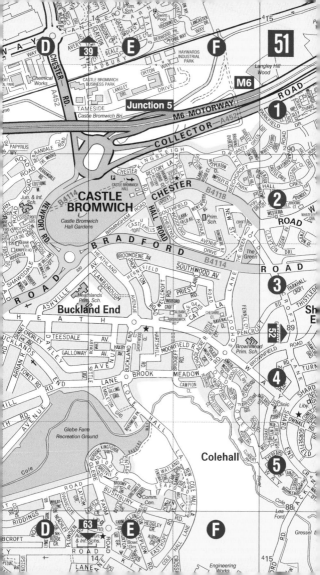

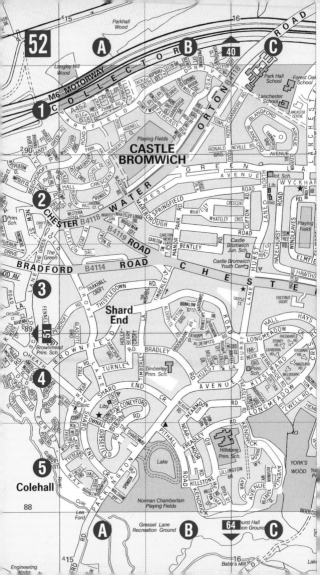

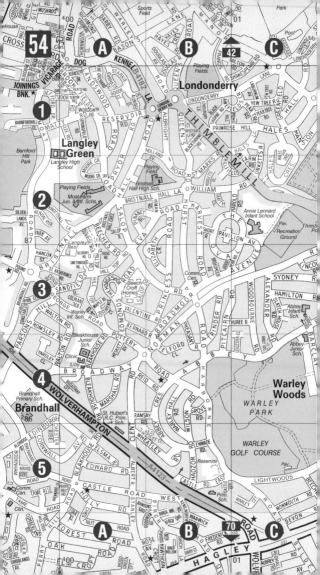

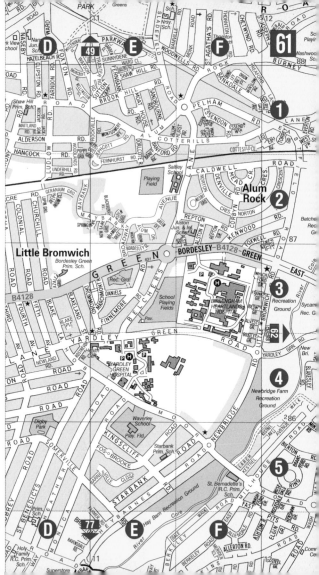

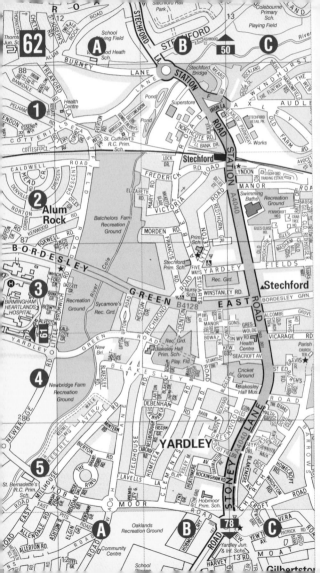

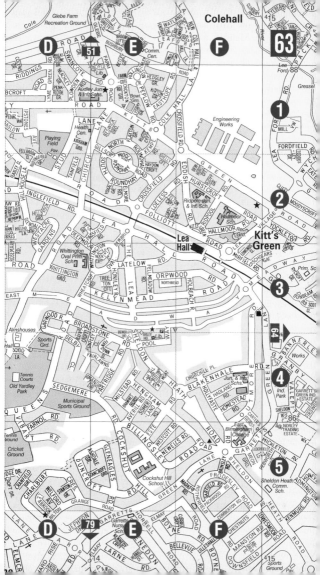

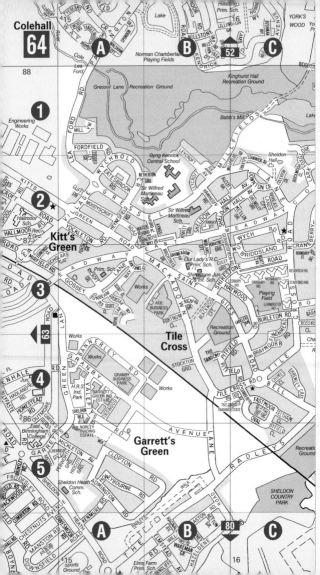

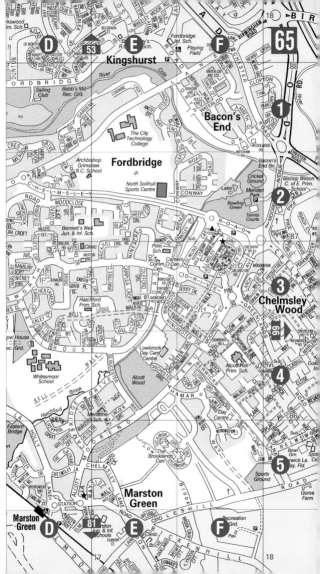

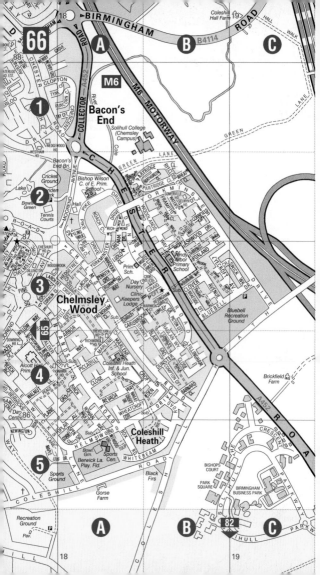

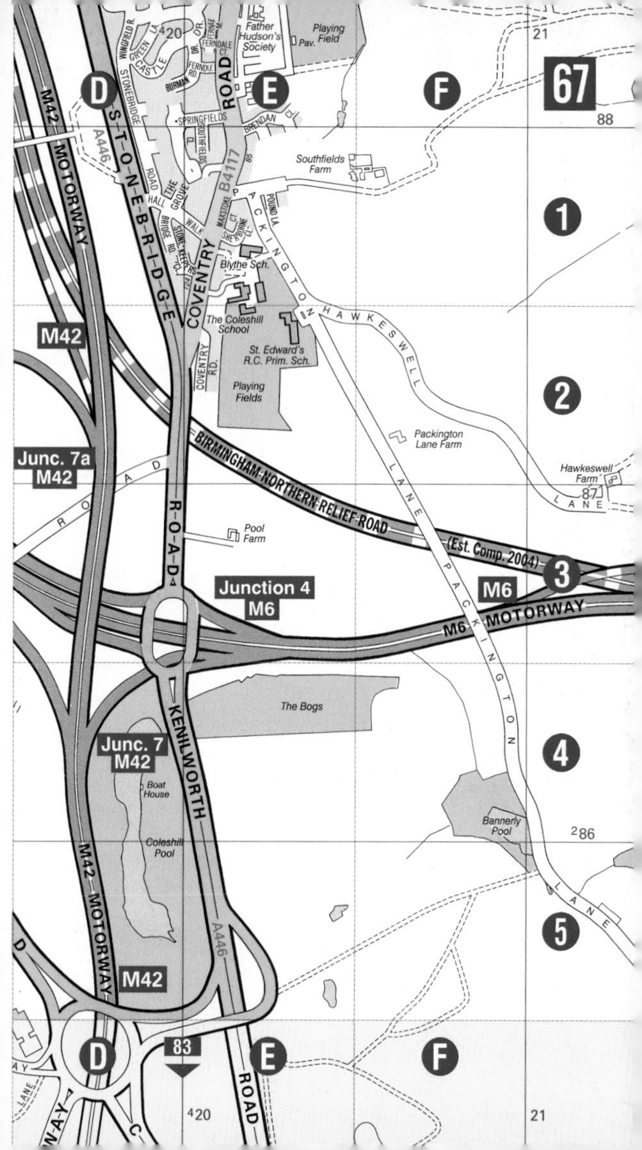
Father Hudson's Society
Playing Field
Pav.
WINGFIELD RD.
GREEN LA.
420
CASTLE DR.
FERNDALE
FERNDALE CT.
FERNDALE RD.
BURMAN DR.
STONEBRIDGE
SPRINGFIELDS
SOUTHFIELDS CL.
BRENDAN CL.
HALL ROAD
THE GROVE
BRIDGE RD.
STONE WALK
KEEPERS CL.
MAXSTOKE CT.
SHERBORNE CL.
POUND LA.
COVENTRY ROAD
B4117
A446
Southfields Farm
PACKINGTON
HAWKESWELL
Blythe Sch.
The Coleshill School
St. Edward's R.C. Prim. Sch.
Playing Fields
COVENTRY RD.
M42
MOTORWAY
Junc. 7a M42
STONEBRIDGE ROAD
ROAD
BIRMINGHAM NORTHERN RELIEF ROAD
(Est. Comp. 2004)
Packington Lane Farm
Hawkeswell Farm
LANE
PACKINGTON LANE
Pool Farm
Junction 4 M6
M6
M6 MOTORWAY
KENILWORTH
The Bogs
Junc. 7 M42
Boat House
Coleshill Pool
Bannerly Pool
M42 MOTORWAY
M42
83
D
E
F
1
2
3
4
5
21
88
87
286
420

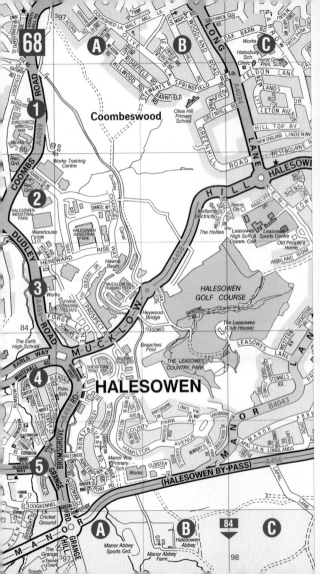

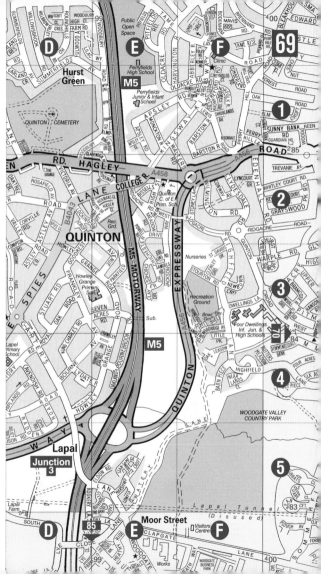

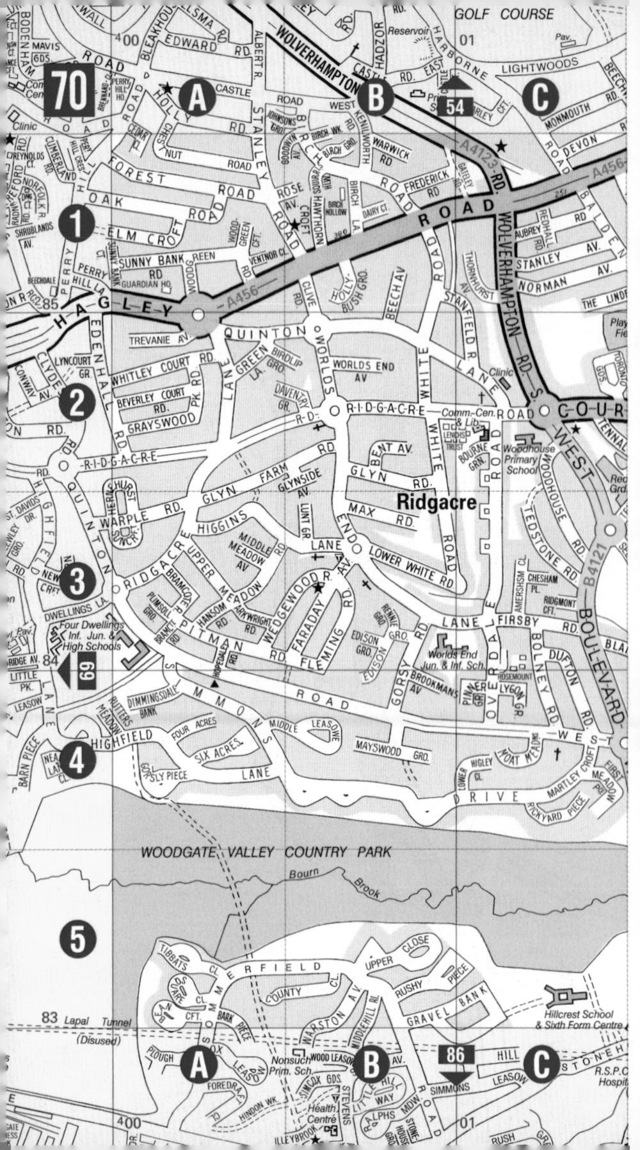
GOLF COURSE
Reservoir
Pav.
WOLVERHAMPTON ROAD
LIGHTWOODS
HARBORNE
CASTLE RD.
EAST
54
A
B
C
MONMOUTH RD.
DEVON
A4123
A456
HAGLEY ROAD
A456
FOREST ROAD
OAK ROAD
ELM CROFT
SUNNY BANK RD
GUARDIAN HO.
PERRY HILL LA.
STANLEY ROAD
CASTLE RD.
EDWARD RD.
ALBERT R.
BLEAKHOUSE
NUT ROAD
KENILWORTH RD.
WARWICK RD
FREDERICK RD
BIRCH WK
BIRCH GRO.
BIRCH HOLLOW
BIRCH LA
DAIRY CT.
HAWTHORN CROFT
ROSE AV.
VENTNOR CL.
WOODGREEN CFT.
CLIVE RD.
HOLLY BUSH GRO.
BEECH AV
WHITE ROAD
STANFIELD R.
THORNHURST AV.
AUBREY RD
REDHALL RD
STANLEY AV.
NORMAN AV.
BALDEN
SHRUBLANDS AV.
BEECHDALE
1
2
3
4
5
QUINTON LANE
TREVANIE AV.
LYNCOURT GR.
WHITLEY COURT RD.
BEVERLEY COURT RD.
GRAYSWOOD PK RD.
LANE GREEN
BIRDLIP GRO.
WORLDS END AV
WORLDS END
DAVENTRY GR.
RIDGACRE ROAD
Comm. Cen. & Lib.
Clinic
COURT
WEST BOULEVARD
B4121
Woodhouse Primary School
WOODHOUSE RD.
TEDSTONE RD.
BOURNE GRN.
LENCHS TRUST
BENT AV.
GLYN RD.
GLYN FARM RD
GLYNSIDE AV.
MAX RD.
Ridgacre
LUNT GR.
LOWER WHITE RD.
HIGGINS LANE
MIDDLE MEADOW AV.
UPPER MEADOW
WARPLE RD.
HERNEHURST
HIGHFIELD
QUINTON RD.
EDENHALL RD.
CLYDE AV.
CONWAY AV.
ST. DAVIDS DR.
NEW CRFT
DWELLINGS LA.
Four Dwellings Inf. Jun. & High Schools
69
84
85
LITTLE PK.
LEASOW
BRAMCOTE RD
PLIMSOLL GRO.
HANSOM RD
ARKWRIGHT RD.
WEDGEWOOD R.
FARADAY AV.
FLEMING RD.
PITMAN RD.
HOPEDALE RD.
RENNIE GRO.
EDISON GRO.
GORSY RD
LANE
FIRSBY RD.
AMERSHAM CL.
CHESHAM PL.
RIDGMONT CFT.
BOLNEY RD
DUFTON RD
OVERDALE ROAD
ROSEMOUNT
Worlds End Jun. & Inf. Sch.
BROOKMANS AV
PINNER GR
LYGON GR.
SIMMONS ROAD
DIMMINGSDALE BANK
RUTTERS MEADOW
HIGHFIELD
FOUR ACRES
SIX ACRES
MIDDLE LEASOWE
MAYSWOOD GRO.
GORSLY PIECE
LANE
MOAT MEADOWS
HIGLEY CL
LOWER
DRIVE
MARTLEY CROFT
FIRST MEADOW PIECE
RICKYARD PIECE
WEST
BARN PIECE
WOODGATE VALLEY COUNTRY PARK
Bourn Brook
TIBBATS CL
SOMMERFIELD
COUNTY CL.
UPPER CLOSE
RUSHY PIECE
GRAVEL BANK
WARSTON AV.
MIDDLEHILL RI.
BARK PIECE
CFT.
83
Lapal Tunnel (Disused)
Hillcrest School & Sixth Form Centre
PLOUGH
FOX LEASOW
FOREDRAFT
Nonsuch Prim. Sch.
WOOD LEASOW
SIMCOX GDS.
STEVENS
LITTLE HILL WAY
HINDON WK.
Health Centre
RALPHS MDW.
86
HILL
LEASOW
SIMMONS
STONEHOUSE
R.S.P.C. Hospit
400
01
RUSH

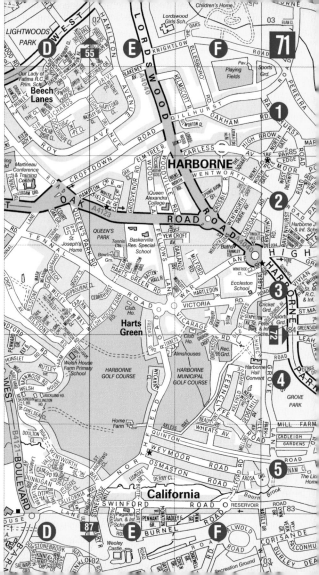

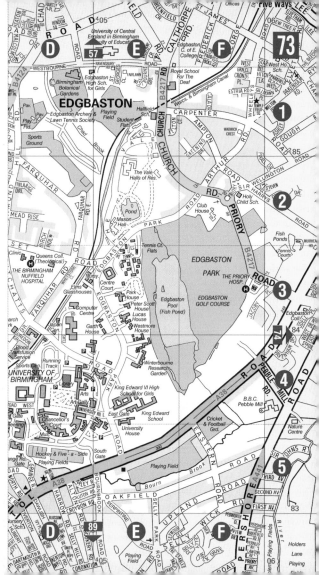

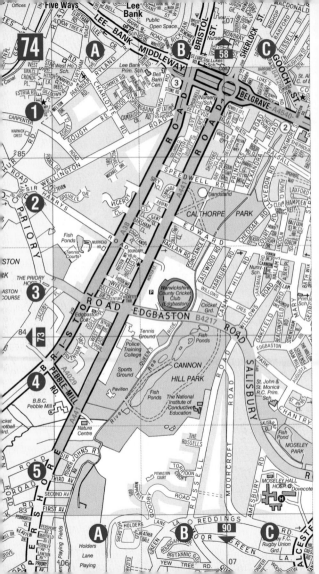

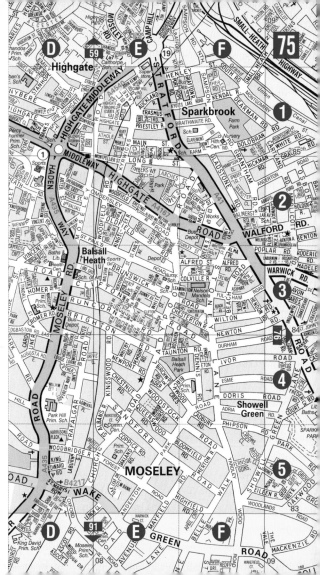

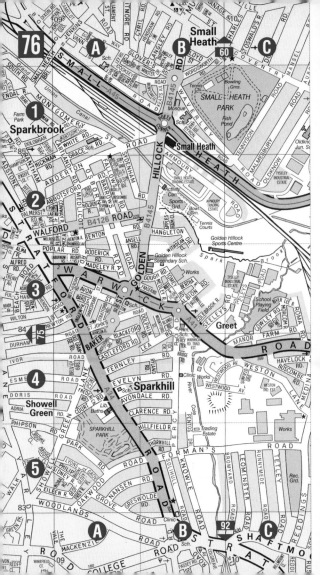

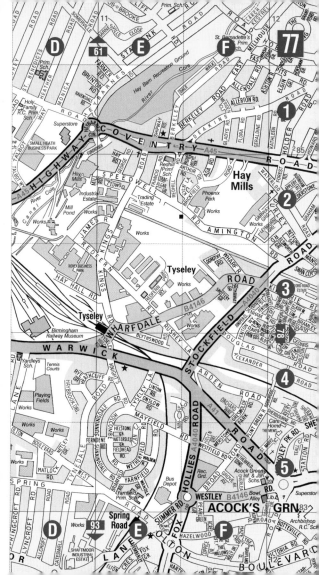

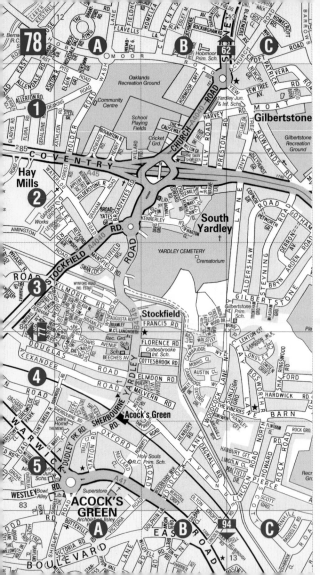

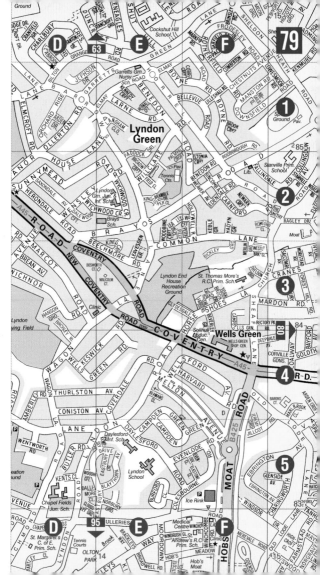

Ground

DODGE DR.

CHARLBURY

ENEAGLES

SHUT

Cockshut Hill School

LANE

FRODESLEY

SHELDON

79

D

63

E

F

JEPHSON

Garretts Grn. Nursy

ELMAY

BOYNE

MANSTON RD.

DOWNSFIELD

Lyndon Green

LARNE

BENEDON

BELLEVUE

RD.

BROOK CROFT

ROOBOROUGH RD.

285

Ground Pav.

1

MANOR

HOUSE LANE

SUNNYMEAD

HERONDALE

RD.

PADDOCK

BENEDON RD.

ELTONIA CROFT

Pav.

Tennis Cts.

Stanville Prim. School

Lib.

2

ROAD

BRAYS

COMMON

WOODBINE

KEBLE

HADYN

ROMFORD CL.

Moat

RAGLEY DR.

COVENTRY

BEECHMORE

KINGS

BICKLEY

CRANES

CHURCH

MARDON RD.

3

COVENTRY

ROAD

Lyndon End House Recreation Ground

St. Thomas More's R.C. Prim. Sch.

Solihull Educ. Cen.

SHOES

Wells Green

RECTORY PK.

84

08

Lyndon Playing Field

Clinic

COVENTRY

HORSE

WELLS GREEN SHOP. CEN.

DEEPDALE

GALWAY

CORVILLE GDNS.

BAYFORD

GOLDTH

4

WAGON LANE

THURLSTON AV.

CONISTON AV.

KESWICK RD.

WELLS GREEN RD.

COVERDALE

RD.

HARVARD

MELTON

SFORD

GREEN

AVENUE

OLD

BARONS

MARL. B'ROOK

JILLCOT

WENTWORTH RD.

BUTLER RD.

Daylesford Inf. Scot.

WOODH. CFT

EASTBURY

BLAYTHORN

CAMPDEN

GREEN

CAMPDEN

Lyndon School

EVENLODE

BURFORD

CL.

CLESBOURNE

MEADOW

MOAT ROAD

ROAD

B425

ERDINGTON RD.

GLENSIDE AV.

ERRINGTON

CRINGSWORTH

HATC

5

creation ound

KENTS CL.

Chapel Fields Jun. Sch.

DALE MORE

NORBURY GRO.

Ice Rink

Clinic

WINDSOR

DR.

LAN

HIGH

ARMST

HIGH CROFT

831

AVENUE

D

95

E

ULLERIES

Brook

Medical Centre WINCHCOMB

F

HOBS

St. Margaret's C. of E. Prim. Sch.

Tennis Courts

OLTON PARK

14

BICKLEYS

WINDRUSH CL.

St. Andrew's R.C. Prim. Sch.

HOB'S

WELL RD.

HOBS

Hob's Moat

MEREVALE

GREEN

SWOOD

415

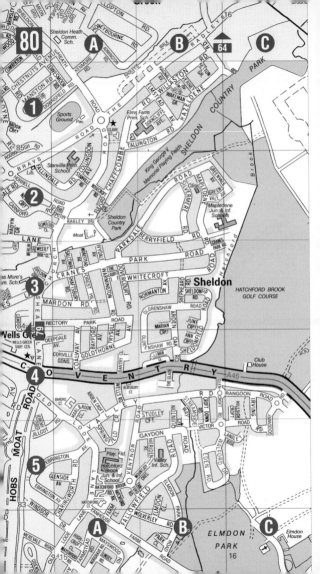

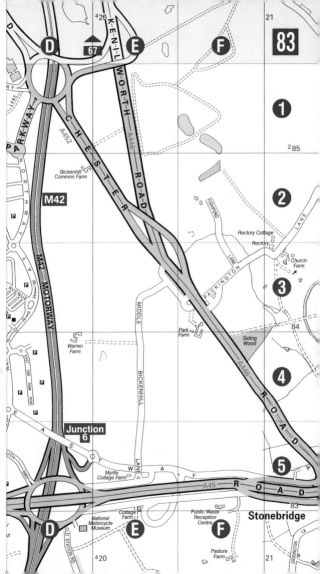

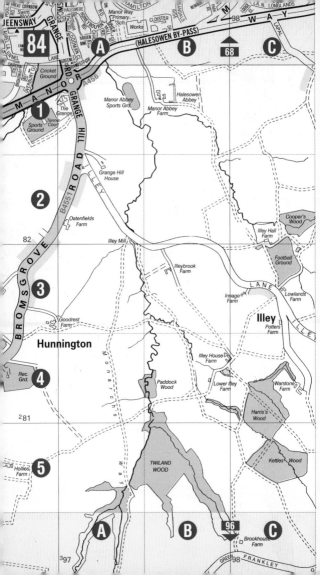

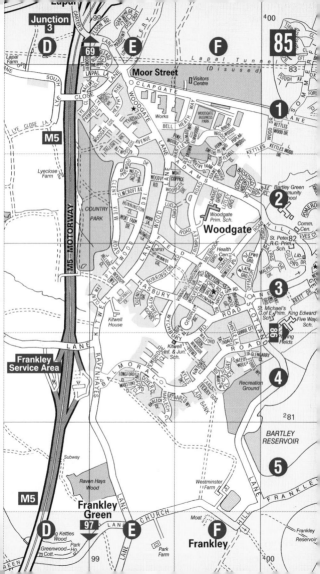

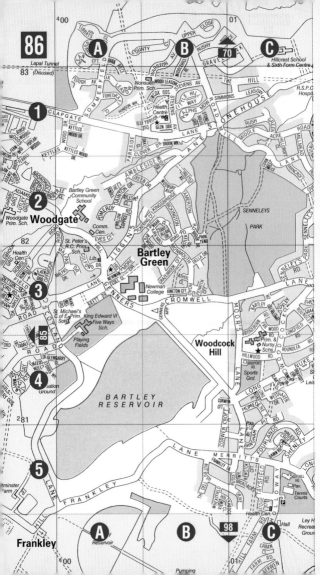

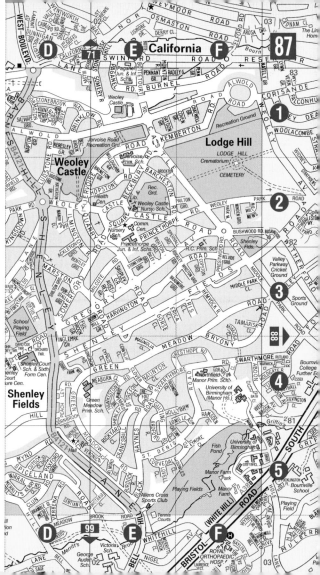

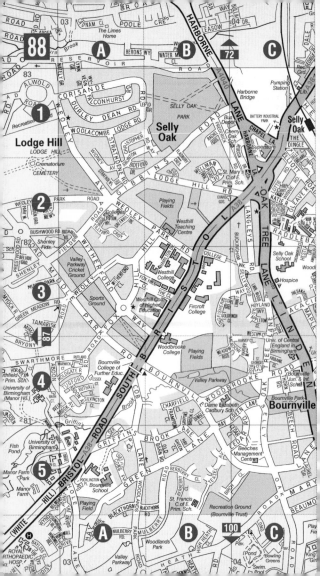

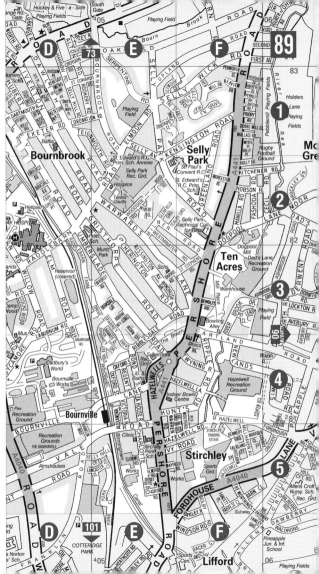

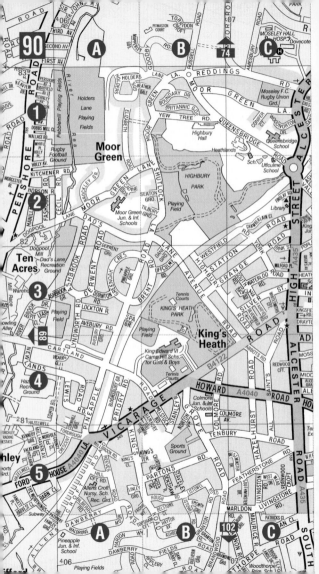

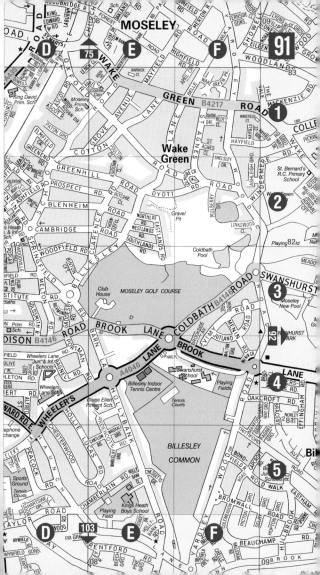

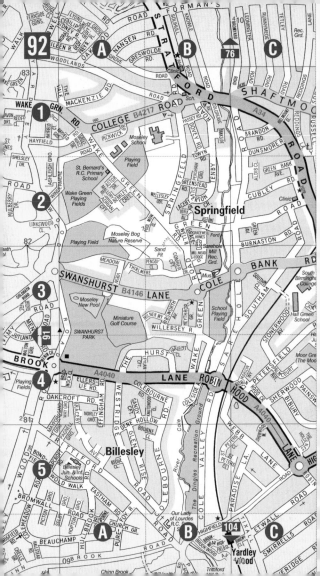

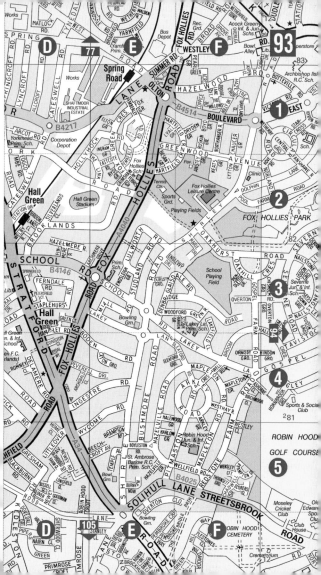

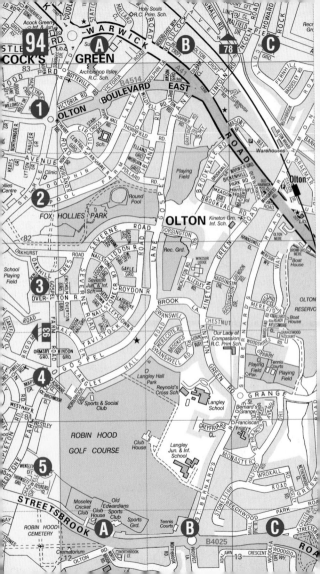

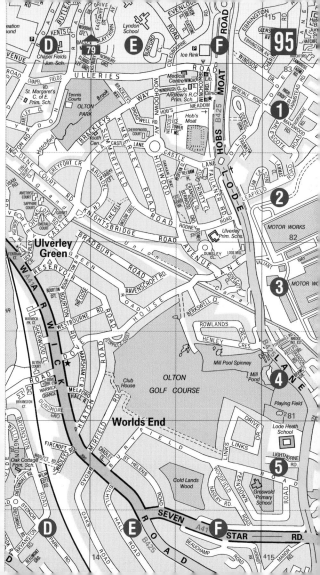

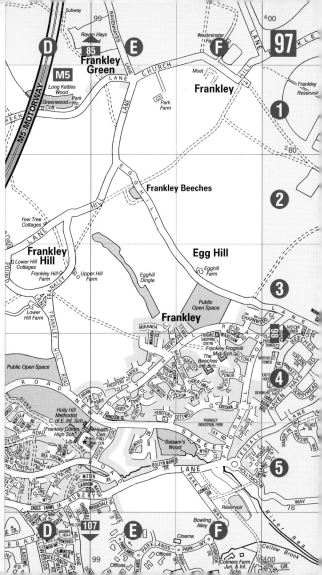

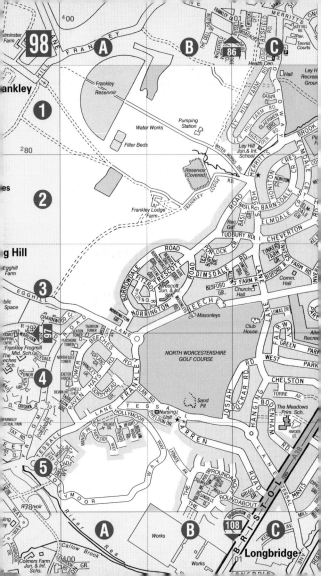

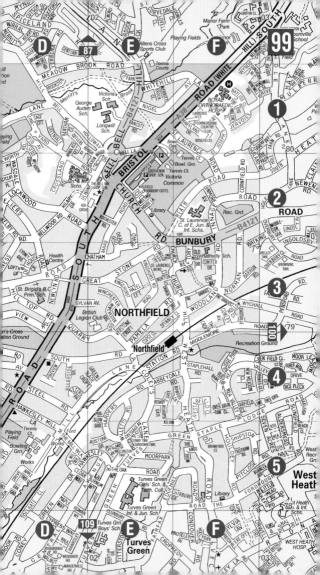

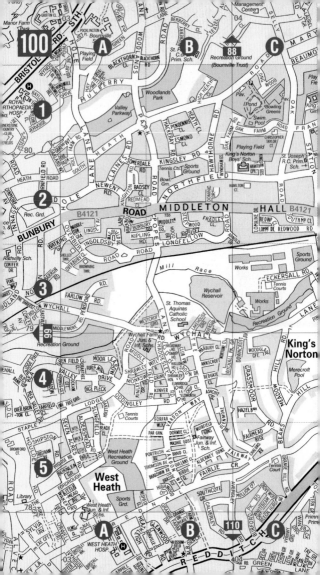

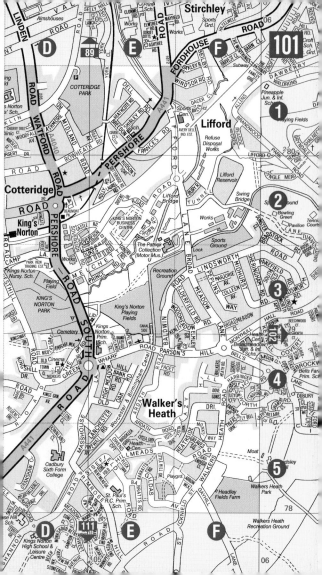

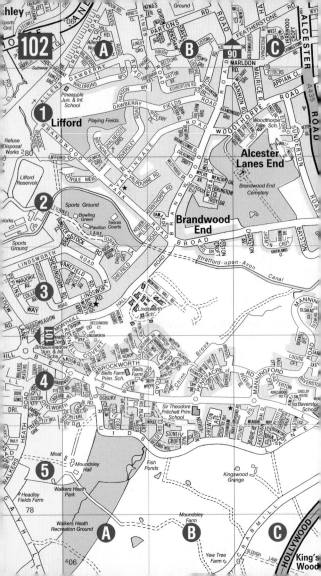

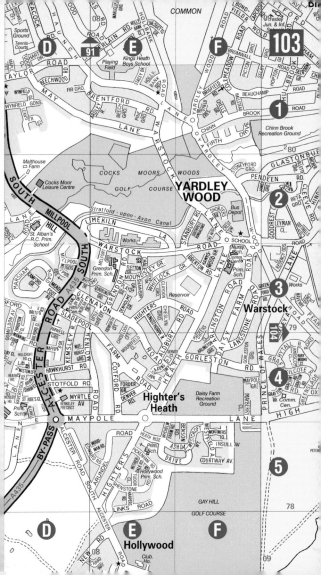

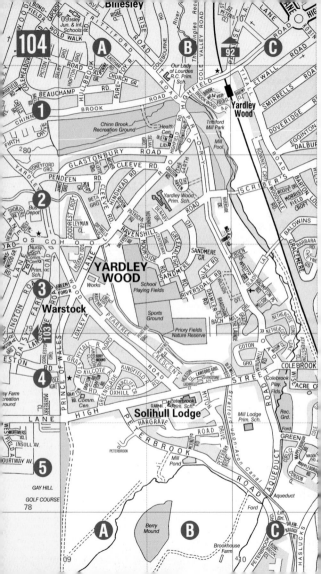

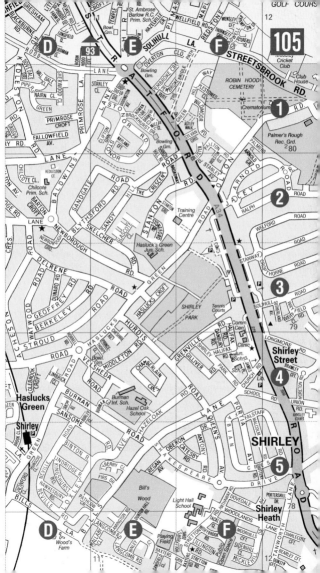

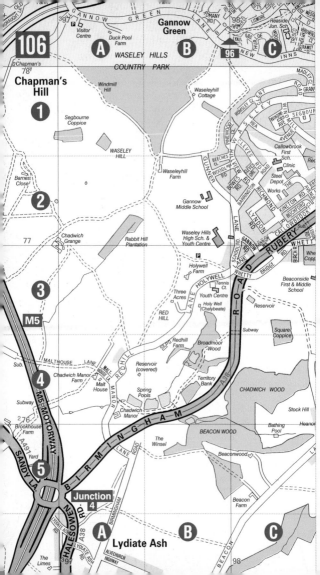

106

Chapman's Hill

Gannow Green

Visitor Centre

Duck Pool Farm

WASELEY HILLS COUNTRY PARK

96

Chapman's Hill

Windmill Hill

Segbourne Coppice

Waseleyhill Cottage

WASELEY HILL

Waseleyhill Farm

Barnes Close

Gannow Middle School

Chadwich Grange

Rabbit Hill Plantation

Waseley Hills High Sch. & Youth Centre

Holywell Farm

Three Acres

Youth Centre

Tennis Ct.

Holy Well (Chalybeate)

RED HILL

M5

Redhill Farm

Broadmoor Wood

Reservoir

Square Coppice

Beaconside First & Middle School

Subway

MALTHOUSE LANE

Sub.

Chadwich Manor Farm

Malt House

Reservoir (covered)

Spring Pools

Territory Bank

CHADWICH WOOD

Stock Hill

Subway

Chadwich Manor

Brookhouse Farm

Yard

The Winsel

BEACON WOOD

Beaconwood

Bathing Pool

Heanor

Junction 4

Beacon Farm

Lydiate Ash

The Limes

ALVECHURCH HIGHWAY

BEACON

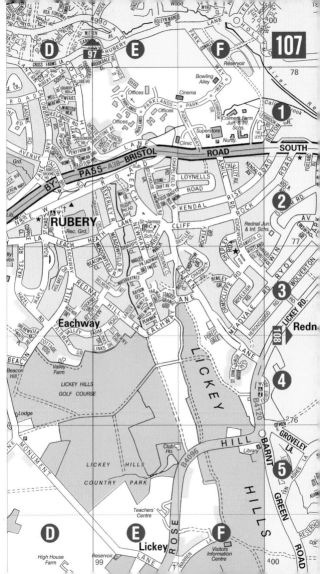

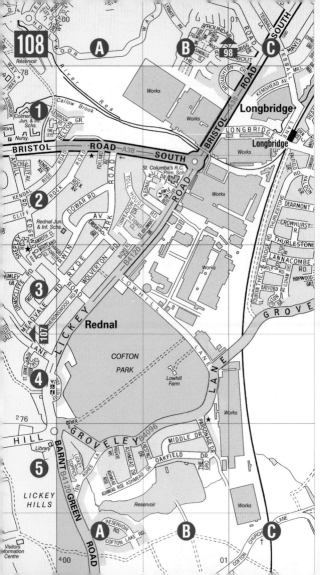

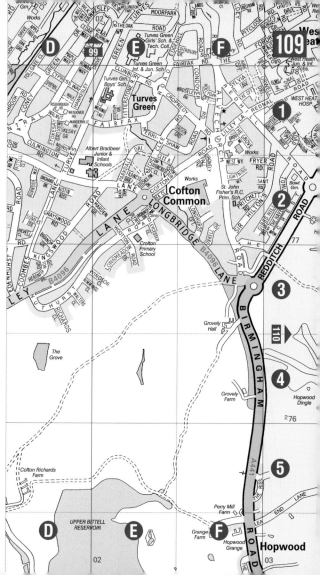

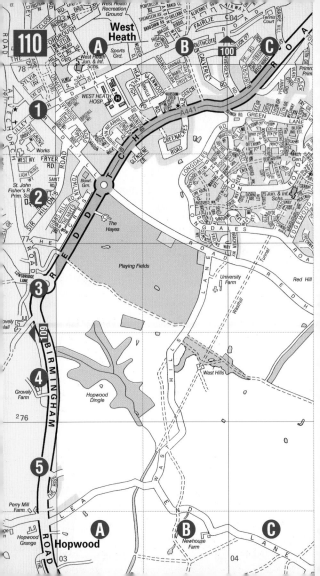

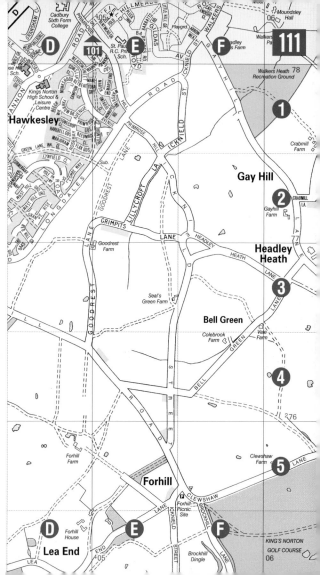

Cadbury Sixth Form College

Kings Norton High School & Leisure Centre

Hawkesley

St. Paul R.C. Pri. Sch.

Moundsley Hall

Walkers Heath 78 Recreation Ground

Crabmill Farm

Gay Hill

Gayhill Farm

CRABMILL LA.

Headley Heath

Goodrest Farm

Seal's Green Farm

Bell Green

Colebrook Farm

Vale Farm

Clewshaw Farm

Forhill Farm

Forhill

Forhill Picnic Site

CLEWSHAW

D Forhill House

E

F

D **Lea End**

KING'S NORTON GOLF COURSE 06

Brockhill Dingle

INDEX

Including Streets, Places & Areas, Industrial Estates,
Selected Flats & Walkways and Selected Places of Interest.

HOW TO USE THIS INDEX

1. Each street name is followed by its Posttown or Postal Locality and then by its map reference; e.g. Abberley Rd. *O'bry* —1F **69** is in the Oldbury Posttown and is to be found in square 1F on page **69**. The page number being shown in bold type.

2. A strict alphabetical order is followed in which Av., Rd., St., etc. (though abbreviated) are read in full and as part of the street name; e.g. Alderflat Pl. appears after Alder Dri. but before Alder Gro.

3. Streets and a selection of flats and walkways too small to be shown on the maps, appear in the index in *Italics* with the thoroughfare to which it is connected shown in brackets; e.g. *Arcadia. W Brom* —4A **30** (off Paradise St.)

4. Places and areas are shown in the index in **bold type** and the map reference is to the actual map square in which the town centre or area is located and not to the place name shown on the map; e.g. **Acock's Green.** —5F **77**

5. An example of a selected place of interest is *Aston Hall.* —2D **47**

6. Map references shown in brackets; e.g. Abbey St. *B18* —5E **45** (1A **4**) refer to entries that also appear on the large scale pages **4-11**.

GENERAL ABBREVIATIONS

All : Alley	Est : Estate	Pde : Parade
App : Approach	Fld : Field	Pk : Park
Arc : Arcade	Gdns : Gardens	Pas : Passage
Av : Avenue	Gth : Garth	Pl : Place
Bk : Back	Ga : Gate	Quad : Quadrant
Boulevd : Boulevard	Gt : Great	Res : Residential
Bri : Bridge	Grn : Green	Ri : Rise
B'way : Broadway	Gro : Grove	Rd : Road
Bldgs : Buildings	Ho : House	Shop : Shopping
Bus : Business	Ind : Industrial	S : South
Cvn : Caravan	Info : Information	Sq : Square
Cen : Centre	Junct : Junction	Sta : Station
Chu : Church	La : Lane	St : Street
Chyd : Churchyard	Lit : Little	Ter : Terrace
Circ : Circle	Lwr : Lower	Trad : Trading
Cir : Circus	Mc : Mac	Up : Upper
Clo : Close	Mnr : Manor	Va : Vale
Comn : Common	Mans : Mansions	Vw : View
Cotts : Cottages	Mkt : Market	Vs : Villas
Ct : Court	Mdw : Meadow	Vis : Visitors
Cres : Crescent	M : Mews	Wlk : Walk
Cft : Croft	Mt : Mount	W : West
Dri : Drive	Mus : Museum	Yd : Yard
E : East	N : North	
Embkmt : Embankment	Pal : Palace	

POSTTOWN AND POSTAL LOCALITY ABBREVIATIONS

A Grn : Acocks Green	*Alum R* : Alum Rock	*Aston* : Aston
A'rdge : Aldridge	*A'chu* : Alvechurch	*Bal H* : Balsall Heath

Posttown and Postal Locality Abbreviations

B Grn : Barnt Green
Bart G : Bartley Green
Bass P : Bassetts Pole
Bick : Bickenhill
B'fld : Birchfield
Birm P : Birmingham
        Bus. Pk.
Birm A : Birmingham
         International Airport
Bord : Bordesley
Bord G : Bordesley Green
B'brk : Bournbrook
B'vlle : Bournville
B'gve : Bromsgrove
Buc E : Buckland End
Camp H : Camp Hill
Can : Canwell
Cas B : Castle Bromwich
Cas V : Castle Vale
Chad : Chadwich
Chel W : Chelmsley Wood
Col : Coleshill
Crad H : Cradley Heath
Curd : Curdworth
Der : Deritend
Edg : Edgbaston
Elmd : Elmdon
Erd : Erdington
Foot : Footherley
F'brdg : Fordbridge
Four O : Four Oaks
Fran : Frankley
Fren W : French Walls
Gt Barr : Great Barr
Greet : Greet
Hale : Halesowen
Hall G : Hall Green
Hamp I : Hampstead Ind. Est.

H Ard : Hampton-in-Arden
Hand : Handsworth
Harb : Harborne
Hock : Hockley
Holf : Holford
H'wd : Hollywood
Hunn : Hunnington
H Grn : Hurst Green
K Hth : Kings Heath
K Nor : Kings Norton
K'sdng : Kingstanding
Kitts G : Kitts Green
Lady : Ladywood
Lich : Lichfield
Lit A : Little Aston
Loz : Lozells
L Ash : Lydiate Ash
Lyng : Lyng
Maney : Maney
Marl : Marlbrook
Mars G : Marston Green
May : Maypole
Mer : Meriden
Mer H : Merry Hill
Midd I : Middlemore Ind. Est.
Midd : Middleton
Min : Minworth
Mose : Moseley
Nech : Nechells
New O : New Oscott
New S : New Shires Ind. Est.
N'fld : Northfield
O'bry : Oldbury
P Barr : Perry Barr
Quin : Quinton
Redn : Rednal
Rom : Romsley

Row R : Rowley Regis
Salt : Saltley
San : Sandwell
S Oak : Selly Oak
S Park : Selly Park
S End : Shard End
Sheld : Sheldon
Shir : Shirley
Small H : Small Heath
Smeth : Smethwick
Sol : Solihull
S'brk : Sparkbrook
S'hll : Sparkhill
Stech : Stechford
Stir : Stirchley
Stock G : Stockland Green
S'tly : Streetly
S Cold : Sutton Coldfield
Tip : Tipton
Tys : Tyseley
Vaux : Vauxhall
Wals : Walsall
W End : Ward End
Wash H : Washwood Heath
Wat O : Water Orton
W Cas : Weoley Castle
W Brom : West Bromwich
Wild : Wildmoor
W'hall : Willenhall
Win G : Winson Green
Wis : Wishaw
Witt : Witton
W'gte : Woodgate
W Grn : Wylde Green
Wyt : Wythall
Yard : Yardley
Yard W : Yardley Wood

INDEX

A1 Trad. Est. *Smeth* —3E **43**
Abberley Ind. Est. *Smeth*
        —5B **44**
Abberley Rd. *O'bry* —1F **69**
Abberley St. *Smeth* —5B **44**
Abberton Clo. *Hale* —5A **68**
Abbess Gro. *B25* —4C **62**
Abbey Ct. *O'bry* —1A **54**
Abbey Cres. *O'bry* —5B **54**
Abbeydale Rd. *B31* —4E **99**
Abbeyfield Rd. *B23* —5B **26**
Abbey Gdns. *Smeth* —4C **54**
Abbey Mans. *Erd* —1F **37**
Abbey Rd. *Erd* —5B **36**
Abbey Rd. *Harb* —3B **72**
Abbey Rd. *Smeth* —4B **54**
Abbey St. *B18* —5E **45** (1A **4**)
Abbey St. N. *B18*
        —5E **45** (1A **4**)
Abbotsford Av. *B43* —2D **23**

Abbotsford Rd. *B11* —2A **76**
Abbots Rd. *B14* —4C **90**
Abbots Way. *B18* —4F **45**
Abbotts Rd. *B24* —1D **49**
Abdon Av. *B29* —4F **87**
Aberdeen St. *B18* —1C **56**
Abigails Clo. *B26* —1F **79**
Abingdon Rd. *B23* —5F **25**
Abingdon Way. *B35* —4E **39**
Abney Gro. *B44* —2F **25**
Aboyne Clo. *B5* —2B **74**
Acacia Av. *B37* —4D **53**
Acacia Clo. *B37* —4D **53**
Acacia Rd. *B30* —3C **88**
Acacia Ter. *B12* —3E **75**
Ace Bus. Pk. *B33* —3B **64**
Acfold Rd. *B20* —2C **32**
Acheson Rd. *Shir & Hall G*
        —4D **105**
Ackleton Gro. *B29* —3F **87**

Acock's Green. —5F **77**
Acorn Clo. *B27* —3F **77**
Acorn Clo. *B'vlle* —3C **88**
Acorn Clo. *W Brom* —4A **30**
Acorn Gdns. *B30* —3E **89**
Acorn Gro. *B1* —2F **57** (1A **8**)
Acorn Rd. *Hale* —1A **68**
Acton Gro. *B44* —1E **25**
Adams Brook Dri. *B32*
        —2F **85**
Adams Clo. *Smeth* —3B **42**
Adams Hill. *B32* —2F **85**
Adams St. *B7* —5D **47** (2D **7**)
Ada Rd. *Bord* —3F **59**
Ada Rd. *Smeth* —2F **55**
Ada Rd. *Yard* —2F **77**
Addenbrooke Dri. *S Cold*
        —2F **27**
Addenbrooke Rd. *Smeth*
        —2D **55**

Adderley Gdns.—Alvis Wlk.

Adderley Gdns. *B8* —5B **48**
(in two parts)
Adderley Pk. Clo. *B8* —1C **60**
Adderley Rd. *B8 & Salt*
—2A **60**
Adderley Rd. S. *B8* —2A **60**
Adderley St. *B9*
—4E **59** (4E **11**)
Addison Pl. *Wat O* —4F **41**
Addison Rd. *K Hth* —4D **91**
Addison Rd. *Nech* —2A **60**
Adelaide St. *B12* —5D **59**
Adkins La. *Smeth* —4D **55**
Admington Rd. *B33* —5A **64**
Admiral Pl. *Mose* —4D **75**
Adrian Boult Hall.
—3B **58** (2E **9**)
Adrian Cft. *B13* —2A **92**
Adria Rd. *B11* —4F **75**
Adstone Gro. *B31* —5E **99**
Advent Gdns. *W Brom*
—4A **30**
Aiken Ho. *Smeth* —1A **56**
Ainsdale Gdns. *B24* —2A **38**
Aintree Gro. *B34* —4B **52**
Aire Cft. *B31* —5F **99**
Airport Way. *Birm A* —4A **82**
Albany Ho. *B34* —3E **51**
Albany Rd. *B17* —2A **72**
Albert Av. *B12* —2E **75**
Albert Pl. *B12* —3C **74**
Albert Rd. *Aston* —2C **46**
Albert Rd. *Erd* —4B **36**
Albert Rd. *Hand* —1C **44**
Albert Rd. *Harb* —4F **71**
Albert Rd. *K Hth* —4C **90**
Albert Rd. *O'bry* —5A **58**
Albert Rd. *Stech* —3B **62**
Albert St. *B4 & B5*
—3C **58** (2B **10**)
Albert St. *W Brom* —1A **42**
Albert Wlk. *B17* —3A **72**
Albion Bus. Pk. *Smeth*
—2C **42**
Albion Fld. Dri. *W Brom*
—3B **30**
Albion Ho. *W Brom* —3A **30**
Albion Rd. *Hand* —1B **44**
Albion Rd. *San* —2F **43**
Albion Rd. *S'hll* —3B **76**
Albion St. *B1* —2F **57** (5B **4**)
Alborn Cres. *B38* —1B **110**
Albrighton Ho. *B20* —4D **33**
Albright Rd. *O'bry* —1B **54**
Albury Wlk. *B11* —1E **75**
Alcester Dri. *S Cold* —1B **26**
(in two parts)
Alcester Gdns. *B14* —4C **90**
Alcester Lanes End.
—1C **102**
Alcester Rd. *B13* —1C **90**
Alcester Rd. *H'wd & Wyt*
(in two parts) —5E **103**

Alcester Rd. S. *B14* —4C **90**
(in two parts)
Alcester St. *B12*
—5D **59** (5D **11**)
Alcombe Gro. *B33* —3C **62**
Alcott Gro. *B33* —2B **64**
Alcott La. *B37* —5D **65**
Aldbourne Way. *B38*
—2B **110**
Aldbury Rd. *B14* —4E **103**
Alder Clo. *S Cold* —5C **28**
Alder Dri. *B37* —4F **65**
Alder Gro. *Hale* —2C **68**
Alderflat Pl. *B7* —5A **48**
Alderhithe Gro. *S Cold*
—3A **12**
Alder La. *B30* —5A **88**
Alderney Gdns. *B38*
—5B **100**
Alderpits Rd. *B34* —3B **52**
(in two parts)
Alder Rd. *B12* —4E **75**
Aldersea Dri. *B6* —3D **47**
Aldershaw Rd. *B26* —3C **78**
Aldersmead Rd. *B31*
—4A **100**
Alderson Rd. *B8* —1D **61**
Alder Way. *S Cold* —1C **16**
Aldgate Gro. *B19*
—5B **46** (2E **5**)
Aldis Clo. *B28* —2C **92**
Aldridge Clo. *O'bry* —1A **54**
Aldridge Rd. *A'rdge &*
Lit A —1A **12**
Aldridge Rd. *Gt Barr &*
P Barr —2A **24**
Aldridge Rd. *S Cold &*
S'tly —1B **16**
Aldwyn Av. *B13* —1D **91**
Alexander Rd. *B27* —4F **77**
Alexander Rd. *Smeth*
—3C **54**
Alexander Ter. *Smeth*
—4D **43**
Alexandra Av. *B21* —3B **44**
Alexandra Rd. *B5* —2C **74**
Alexandra Rd. *Hand* —5A **44**
Alexandra Rd. *Stir* —4E **89**
Alexandra Theatre.
—3B **58** (3F **9**)
Alford Clo. *Redn* —2A **108**
Alfred Rd. *Hand* —2C **44**
Alfred Rd. *S'hll* —3F **75**
Alfred St. *Aston* —2F **47**
Alfred St. *K Hth* —4D **91**
Alfred St. *Smeth* —3A **44**
Alfred St. *S'brk* —3F **75**
Alfred St. *W Brom* —4B **30**
Algernon Rd. *B16* —1B **56**
Alison Rd. *Hale* —5D **69**
Allan Clo. *Smeth* —5F **43**
Allcock St. *B9*
—4E **59** (3E **11**)

Allcroft Rd. *B11* —1D **93**
Allen Clo. *B43* —5C **22**
Allendale Gro. *B43* —4C **22**
Allendale Rd. *B25* —1F **77**
Allendale Rd. *S Cold* —4C **28**
Allen Dri. *W Brom* —1D **43**
Allen Ho. *B43* —5C **22**
Allen's Av. *B18* —4D **45**
Allens Cft. Rd. *B14* —1F **101**
Allens Farm Rd. *B31* —3B **98**
Allen's Rd. *B18* —4D **45**
Allen St. *W Brom* —4A **30**
Allerton Rd. *B25* —1F **77**
Allesley Clo. *S Cold* —3A **20**
Allesley Rd. *Sol* —3B **94**
Allesley St. *B6*
—5C **46** (1B **6**)
Alleyne Gro. *B24* —1E **49**
Alleyne Rd. *B24* —1E **49**
Allingham Gro. *B43* —5C **16**
Allison St. *B5*
—3D **59** (3C **10**)
Allman Rd. *B24* —3F **37**
Allmyn Dri. *S Cold* —3E **17**
All Saints. —5E **45** (1A **4**)
All Saints Dri. *S Cold* —4D **13**
All Saints Rd. *Hock*
—5F **45** (1A **4**)
All Saint's Rd. *K Hth* —4C **90**
All Saints St. *B18*
—5E **45** (2A **4**)
All Saints Way. *W Brom*
—3B **30**
Allwell Dri. *B14* —4D **103**
Allwood Gdns. *B32* —1E **85**
Alma Cres. *B7* —1F **59**
Alma Pas. *Harb* —2B **72**
Alma Pl. *Bal H* —3F **75**
Alma St. *B19* —4C **46**
Alma St. *Smeth* —3A **44**
Alma Way. *B19* —3B **46**
Almond Clo. *B29* —5E **87**
Almond Cft. *B42* —1F **63**
Almsbury Ct. *B26* —4A **80**
Alnwick Ho. *B23* —1D **37**
Alpha Clo. *B12* —2C **74**
Alport Cft. *B9* —3F **59**
Alston Clo. *S Cold* —4E **13**
Alston Gro. *B9* —2F **61**
Alston Ho. *B9* —2F **61**
Alston Rd. *B16* —3E **57**
Alton Gro. *W Brom* —1C **30**
Alton Rd. *B29* —5D **73**
Alum Dri. *B9* —2E **61**
Alumhurst Av. *B8* —1F **61**
Alum Rock. —2F **61**
Alum Rock Rd. *B8 & Salt*
—5B **48**
Alvechurch Highway.
L Ash —5A **106**
Alvechurch Rd. *B31* —1F **109**
Alveston Gro. *B9* —3F **61**
Alvis Wlk. *B36* —1D **53**

Alwold Rd. *B29* —1D **87**
Alwynn Wlk. *B23* —4F **35**
Amal Way. *Witt* —5D **35**
(in two parts)
Amanda Dri. *B26* —4E **63**
Amberley Ct. *B29* —3C **88**
Amberley Grn. *B43* —1C **32**
Amberley Gro. *B6* —4E **35**
Amberley Rd. *Sol* —4D **79**
Amberley Way. *S Cold*
—1C **16**
Amber Way. *Hale* —2A **68**
Amblecote Av. *B44* —2C **24**
Ambleside. *B32* —2A **86**
Ambury Way. *B43* —4B **22**
Amersham Clo. *B32* —3C **70**
Amesbury Rd. *B13* —5C **74**
Amethyst Ct. *Sol* —2D **95**
Amherst Av. *B20* —4E **33**
Amington Clo. *S Cold*
—2B **14**
Amington Rd. *B25 & Yard*
—2F **77**
Amington Rd. *Shir* —5E **105**
Amiss Gdns. *B10* —5A **60**
Amity Clo. *Smeth* —5F **43**
Ampton Rd. *B15* —1F **73**
Amroth Clo. *Redn* —2F **107**
Amwell Gro. *B14* —3D **103**
Anchorage Rd. *B23* —4B **36**
Anchorage Rd. *S Cold*
—3F **19**
Anchor Clo. *B16* —4C **56**
Anderson Cres. *B43* —1C **22**
Anderson Rd. *B23* —1C **36**
Anderson Rd. *Smeth*
—4E **55**
Anderton Clo. *S Cold*
—2E **19**
Anderton Pk. Rd. *B13*
—5E **75**
Anderton Rd. *B11* —2A **76**
Anderton St. *B1*
—2F **57** (1A **8**)
Andover St. *B5*
—3D **59** (2D **11**)
Andrew Gdns. *B21* —1C **44**
Anerley Gro. *B44* —5D **17**
Anerley Rd. *B44* —5D **17**
Angelina St. *B12* —1D **75**
Anglesey Av. *B36* —3F **53**
Anglesey St. *B19* —3A **46**
Angus Clo. *W Brom* —1A **30**
Anita Cft. *B23* —5B **36**
Ankermoor Clo. *B34* —4F **51**
Ann Cft. *B26* —4B **80**
Anne Ct. *S Cold* —1E **29**
Anne Rd. *Smeth* —3A **44**
Annscroft. *B38* —4B **100**
Ansbro Clo. *B18* —5D **45**
Ansell Rd. *Erd* —1D **69**
Ansell Rd. *S'brk* —2A **76**
Anslow Rd. *B23* —2A **36**

Anson Gro. *B27* —1B **94**
Anstey Cft. *F'bri* —1E **65**
Anstey Gro. *B27* —3A **78**
Anstey Rd. *B44* —1C **34**
Anstruther Rd. *B15* —1B **72**
Anthony Rd. *B8* —2C **60**
Anton Dri. *Min* —1E **39**
Antony Rd. *Shir* —5F **105**
Antringham Gdns. *B15*
—5B **56**
Antrobus Rd. *B21* —1C **44**
Antrobus Rd. *S Cold* —3C **26**
Apollo Cft. *Erd* —4B **38**
Apollo Rd. *O'bry* —4A **42**
Apollo Way. *B20* —1B **46**
Apollo Way. *Smeth* —5A **44**
Appian Clo. *B14* —1C **102**
Appleby Clo. *B14* —1B **102**
Applecross. *S Cold* —5D **13**
Appledorne Gdns. *B34*
—4F **51**
Applesham Clo. *B11* —2B **76**
Appleton Av. *B43* —4B **22**
Appleton Rd. *B30* —3C **88**
Apple Tree Clo. *B23* —3F **35**
Apple Tree Rd. *B31* —5D **99**
April Cft. *B13* —1F **93**
Apsley Clo. *O'bry* —1E **69**
Apsley Cft. *B38* —4F **101**
Apsley Gro. *B24* —5E **37**
Apsley Rd. *O'bry* —1E **69**
Aqueduct Rd. *Shir* —5G **104**
Aragon Dri. *S Cold* —3E **19**
Arbor Ct. *W Brom* —1C **30**
Arbor Way. *B37* —4A **66**
Arbury Wlk. *Min* —2B **40**
Arcade. *N'fld* —2E **99**
Arcadia. *W Brom* —4A **30**
(off Paradise St.)
Arcadian Shop. Cen. *B5*
—4C **58** (4A **10**)
Archer Clo. *O'bry* —5A **42**
Archer Rd. *B14* —2A **104**
Archers Clo. *B23* —4A **26**
(in two parts)
Arches, The. *B10* —5F **59**
Archibald Rd. *B19* —2A **46**
Arcot Rd. *B28* —1D **93**
Ardath Rd. *B38* —4E **101**
Ardencote Rd. *B13* —5E **91**
Arden Ct. *Erd* —4F **37**
Arden Cft. *Sol* —4A **80**
Arden Dri. *B26* —1D **79**
Arden Dri. *S Cold* —4F **27**
(B73)
Arden Dri. *S Cold* —4F **21**
(B75, in two parts)
Arden Gro. *B19* —2A **46**
Arden Gro. *Lady* —4E **57**
Arden Oak Rd. *B26* —3B **80**
Arden Rd. *A Grn* —2A **78**
Arden Rd. *Aston* —2B **46**
Arden Rd. *Redn* —5E **97**

Arden Rd. *Salt* —2B **60**
Arden Rd. *Smeth* —1E **55**
Arderne Dri. *B37* —4E **65**
Ardley Rd. *B14* —1E **103**
Arena Wlk. *B1* —3B **8**
Argus Clo. *S Cold* —1D **29**
Argyle St. *B7* —2A **48**
Arkle Cft. *B36* —2A **50**
Arkley Gro. *B28* —4F **93**
Arkley Rd. *B28* —4F **93**
Arkwright Rd. *B32* —3A **70**
Arlen Dri. *B43* —3B **22**
Arlescote Clo. *S Cold* —4A **14**
Arlescote Rd. *Sol* —1F **95**
Arless Way. *B17* —5E **71**
Arley Ho. *B26* —4E **63**
Arley Rd. *B'brk* —5D **73**
Arley Rd. *Salt* —5B **48**
Arlington Gro. *B14* —4F **103**
Arlington Rd. *B14* —4F **103**
Arlington Rd. *W Brom*
—1B **30**
Armada Clo. *B23* —1B **48**
Armoury Clo. *B9* —4B **60**
Armoury Rd. *B11* —4C **60**
Armoury Trad. Est. *B11*
—2B **76**
Armstrong Dri. *B36* —1D **53**
Arnold Gro. *B30* —2B **100**
Arnold Gro. *Shir* —2F **105**
Arnold Rd. *Shir* —2F **105**
Arnside Ct. *B23* —3F **35**
Arosa Dri. *B17* —5F **71**
Arran Clo. *B43* —1C **22**
Arran Rd. *B34* —4D **51**
Arran Way. *B36* —3E **53**
Arrowfield Grn. *B38* —2B **110**
Arrow Wlk. *B38* —5F **101**
Arsenal St. *B9* —4A **60**
Arter St. *Bal H* —2D **75**
Arthur Gunby Clo. *S Cold*
—2D **21**
Arthur Pl. *B1* —2F **57** (1B **8**)
Arthur Rd. *Edg* —2F **73**
Arthur Rd. *Erd* —3F **37**
Arthur Rd. *Hand* —2D **45**
Arthur Rd. *Yard* —2F **77**
Arthur St. *B10* —4F **59**
Arthur St. *W Brom* —1B **42**
Arthur Ter. *Yard* —2F **77**
Artillery St. *B9* —3F **59**
Arton Cft. *B24* —5D **37**
Arundel Cres. *Sol* —2E **95**
Arundel Ho. *B23* —1D **37**
Arundel Pl. *B11* —2E **75**
Arundel Rd. *B14* —5E **103**
Arun Way. *S Cold* —3E **29**
Ascot Clo. *B16* —3D **57**
Ascot Gro. *O'bry* —5A **42**
Ash Av. *B12* —3E **75**
Ashbourne Gro. *Aston*
—2C **46**
Ashbourne Rd. *B16* —2B **56**

Ashbrook Dri. *Redn* —1F **107**
Ashbrook Gro. *B30* —3A **90**
Ashbrook Rd. *B30* —3A **90**
Ashburton Rd. *B14* —1B **102**
Ashbury Covert. *B30*
—3A **102**
Ashby Clo. *B8* —4A **50**
Ashcombe Av. *B20* —4C **32**
Ashcombe Gdns. *Erd* —4B **38**
Ashcott Clo. *B38* —4B **100**
Ash Cres. *Smeth* —2A **42**
Ash Cres. *B37* —4D **53**
Ashcroft. *Smeth* —5A **44**
Ashcroft Gro. *B20* —5B **34**
Ashdale Dri. *B14* —5F **103**
Ashdale Gro. *B26* —5E **63**
Ashdene Clo. *S Cold* —1E **27**
Ashdown Clo. *B13* —2E **91**
Ashdown Clo. *Redn* —4E **97**
Ash Dri. *W Brom* —1A **30**
Ashfern Dri. *S Cold* —5D **29**
Ashfield Av. *B14* —2D **91**
Ashfield Gdns. *B14* —2D **91**
Ashfield Rd. *B14* —2D **91**
Ashford Dri. *S Cold* —2D **39**
Ashfurlong Cres. *S Cold*
—2C **20**
Ash Gro. *B9* —3F **59**
Ash Gro. *Bal H* —3F **75**
Ash Gro. *N'fld* —2D **99**
Ashgrove Rd. *B44* —2A **24**
Ashill Rd. *Redn* —2F **107**
Ashlawn Cres. *Sol* —5B **94**
Ashleigh Dri. *B20* —5F **33**
Ashleigh Gro. *B13* —2F **91**
Ashley Clo. *B15* —1A **74**
Ashley Gdns. *B8* —1B **60**
Ashley Rd. *B23* —4C **36**
Ashley Rd. *Smeth* —1A **56**
Ashley Ter. *B29* —2C **88**
Ashmead Dri. *Redn* —5A **108**
Ashmead Gro. *B24* —5E **37**
Ashmead Ri. *Redn* —5A **108**
Ash M. *B27* —3A **78**
Ashmore Rd. *B30* —1D **101**
Ashold Farm Rd. *B24*
—5B **38**
Asholme Clo. *B36* —3A **50**
Ashorne Clo. *B28* —4F **93**
Ashover Gro. *B18* —1C **56**
(off Heath Grn. Rd.)
Ashover Rd. *B44* —1B **24**
Ash Rd. *B8* —1B **60**
Ashtead Clo. *Min* —1F **39**
Ashted Cir. *B7* —4E **7**
Ashted Lock. *B7*
—1D **59** (4D **7**)
Ashted Wlk. *B7*
—1F **59** (4F **7**)
Ash Ter. *Wash H* —4C **48**
Ashtoncroft. *B16*
—3E **57** (3A **8**)
Ashton Rd. *B25* —1F **77**

Ash Tree Dri. *B26* —1B **78**
Ashurst Rd. *S Cold* —1D **39**
Ashville Av. *B34* —3D **51**
Ashwater Dri. *B14* —4B **102**
Ashway. *B11* —3F **75**
Ash Way. *B23* —4A **26**
Ashwin Rd. *B21* —3D **45**
Ashwood Clo. *S Cold* —1C **16**
Ashwood Ct. *B34* —5B **50**
Ashwood Dri. *B37* —2B **66**
Ashworth Rd. *B42* —3F **23**
Aspbury Cft. *B36* —1B **52**
Aspen Clo. *B27* —1F **93**
Aspen Clo. *S Cold* —2D **29**
Aspen Dri. *B37* —5A **66**
Aspen Gdns. *Hand* —1F **45**
Aspen Gro. *B9* —2E **61**
Asquith Rd. *B8* —5E **49**
Asra Clo. *Smeth* —2E **43**
Asra Ho. *Smeth* —2E **43**
Astbury Av. *Smeth* —2D **55**
Astbury Ct. *O'bry* —1F **69**
Astley Av. *Hale* —2D **69**
Astley Cres. *Hale* —3D **69**
Astley Rd. *B21* —1B **44**
Astley Wlk. *Shir* —1F **105**

Aston. —2D 47
Aston Bri. *B6* —5D **47** (1C **6**)
Aston Brook Grn. *B6*
—5D **47** (1D **7**)
Aston Brook St. *B6*
—4D **47** (1C **6**)
(in two parts)
Aston Brook St. E. *B6*
—5D **47** (1D **7**)
Aston Bury. *B15* —5B **56**
Aston Chu. Rd. *Nech &*
Salt —3A **48**
Aston Chu. Trad. Est. *Nech*
—4B **48**
Aston Cross Bus. Pk. *Aston*
—4E **47**
Aston Expressway. *B6*
—5D **47** (1C **6**)
Aston Hall. *—2D 47*
Aston Hall Rd. *B6* —2E **47**
Aston La. *Hand & Aston*
—5B **34**
Aston Manor Transport
Mus. —1D 47
Aston Rd. *B6* —5D **47** (2C **6**)
(in three parts)
Aston Rd. N. *B6*
—4D **47** (1D **7**)
Aston Science Pk. *B7*
—1D **59** (3D **7**)
Aston Seedbed Cen. *Nech*
—4E **47** (1E **7**)
Aston St. *B4* —1D **59** (5B **6**)
(in two parts)
Aston Students Guild. *B4*
—3C **6**

Aston Triangle. *B4*
—2D **59** (5C **6**)
Astor Dri. *B13* —2A **92**
Astor Rd. *S Cold* —1E **17**
Atherstone Clo. *Shir*
—4C **104**
Athol Clo. *B32* —3B **86**
Athole St. *B12* —1E **75**
Atlantic Rd. *B44* —4D **25**
Atlas Est. *Witt* —5E **35**
Atlas Way. *B1* —3B **8**
Attenborough Clo. *B19*
—5C **46** (1F **5**)
Attingham Dri. *B43* —2B **82**
Attleboro La. *Wat O* —5E **41**
Attwood Clo. *B8* —4C **48**
Aubrey Rd. *B32* —1C **70**
Aubrey Rd. *Small H* —5D **61**
Auchinleck Sq. *B15* —5A **8**
Aucinleck Ho. *B15*
—4F **57** (4B **8**)
(off Broad St.)
Auckland Dri. *B36* —2D **53**
Auckland Ho. *B32* —4D **71**
Auckland Rd. *B11* —1E **75**
Auckland Rd. *Smeth* —4C **42**
Audleigh Ho. *B15*
—5A **58** (5C **8**)
Audley Rd. *B33* —1C **62**
Augusta Rd. *A Grn* —3A **78**
Augusta Rd. *Mose* —4C **74**
Augusta Rd. E. *B13* —4D **75**
Augusta St. *B18*
—1A **58** (3C **4**)
Augustine Rd. *B18* —4D **45**
Augustine Gro. *S Cold*
—1D **13**
Augustus Ct. *B15* —5D **57**
Augustus Rd. *B15* —5B **56**
Aulton Rd. *S Cold* —3C **14**
Ault St. *W Brom* —1B **42**
Austen Pl. *B15* —5F **57**
Austen Wlk. *W Brom*
—2B **30**
Austin Clo. *B27* —4B **78**
Austin Cft. *B33* —1D **53**
Austin Ri. *B31* —2D **109**
Austin Rd. *B21* —1A **44**
Austin Way. *B42 &*
Hamp I —2E **33**
Austrey Gro. *B29* —3E **87**
Austy Clo. *B36* —2C **50**
Autumn Gro. *Hock* —4A **46**
Avalon Clo. *B24* —3F **37**
Avebury Gro. *B30* —4A **90**
Avebury Rd. *B30* —3A **90**
Avenue Clo. *B7*
—4E **47** (1F **9**)
Avenue Rd. *Aston*
—4D **47** (1E **7**)
Avenue Rd. *Erd* —3D **37**
Avenue Rd. *Hand & Nech*
—5B **32**

Avenue Rd. *K Hth* —3B **90**
Avenue, The. *A Grn* —4B **78**
Avenue, The. *Redn* —2C **106**
Averill Rd. *B26* —4E **63**
Aversley Rd. *B38* —5B **100**
Avery Ct. *O'bry* —1F **69**
Avery Cft. *B35* —5D **39**
Avery Dell Ind. Est. *B30*
—1F **101**
Avery Dri. *B27* —4A **78**
Avery Myers Clo. *O'bry*
—5A **42**
Avery Rd. *Smeth* —4B **44**
Avery Rd. *S Cold* —2A **26**
Aviemore Cres. *B43* —1F **23**
Avocet Clo. *B33* —2C **62**
Avon Clo. *B14* —5B **102**
Avoncroft Ho. *B37* —3E **65**
Avondale Rd. *B11* —4A **76**
Avon Dri. *Cas B* —2D **53**
Avon Dri. *Mose* —1F **91**
Avon Ho. *B15* —5B **58** (5E **9**)
Avon St. *B11* —3A **76**
Awefields Cres. *Smeth*
—1B **54**
Ayala Cft. *B36* —1C **50**
Aylesbury Cres. *B44* —4E **25**
Aylesford Dri. *B37* —1E **81**
Aylesford Dri. *S Cold* —1C **12**
Aylesford Rd. *B21* —1B **44**
Aylesmore Clo. *B32* —2A **86**
Aylesmore Clo. *Sol* —3C **94**
Aynsley Ct. *Shir* —4F **105**
Ayre Rd. *B24* —3F **37**
Ayrshire Clo. *B36* —2B **50**
Azalea Gro. *B9* —3D **61**
Aziz Isaac Clo. *O'bry* —5A **42**

Babington Rd. *B21* —3C **44**
Bablake Cft. *Sol* —2E **95**
Bacchus Rd. *B18* —4D **45**
Bache St. *W Brom* —1A **42**
Bach Mill Dri. *B28* —3B **104**
Back Rd. *K Nor* —4D **101**
Bacon's End. —1F **65**
Bacons End. *B37* —5F **53**
Baddesley Rd. *Sol* —1C **94**
Bader Wlk. *B35* —5D **39**
Badgers Bank Rd. *S Cold*
—1D **13**
Badgers Cft. *Hale* —1A **68**
Badgers Way. *B34* —5E **51**
(in two parts)
Badon Covert. *B14* —4B **102**
Badsey Clo. *B31* —2A **100**
Baginton Rd. *B35* —3E **39**
Bagnall Clo. *B25* —2B **78**
Bagnall St. *W Brom* —2C **55**
Bagnell Rd. *B13* —4D **91**
Bagot St. *B4* —1C **58** (3B **6**)
Bagshawe Cft. *B23* —5B **26**
Bagshaw Rd. *B33* —2C **62**

Baker Ho. Gro. *B43* —5B **22**
Bakers La. *S Cold* —4D **17**
Baker St. *Hand* —2D **45**
Baker St. *Small H* —4B **60**
Baker St. *S'hll* —4A **76**
Balaclava Rd. *B14* —3C **90**
Balcaskie Clo. *B15* —1C **73**
Balden Rd. *B32* —1C **70**
Baldmoor Lake Rd. *B23*
—5D **27**
Baldwin Ho. *B19* —4C **46**
Baldwin Rd. *B30* —4E **101**
Baldwins La. *B28* —2C **104**
Baldwin St. *Smeth* —4F **43**
Balfour Ct. *S Cold* —3E **13**
Balfour St. *B12* —2C **74**
Balham Gro. *B44* —2E **25**
Ballard Wlk. *B37* —4E **53**
Balliol Ho. *B37* —3D **65**
Ballot St. *Smeth* —5F **43**
Balmoral Rd. *Bart G* —4E **85**
Balmoral Rd. *Erd* —2D **37**
Balmoral Rd. *K'hrst* —3E **53**
Balmoral Rd. *S Cold* —1D **13**
Balsall Heath. —3D **75**
Balsall Heath Rd.
B5 & B12 —1B **74**
Baltimore Rd. *B42* —1E **33**
Bampfylde Pl. *B42* —5A **24**
Bamville Rd. *B8* —5E **49**
Banbury Cft. *B37* —3D **65**
Banbury Ho. *B33* —3C **64**
Banbury St. *B5*
—2D **59** (1C **10**)
Bandywood Cres. *B44*
—1D **25**
Bandywood Rd. *B44* —5C **16**
Banford Av. *B8* —1E **61**
Banford Rd. *B8* —1E **61**
Bangham Pit Rd. *B31*
—5C **86**
Bangor Ho. *B37* —1B **66**
Bangor Rd. *B9* —3B **60**
Bankdale Rd. *B8* —1F **61**
Bankes Rd. *B10* —4C **60**
Bankside. *Gt Barr* —5C **22**
Bankside. *Mose* —1B **92**
Bankside Cres. *S Cold*
—2D **17**
Bank St. *B14* —3C **90**
Bank St. *W Brom* —1A **30**
Bannerlea Rd. *B37* —5D **53**
Bannerley Rd. *B33* —4A **64**
Banners Ct. *S Cold* —1F **25**
Banners Ga. Rd. *S Cold*
—1F **25**
Banners Gro. *B23* —1F **25**
Banners Wlk. *B44* —2F **25**
Bantams Clo. *B33* —3A **64**
Bantock Way. *B17* —3B **72**
Banton Clo. *B23* —4B **26**
Bantry Clo. *B26* —4A **80**
Barbara Rd. *B28* —2C **104**

Barcheston Rd. *B29* —2E **87**
Barclay Rd. *Smeth* —4C **54**
Bardfield Clo. *B42* —4E **23**
Bard St. *B11* —3A **76**
Barford Clo. *S Cold* —5D **21**
Barford Cres. *B38* —4A **102**
Barford Ho. *B5* —1C **74**
Barford Rd. *B16* —1C **56**
Barford St. *B5*
—5C **58** (5B **10**)
Bargehorse Wlk. *B38*
—2C **110**
Barker Rd. *S Cold* —2F **19**
Barker St. *Loz* —3F **45**
Barker St. *O'bry* —1A **42**
Bark Piece. *B32* —5A **70**
Barlands Cft. *B34* —4A **52**
Barle Gro. *B36* —3D **53**
Barlow Clo. *Redn* —4C **96**
Barlow Dri. *W Brom* —1D **43**
Barlow's Rd. *B15* —3B **72**
Barnabas Rd. *B23* —3D **37**
Barnard Rd. *B37* —4B **66**
Barnardo's Cen. *B7* —2F **7**
Barnard Rd. *S Cold* —2C **20**
Barn Clo. *B30* —5F **89**
Barncroft. *B32* —2C **86**
Barnes Clo. *B37* —3C **64**
Barnes Hill. *B29* —1D **87**
Barnesville Clo. *B10* —5E **61**
Barnet Rd. *B23* —2B **36**
Barnfield Gro. *B20* —2C **32**
Barnfield Rd. *Hale* —1B **68**
Barnford Clo. *B10* —4A **60**
Barnfordhill Clo. *O'bry*
—1A **54**
Barn La. *Hand* —3C **44**
Barn La. *Mose* —4E **91**
Barn La. *Sol* —4C **78**
Barn Mdw. *B25* —4B **62**
Barnpark Covert. *B14*
—4A **102**
Barn Piece. *B32* —4F **69**
Barnsbury Av. *S Cold* —1A **38**
Barnsdale Cres. *B31* —2C **98**
Barnsley Rd. *B17* —4E **55**
Barnstaple Rd. *Smeth*
—5F **43**
Barnt Grn. Rd. *Redn*
—5A **108**
Barnwood Rd. *B32* —4D **71**
Barons Clo. *B17* —2E **71**
Barons Ct. *Sol* —4A **80**
Barrack St. *B7* —1E **59** (4F **7**)
Barra Cft. *B35* —3F **39**
Barratts Rd. *B38* —5E **101**
Barrhill Clo. *B43* —2C **22**
Barrington Rd. *Redn*
—2C **106**
Barrington Rd. *Sol* —1C **94**

Barron Rd.—Beechfield Rd.

Barron Rd. *B31* —3F **99**
Barrows La. *B26* —5C **62**
(in two parts)
Barrows Rd. *B11* —2A **76**
Barrow Wlk. *B5* —1C **74**
(in two parts)
Barr St. *B19* —5A **46** (1C **4**)
(in two parts)
Barry Jackson Tower. *B6*
—3D **47**
Barsham Clo. *B5* —2A **74**
Barston Rd. *O'bry* —1F **69**
Bartholomew Row. *B5*
—2D **59** (1C **10**)
Bartholomew St. *B5*
—3D **59** (2C **10**)
Bartleet Rd. *Smeth* —5B **42**
Bartley Clo. *Sol* —1D **95**
Bartley Dri. *B31* —3C **86**
Bartley Green. —3B 86
Bartley Woods. *B32* —1F **85**
Barton Cft. *B28* —2D **105**
Barton Lodge Rd. *B28*
—2C **104**
Bartons Bank. *B6* —3C **46**
Barton St. *W Brom* —5A **30**
Barwell Ct. *B9* —3F **59**
Barwell Rd. *B9* —3F **59**
Barwick St. *B3*
—2B **58** (1F **9**)
Basil Gro. *B31* —2C **98**
Basil Rd. *B31* —2C **98**
Baslow Clo. *B33* —1D **63**
Bason's La. *O'bry* —5A **42**
Bassett Clo. *S Cold* —5C **20**
Bassett Cft. *B10* —5F **59**
Bassetts Gro. *B37* —5D **53**
Bassett's Pole. —4F 15
Bateman Dri. *S Cold* —2F **27**
Bates Clo. *S Cold* —5F **29**
Bath Ct. *B15* —4A **58** (5B **8**)
Bath Ct. *B29* —4F **87**
Batheaston Clo. *B38*
—2B **110**
Bath Pas. *B5*
—4C **58** (4A **10**)
Bath Row. *B15*
—4A **58** (5C **8**)
Bath St. *B4* —1C **58** (4A **6**)
Bath Wlk. *B12* —3C **74**
Battenhall Rd. *B17* —3E **71**
Battery Ind. Pk. *S Oak*
—1C **88**
Baverstock Rd. *B14*
—4C **102**
Baxterley Grn. *S Cold*
—3D **29**
Baxters Grn. *Shir* —5E **105**
(in two parts)
Baxters Rd. *Shir* —5F **105**
Bayford Av. *N'fld* —3C **108**
Bayford Av. *Sheld* —4A **80**
Bayley Tower. *B36* —2C **50**

Bayliss Clo. *B31* —1F **99**
Bayston Rd. *B14* —2C **102**
Bayswater Rd. *B20* —1B **46**
Bay Tree Clo. *B38* —1B **110**
Beach Av. *Bal H* —3F **75**
Beach Brook Clo. *B11*
—3F **75**
Beachburn Way. *B20* —4E **33**
Beach Clo. *B31* —5A **100**
Beach Rd. *B11* —3F **75**
Beacon Clo. *Gt Barr* —3D **23**
Beacon Clo. *Redn* —3E **107**
Beacon Clo. *Smeth* —3E **43**
Beacon Ct. *B43* —3D **23**
Beacon Ct. *S Cold* —1D **17**
Beacon Hill. *Aston* —2C **46**
Beacon Hill. *Redn* —4D **107**
Beacon Hill. *Wals* —1A **16**
Beacon La. *Marl & Redn*
—5A **106**
Beacon M. *B43* —3D **23**
Beacon Rd. *A'rdge &*
Gt Barr —1A **16**
Beacon Rd. *K'sdng* —5E **17**
Beacon Rd. *S Cold* —3E **27**
Beaconsfield Cres. *B12*
—3C **74**
Beaconsfield Rd. *B12*
—4C **74**
Beaconsfield Rd. *S Cold*
—2F **19**
Beaconsfield St. *W Brom*
—2A **30**
Beacon Vw. *Redn* —3D **107**
Beacon Vw. Dri. *S Cold*
—4D **17**
Beacon Way. *W Brom*
—2E **31**
Beakes Rd. *Smeth* —2D **55**
Beaks Farm Gdns. *B16*
—3B **56**
Beaks Hill Rd. *B38* —5C **100**
Beak St. *B1* —3B **58** (3F **9**)
Beale Clo. *B35* —5E **39**
Beales St. *B6* —2F **47**
Beamans Clo. *Sol* —4E **79**
Bean Cft. *B32* —5A **70**
Beardmore Rd. *S Cold*
—4A **28**
Bearley Cft. *Shir* —1C **122**
Bearwood. —3E 55
Bearwood Ho. *Smeth*
—1E **55**
Bearwood Rd. *Smeth*
—4E **55**
Bearwood Shop. Cen.
Smeth —4E **55**
Beasley Gro. *B43* —3F **23**
Beaton Rd. *S Cold* —3E **13**
Beauchamp Av. *B20* —2D **33**
Beauchamp Clo. *B37* —3F **65**
Beauchamp Clo. *S Cold*
—5F **29**

Beauchamp Rd. *B13*
—1F **103**
Beauchamp Rd. *Sol* —5F **95**
Beaudesert Rd. *B20* —2F **45**
Beaufort Av. *B34* —4B **50**
Beaufort Pk. *B36* —5B **50**
Beaufort Rd. *Edg* —4D **57**
Beaufort Rd. *Erd* —5C **36**
Beaumont Dri. *B17* —4F **71**
Beaumont Gdns. *B18*
—4D **45**
Beaumont Gro. *Sol* —5D **95**
Beaumont Pk. *K Nor*
—2D **101**
Beaumont Rd. *B30* —5C **88**
Beckbury Rd. *B29* —2E **87**
Beck Clo. *Smeth* —1E **55**
Beckenham Av. *B44* —3E **25**
Becket Clo. *S Cold* —1D **13**
Beckfield Clo. *B14* —4C **102**
Becton Gro. *B42* —5B **24**
Bedford Dri. *S Cold* —3C **20**
Bedford Ho. *B36* —4F **53**
Bedford Rd. *Camp H*
—4E **59** (5F **11**)
Bedford Rd. *S Cold* —3C **20**
Bedlam Wood Rd. *B31*
—5A **98**
Bedworth Gro. *B9* —3F **61**
Beech Av. *B12* —3E **75**
Beech Av. *Chel W* —4F **65**
Beech Av. *Quin* —1B **70**
Beech Ct. *B43* —3B **22**
Beechcroft Av. *B28* —5E **93**
Beechcroft Ct. *S Cold*
—5E **13**
Beechcroft Cres. *S Cold*
—1B **16**
Beechcroft Rd. *B36* —2F **51**
Beechdale. *O'bry* —1F **69**
Beechdale Av. *B44* —2C **68**
Beech Dene Gro. *B23*
—2C **36**
Beeches Av. *B27* —4A **78**
Beeches Clo. *Redn* —2B **106**
Beeches Dri. *B24* —2A **38**
Beeches Farm Dri. *B31*
—2E **109**
Beeches Rd. *B42* —5F **23**
Beeches Rd. *O'bry* —2A **54**
Beeches Rd. *W Brom*
(in two parts) —4C **30**
Beeches, The. *B15* —5A **58**
Beeches, The. *S Cold*
—2B **12**
Beeches, The. *W Brom*
—5C **30**
Beeches Wlk. *S Cold* —1F **27**
Beeches Way. *B31* —2E **109**
Beechey Clo. *B43* —4B **16**
Beech Farm Cft. *B31* —3E **99**
Beechfield Av. *B11* —2F **75**
Beechfield Rd. *B11* —2F **75**

Beechfield Rd. *Smeth*
—1D 55
Beech Ga. *S Cold* —1A 12
Beechglade. *B20* —3D 45
Beech Gro. *B14* —1E 103
Beech Hill Rd. *S Cold*
—5A 28
Beech Hurst. *B38* —1C 110
Beech Lanes. —1D 71
Beechmore Rd. *B26* —3D 79
Beechmount Dri. *B23*
—1E 37
Beech Rd. *B'vlle* —4C 88
Beech Rd. *Erd* —5D 27
Beech Wlk. *B38* —1D 111
Beech Way. *Smeth* —5F 43
Beechwood Ct. *B30*
—3A 102
Beechwood Cft. *Lit A*
—1B 12
Beechwood Pk. Rd. *Sol*
—5C 94
Beechwood Rd. *Gt Barr*
—3D 23
Beechwood Rd. *K Hth*
—1D 103
Beechwood Rd. *Smeth*
—5C 54
Beehive La. *Curd* —1F 41
Beeston Clo. *B6* —3E 47
Beeton Rd. *B18* —4C 44
Beighton Clo. *S Cold*
—1D 13
Beilby Rd. *B30* —5F 89
Belcher's La. *B9 & B8*
—3E 61
Belfont Trad. Est. *Hale*
—4A 68
Belgrave Middleway.
B5 & B12 —1C 74
Belgrave Ter. *B21* —3E 45
Belgravia Clo. *B5* —1C 74
Belgravia Clo. Walkway.
B5 —1C 74
Belgravia Ct. *B37* —5E 53
Belgrove Clo. *B15* —2C 72
Bell Barn Clo. *B15*
—5A 58 (5C 8)
Bell Barn Rd. *B15*
—5A 58 (5D 8)
Bell Barn Shop. Cen. *B15*
—5A 58 (5D 8)
Bell Clo. *B9* —2C 60
Bell Clo. *B36* —4F 53
Bellcroft. *B16* —3F 57 (3A 8)
Bellefield Av. *B18* —1C 56
Bellefield Rd. *B18* —1C 56
Bellevue. *B5* —1B 74
Bellevue. *Edg* —1B 56
Belle Vue Dri. *Hale* —2B 68
Bellevue Rd. *B26* —1F 79
Belle Wlk. *B13* —1F 91
Bell Fold. *O'bry* —4A 42

Bell Grn. La. *B38* —4F 111
Bell Heath Way. *B32* —1E 85
Bell Hill. *B31* —1E 99
Bell Holloway. *B31* —1D 99
Bell Inn Shop. Cen., The.
N'fld —2E 99
Bellis St. *B16* —4D 57
Bell La. *Kitts G* —4C 64
Bell La. *N'fld* —2E 99
Bell Mdw. Way. *B14* —4C 102
Bells Farm Clo. *B14* —4A 102
Bell's La. *B14* —4F 101
Bell St. *W Brom* —5B 30
Bell Wlk. *B37* —4D 65
Bellwood Rd. *B31* —2D 99
Belmont Covert. *B31* —5F 87
Belmont Pas. *B9 & B4*
—3E 59 (2F 11)
Belmont Rd. *B21* —2A 44
Belmont Rd. *Redn* —3E 107
Belmont Rd. *Smeth* —3E 55
Belmont Rd. E. *B21* —2A 44
Belmont Row. *B4*
—2E 59 (5D 7)
Belstone Clo. *B14* —5B 90
Belton Gro. *Redn* —1A 108
Belvedere Rd. *B24* —5E 37
Belvide Gro. *B29* —3F 87
Belvidere Gdns. *B11* —4A 76
Belwell Dri. *S Cold* —4E 13
Belwell La. *S Cold* —4E 13
Bembridge Rd. *B33* —2E 63
Benacre Dri. *B5*
—3D 59 (2D 11)
Bendall Rd. *B44* —2F 25
Benedon Rd. *B26* —1E 79
Benmore Av. *B5* —1B 74
Bennett Rd. *S Cold* —3B 12
Bennett's Hill. *B2*
—3B 58 (2F 9)
Bennett's Rd. *B8* —4B 48
Bennett St. *B19* —2B 46
Bennitts Clo. *W Brom* —1A 42
Benson Rd. *Hock* —4D 45
Benson Rd. *K Hth* —5F 103
Bent Av. *B32* —2B 70
Bentham Ct. *B31* —1D 99
Bentley Ct. *S Cold* —4D 29
Bentley Gro. *B29* —3D 87
Bentley Rd. *B36* —3B 52
Bentmead Gro. *B38* —5E 101
Benton Av. *B11* —2A 76
Benton Rd. *B11* —2A 76
Bentons Mill Cft. *B7* —2A 48
Beoley Clo. *S Cold* —3A 28
Beoley Gro. *Redn* —2D 107
Berberry Clo. *B30* —5B 88
Beresford Dri. *S Cold* —3E 27
Beresford Rd. *O'bry* —3A 42
Bericote Cft. *B27* —5B 78
Berkeley Precinct. *B14*
—4D 103
Berkeley Rd. *B25* —1E 77

Berkeley Rd. *Shir* —3D 105
Berkeley Rd. E. *B25* —1F 77
Berkley Ct. *B1* —4A 58 (3C 8)
Berkley Cres. *B13* —2A 92
Berkley Ho. *B23* —1D 37
Berkley St. *B1* —3A 58 (3C 8)
Berkshire Clo. *W Brom*
—1A 30
Berkswell Clo. *Sol* —3F 95
Berkswell Clo. *S Cold*
—2C 12
Berkswell Rd. *B24* —3F 37
Bernard Pl. *B18* —5D 45
Bernard Rd. *B17* —3F 55
Bernard Rd. *O'bry* —3A 54
Bernard St. *W Brom* —3A 30
Berners St. *B19* —3B 46
Bernhard Dri. *B21* —2C 44
Berrandale Rd. *B36* —2D 51
Berrington Wlk. *B5* —1C 74
Berrow Dri. *B15* —1C 72
Berrowside Rd. *B34* —4C 52
Berry Clo. *B19* —4B 46
Berryfield Rd. *B26* —2B 80
Berryfields Rd. *S Cold*
—1D 29
Berry Rd. *B8* —5C 48
Berry St. *B18* —4D 45
Bertha Rd. *B11* —3B 76
Bertram Rd. *B9 & B10*
—4B 60
Bertram Rd. *Smeth* —4C 42
Berwick Gro. *Gt Barr* —5A 16
Berwick Gro. *N'fld* —3B 98
Berwicks La. *B37* —4F 65
(in two parts)
Berwood Farm Rd. *S Cold*
—1A 38
Berwood Gdns. *B24* —1A 38
Berwood Gro. *Sol* —2F 95
Berwood La. *B24* —4C 38
Berwood Pk. *Cas V* —5E 39
Berwood Rd. *S Cold* —1B 38
Besant Gro. *B27* —2E 93
Bescot Cft. *B42* —1F 33
Besford Gro. *B31* —3B 98
Bessborough Rd. *B25*
—5B 62
Beswick Gro. *B33* —1E 63
Beta Gro. *B14* —2A 104
Betley Gro. *B33* —5E 51
Betsham Clo. *B44* —3F 25
Betteridge Dri. *S Cold*
—5C 20
Betton Rd. *B14* —1C 102
Bett Rd. *B20* —4D 33
Bevan Way. *Smeth* —2D 43
Beverley Clo. *S Cold* —5A 28
Beverley Ct. Rd. *B32* —2A 70
Beverley Cft. *B23* —1B 48
Beverley Gro. *B26* —3F 79
Beverley Rd. *Redn* —2E 107
Bevington Rd. *B6* —1D 47

Bevis Gro.—Blackburne Rd.

Bevis Gro. *B44* —1D **25**
Bewdley Av. *B12* —2E **75**
Bewdley Ho. *B26* —4E **63**
Bewdley Rd. *B30* —3C **92**
Bewlys Av. *B20* —3C **32**
Bexhill Gro. *B15*
　—4A **58** (5D **9**)
Bexley Gro. *W Brom* —1C **30**
Bexley Rd. *B44* —4F **25**
Bibsworth Av. *B13* —3B **92**
Bibury Rd. *B28* —4C **92**
Bicester Sq. *B35* —3F **39**
Bickenhill La. *B37* & *B40*
　(in two parts) —2B **82**
Bickenhill Pk. Rd. *Sol*
　—2B **94**
Bickenhill Rd. *B37* —1E **81**
Bickenhill Trad. Est. *B37*
　—3B **82**
Bickford Rd. *B6* —1E **47**
Bickington Rd. *B32* —2B **86**
Bickley Av. *B11* —2A **76**
Bickley Av. *S Cold* —1C **12**
Bickley Gro. *B26* —3F **79**
Bicknell Cft. *B14* —4C **102**
Bickton Clo. *B24* —1A **38**
Biddlestone Gro. *Wals*
　—1A **22**
Biddulph Ct. *S Cold* —2E **27**
Bideford Dri. *B29* —2A **88**
Bideford Rd. *Smeth* —5F **43**
Bidford Rd. *B31* —3C **98**
Bierton Rd. *B25* & *Yard*
　—5A **62**
Biggin Clo. *B35* —4E **39**
Big Peg, The. *B18* & *Hock*
　—1A **58** (3C **4**)
Bigwood Dri. *B32* —2B **86**
Bigwood Dri. *S Cold* —3E **21**
Bilberry Cres. *S Cold*
　—1D **29**
Bilberry Dri. *Redn* —3E **107**
Bilberry Rd. *B14* —5A **90**
Bilbrook Rd. *B29* —1D **87**
Billesley. —5A **92**
Billesley La. *Mose* —3D **91**
Billingsley Rd. *B26* —5E **63**
Bills La. *Shir* —5D **105**
Bilton Grange Rd. *B26*
　—1D **79**
Bilton Ind. Est. *B38*
　—1C **110**
Bincomb Av. *B26* —2F **79**
Bingley Av. *B8* —1F **61**
Binley Clo. *B25* —2B **78**
Binley Clo. *Shir* —5E **105**
Binstead Rd. *B44* —2E **25**
Binswood Rd. *Hale* —1E **69**
Binton Cft. *B13* —3D **91**
Binton Rd. *Shir* —5D **105**
Birbeck Ho. *B36* —4F **53**
Birchall St. *B12*
　—4D **59** (5C **10**)

Birch Clo. *B30* —5B **88**
Birch Clo. *S Cold* —2D **29**
Birch Ct. *Smeth* —2B **42**
Birch Cft. *Chel W* —4A **66**
Birch Cft. *Erd* —2B **38**
Birchcroft. *Fren W* —5A **44**
Birch Cft. Rd. *S Cold* —2B **20**
Birchdale Av. *B23* —3C **36**
Birchdale Rd. *B23* —2B **36**
Birch Dri. *Lit A* —1B **12**
Birch Dri. *S Cold* —2D **21**
Birches Clo. *B13* —2D **91**
Birches Green. —5E **37**
Birches Grn. Rd. *B24* —5F **37**
Birchfield. —5A **34**
Birchfield Gdns. *B6* —2C **46**
Birchfield Gdns. *Wals*
　—1A **22**
Birchfield Rd. *B20* & *B19*
　—1B **46**
Birchfield Way. *Wals* —1A **22**
Birch Gro. *O'bry* —1B **70**
Birch Hollow. *B15* —2D **73**
Birch Hollow. *O'bry* —1B **70**
Birch La. *O'bry* —1B **70**
Birchley. Ri. *Sol* —3D **79**
Birchmoor Clo. *B28* —4F **93**
Birch Rd. *O'bry* —5B **54**
Birch Rd. *Redn* —2C **106**
Birch Rd. *Witt* —5E **35**
Birch Rd. E. *B6* —5F **35**
Birch St. *O'bry* —4A **42**
Birchtrees. *B24* —3B **38**
Birchtrees Cft. *B26* —3B **78**
Birchtrees Dri. *B33* —3B **64**
Birch Wlk. *O'bry* —5B **54**
Birchwood Cres. *B12* —4F **75**
Birchwood Rd. *B12* —4E **75**
Birchwoods. *B32* —1F **85**
Birchbrook Rd. *B44* —3C **24**
Birdcage Wlk. *B38* —4D **101**
Birdie Clo. *B38* —5B **100**
Birdlip Gro. *B32* —2A **70**
Birdwell Cft. *B13* —5D **91**
Birkdale Av. *B29* —2D **89**
Birkdale Gro. *B29* —3E **89**
Birkenshaw Rd. *B44* —4C **24**
Birmingham.
　—3C **58** (2A **10**)
*Birmingham Airport
Info. Desk.* —4A **82**
*Birmingham Botanical
Gardens.* —1D **73**
Birmingham Bus. Pk.
　Birm P —5C **66**
*Birmingham City
Info. Cen.* —3B **58** (2E **9**)
*Birmingham Convention &
Vis. Bureau.* —4B **82**
Birmingham Hippodrome.
　—5F **9**
*Birmingham International
Airport.* —4A **82**

*Birmingham Mus. &
Art Gallery.* —3B **58** (2E **9**)
Birmingham Nature Cen.
　—4A **74**
Birmingham One Bus. Pk.
　B1 —2F **57** (1B **8**)
Birmingham Railway Mus.
　—3D **77**
Birmingham Rd. *B'gve*
　(in two parts) —5A **106**
Birmingham Rd. *Cas B*
　—2E **51**
Birmingham Rd. *K'hrst &
Col* —5F **53**
Birmingham Rd. *L Ash &
Redn* —5A **106**
Birmingham Rd. *N'fld*
　—3F **109**
Birmingham Rd. *O'bry*
　—3A **42**
Birmingham Rd. *S Cold*
　—5F **27**
Birmingham Rd. *Wals &
Gt Barr* —1C **22**
Birmingham Rd. *Wat O*
　—5D **41**
Birmingham Rd. *W Brom*
　—1C **42**
Birmingham St. *Hale* —5A **68**
*Birmingham Symphony
Hall.* —3A **58** (2C **8**)
Birstall Way. *B38* —1A **110**
Bishbury Clo. *B15* —5C **56**
Bishop Asbury Cottage.
　—4A **22**
Bishop Asbury Cres. *B43*
　—4A **22**
Bishop Clo. *Redn* —5C **96**
Bishop Ryder Ho. *B4* —5C **6**
Bishops Clo. *Smeth* —1A **56**
Bishops Ct. *Birm P* —5B **66**
Bishops Ga. *B31* —4E **99**
Bishopsgate St. *B15*
　—4F **57** (4B **8**)
Bishops Mdw. *S Cold*
　—3C **14**
Bishops Rd. *S Cold* —1F **27**
Bishop St. *B5*
　—5C **58** (5B **10**)
Bishops Way. *S Cold* —1D **13**
Bishopton Rd. *Smeth*
　—4D **55**
Bisley Gro. *B24* —5E **37**
Bissell Clo. *B28* —5D **93**
Bissell St. *B5* —5C **58**
Bissell St. *Quin* —2E **69**
Biton Clo. *B17* —3F **71**
Bittell Clo. *B31* —2D **109**
Blackberry Av. *B9* —2E **61**
Blackberry La. *S Cold*
　—1C **12**
Blackbird Cft. *B36* —3E **53**
Blackburne Rd. *B28* —5D **93**

Blackbushe Clo. *B17* —1D 71
Blackcat Clo. *B37* —2E 65
Black Country New Rd.
  Tip & W Brom —3A 30
Blackdown Clo. *Redn* —4E 97
Blackett Ct. *S Cold* —2E 27
Blackfirs La. *B37* —1A 82
Blackford Rd. *B11* —4A 76
Blackford St. *B18* —5C 44
Blackham Dri. *S Cold* —5E 27
Black Haynes Rd. *B29*
  —5E 87
Blacklea Clo. *B25* —4B 62
Blackmoor Cft. *B33* —3B 64
Blackrock Rd. *B23* —1F 35
Blackroot St. *S Cold* —2E 19
Blackthorn Clo. *B30* —5A 88
Blackthorne Rd. *Smeth*
  (in two parts) —1B 54
Blackthorn Rd. *Cas B*
  —2A 52
Blackthorn Rd. *K Nor*
  —5A 88
Blackwell Rd. *S Cold* —3B 28
Blackwood Dri. *S Cold*
  —1C 16
Blackwood Rd. *S Cold*
  —1C 16
Blair Gro. *B37* —4B 66
Blakeland Rd. *B44* —1C 34
Blakeland St. *B9* —3D 61
Blake La. *B9* —3D 61
Blakeley Hall Rd. *O'bry*
  —3A 42
Blakemere Av. *B25* —5C 62
Blakemere Ho. *B16* —3A 8
Blakemore Clo. *B32* —5D 71
Blakemore Dri. *S Cold*
  —3D 21
Blakeney Av. *B17* —1E 71
Blakenhale Rd. *B33* —4F 63
Blake Pl. *B9* —3D 61
Blakesley Clo. *S Cold* —2D 39
Blakesley Gro. *B25* —4B 62
Blakesley Hall. —4C 62
Blakesley M. *B25* —5B 62
Blakesley Rd. *B25* —4A 62
Blake St. *S Cold* —1C 12
Blakewood Clo. *B34* —5A 52
Blandford Av. *B36* —1C 52
Blandford Rd. *B32* —3C 70
Blaydon Av. *S Cold* —3C 14
Blaythorn Av. *Sol* —5E 79
Bleak Hill Rd. *B23* —3A 36
Bleakhouse Rd. *O'bry*
  —4A 54
Bleak St. *Smeth* —4D 43
Blenheim Ct. *B44* —4D 25
Blenheim Dri. *B43* —4B 22
Blenheim Rd. *B13* —2D 91
Blenheim Way. *B44* —4D 25
Blenheim Way. *Cas V* —5F 39
Bletchley Rd. *B24* —3C 38

Blewitt Clo. *B36* —5B 40
Blews St. *B6* —5C 46 (2B 6)
Blithfield Gro. *B24* —2A 38
Bloomfield Rd. *B13* —5F 75
Bloomsbury Gro. *B30 &*
  B14 —4A 90
Bloomsbury St. *B7* —5F 47
Bloomsbury Wlk. *B7* —5F 47
  (in two parts)
Blossom Av. *B29* —1D 89
Blossomfield Clo. *B38*
  —1B 110
Blossomfield Ct. *B38*
  —1B 110
Blossom Gro. *B36* —2C 50
Blossom Hill. *B24* —4E 37
Blossomville Way. *B27*
  —4F 77
Blounts Rd. *B23* —2A 36
Bloxcidge St. *O'bry* —1A 54
Blucher St. *B1* —4B 58 (4E 9)
Bluebell Dri. *B37* —3B 66
Bluebellwood Clo. *S Cold*
  —1E 29
Blundell Rd. *B11* —3B 76
Blyth Ct. *Sol* —4D 95
Blythefield Av. *B43* —2A 22
Blythe Gro. *B44* —1D 25
Blythsford Rd. *B28* —2D 105
Blythswood Rd. *B11* —4E 77
Blyton Clo. *B16* —2D 57
Boar Hound Clo. *B18*
  —1E 57 (4A 4)
Bodenham Rd. *B31* —4C 98
Bodenham Rd. *O'bry* —5A 54
Boden Rd. *B28* —4D 93
Bodicote Gro. *S Cold* —3C 14
Bodington Rd. *S Cold*
  —3F 13
Bodmin Gro. *B7*
  —5F 47 (1F 7)
Boldmere. —4D 27
Boldmere Clo. *S Cold* —5E 27
Boldmere Ct. *B43* —5C 22
  (off South Vw.)
Boldmere Dri. *S Cold* —4E 27
Boldmere Gdns. *S Cold*
  —4D 27
Boldmere Rd. *S Cold* —2D 27
Boldmere Ter. *B29* —2C 88
Boleyn Mnr. Dri. *Redn*
  —5E 97
Boleyn Rd. *Redn* —5B 96
Bolney Rd. *B32* —3C 70
Bolton Ind. Cen. *B19* —4F 45
Bolton Rd. *B10* —5F 59
Bolton St. *B9* —3F 59 (3F 11)
Bomers Fld. *Redn* —3A 108
Bond Dri. *B35* —4E 39
Bondfield Rd. *B13* —5F 91
Bond Sq. *B18* —1E 57 (4A 4)
Bond St. *Hock*
  —1B 58 (4E 5)

Bond St. *Stir* —4E 89
Bond St. *W Brom* —5A 30
Bond, The. *B5*
  —3E 59 (3E 11)
Bonham Gro. *B25* —4B 62
Bonner Dri. *S Cold* —2D 39
Bonnington Way. *B43*
  —5B 16
Bonsall Rd. *B23* —1E 37
Booth's Farm Rd. *B42*
  —5E 23
Booth's La. *B42* —3F 23
Booth St. *Smeth & B21*
  —3A 44
Bordesley. —4F 59 (4F 11)
Bordesley Cir. *B10*
  —4F 59 (5F 11)
Bordesley Dri. *B9* —3E 61
Bordesley Green. —3C 60
Bordesley Grn. *B9* —3B 60
Bordesley Grn. E.
  Bord G & Stech —3F 61
Bordesley Grn. Rd. *B9 &*
  B8 —3B 60
Bordesley Grn. Trad. Est.
  B8 —2B 60
Bordesley Middleway.
  Camp H —5E 59 (5F 11)
Bordesley Pk. Rd. *B10*
  —4F 59
Bordesley St. *B5*
  —3D 59 (2C 10)
Borrowdale Gro. *B31* —3B 98
Borrowdale Rd. *B31* —3A 98
Bosbury Ter. *B30* —4F 89
Boscobel Rd. *B43* —2B 22
Boscombe Av. *B11* —2A 76
Boscombe Rd. *B11* —4C 76
Boston Gro. *B44* —4F 25
Boswell Rd. *B44* —1D 35
Boswell Rd. *S Cold* —3A 20
Bosworth Ct. *Sheld* —5E 64
Bosworth Dri. *B37* —3D 65
Bosworth Rd. *B26* —4C 78
Botany Wlk. *B16*
  —3E 57 (3A 8)
Botha Rd. *B9* —2C 60
Bottetourt Rd. *B29* —5E 71
  (in two parts)
Botteville Rd. *B27* —1A 94
Boughton Rd. *B25* —1A 78
Boulevard, The. *S Cold*
  —4F 27
Boultbee Rd. *S Cold* —5C 28
Boulton Ho. *W Brom* —1B 42
Boulton Ind. Cen. *Hock*
  —5F 45 (1B 4)
Boulton Middleway. *Hock*
  —5F 45 (1B 4)
Boulton Pl. *Smeth* —1F 55
Boulton Point. *B6* —2F 47
Boulton Retreat. *B21* —3C 44
Boulton Rd. *B21* —3C 44

Boulton Rd.—Brentford Rd.

Boulton Rd. *Smeth* —4B **44**
Boulton Rd. *W Brom* —1B **42**
Boulton Sq. *W Brom* —1B **42**
Boulton Ter. *B21* —3C **44**
Boulton Wlk. *B23* —3F **35**
Boundary Ct. *B37* —3C **64**
Boundary Dri. *Mose* —1B **90**
Boundary Ho. *B5* —3A **74**
Boundary Pl. *B21* —1A **44**
Boundary Rd. *S Cold* —2D **17**
Bourlay Clo. *Redn* —4C **96**
Bournbrook. —1D 89
Bournbrook Rd. *B29* —5E **73**
Bourne Av. *Hale* —4D **69**
Bournebrook Cres. *Hale*
—4E **69**
Bourne Clo. *B13* —5B **92**
Bourne Grn. *B32* —2C **70**
Bourne Rd. *B6* —3F **47**
Bourne Way Gdns. *B29*
—3E **89**
Bourn Mill Dri. *B6* —4C **46**
Bournvale Wlk. *B32* —5D **71**
Bournville. —4C 88
Bournville La. *B30* —4B **88**
Bourton Cft. *Sol* —3D **95**
Bourton Rd. *Sol* —3D **95**
Bovey Cft. *S Cold* —5E **29**
Bovingdon Rd. *B35* —4E **39**
Bowater Av. *B33* —4B **62**
Bowater Ho. *B19* —2E **5**
Bowater Ho. *W Brom* —5A **30**
Bowater St. *W Brom* —4A **30**
Bowcroft Gro. *B24* —1A **38**
Bowden Rd. *Smeth* —4C **42**
Bower Ho. *B19*
—4B **46** (1E **5**)
Bowes Rd. *Redn* —2C **106**
Bowlas Av. *S Cold* —1F **19**
Bowling Grn. Clo. *B23*
—5C **26**
Bowling Grn. La. *B20* —2E **45**
Bowling Grn. Rd. *Small H*
—4A **60**
Bowman Rd. *B42* —3F **23**
Bowood Cres. *B31* —4F **99**
Bowood End. *S Cold* —1C **28**
Bowshot Clo. *B36* —1B **52**
Bowstoke Rd. *B43* —4A **22**
Bow St. *B1* —4B **58** (5F **9**)
Bowyer Rd. *B8* —1C **60**
Bowyer St. *B10*
—4E **59** (5F **11**)
Boxhill Clo. *B6* —4D **47**
Box Rd. *B37* —5A **66**
Boyd Gro. *B27* —1F **93**
Boylestone Rd. *B28* —5E **93**
Boyne Rd. *B26* —1E **79**
Boyton Gro. *B44* —1D **25**
Brabazon Gro. *B35* —4D **39**
Brabham Cres. *S Cold*
—3D **17**
Bracadale Av. *B24* —3E **37**

Bracebridge Rd. *B24* —1D **49**
Bracebridge Rd. *S Cold*
—1D **19**
Bracebridge St. *B6*
—4C **46** (1B **6**)
Braceby Av. *B13* —4A **92**
Brackenbury Rd. *B44*—4F **25**
Bracken Cft. *B37* —2A **66**
Brackendale Dri. *Wals*
—1A **22**
Bracken Dri. *S Cold* —4E **21**
Brackenfield Rd. *B44* —2A **24**
Bracken Rd. *B24* —5A **38**
Bracken Way. *B38* —2C **110**
Bracken Way. *S Cold* —1D **17**
Brackley Av. *B20* —1A **46**
Brackleys Way. *Sol* —1D **95**
Bradburne Way. *B7*
—5E **47** (2F **7**)
Bradbury Rd. *Sol* —2D **95**
Bradewell Rd. *B36* —1B **52**
Bradfield Rd. *B42* —5B **24**
Bradford Clo. *B43* —5D **23**
Bradford Ct. *B12*
—5E **59** (5E **11**)
Bradford Pl. *B11*—2E **75**
Bradford Pl. *W Brom* —2C **42**
Bradford Rd. *B36* —2E **51**
Bradford St. *B5 & B12*
—4D **59** (4B **10**)
Bradford St. *B42*—1D **33**
Bradgate Dri. *S Cold* —1C **12**
Bradley Rd. *B34* —4B **62**
Bradmore Gro. *B29* —3E **87**
Bradnock Clo. *B13* —4A **92**
Bradshaw Av. *B38*—5B **100**
Bradshawe Clo. *B28*
—3B **104**
Bradstock Rd. *B30* —2A **102**
Bradwell Cft. *S Cold* —3C **14**
Braemar Dri. *B23* —2F **35**
Braemar Rd. *Sol* —2C **94**
Braemar Rd. *S Cold* —2D **27**
Braeside Cft. *B37* —3B **66**
Bragg Rd. *B20* —5B **34**
Braid Clo. *B38* —5B **100**
Brailes Dri. *S Cold* —1D **29**
Brailes Gro. *B9* —4F **61**
Brailsford Dri. *Smeth* —5E **43**
Braithwaite Rd. *B11* —1F **75**
Bramble Clo. *Aston* —3C **46**
Bramble Clo. *N'fld* —5D **87**
Bramble Dell. *B9* —2E **61**
Bramble Dri. *B26* —2E **79**
Brambles, The. *S Cold*
—4E **59**
Bramblewoods. *B34* —5A **52**
Brambling Wlk. *B15* —1A **74**
Bramcote Dri. *Sol* —4F **95**
Bramcote Ri. *S Cold* —2A **20**
Bramcote Rd. *B32* —3A **70**
Bramley Clo. *B43* —1B **24**
Bramley Cft. *Shir* —4F **105**

Bramley Dri. *Hand* —4F **33**
Bramley M. Ct. *B27* —3A **78**
Bramley Rd. *B27* —3A **78**
Brampton Av. *B28* —5E **93**
Brampton Cres. *Shir* —5C **93**
Bramshaw Clo. *B14* —4D **103**
Branch Rd. *B38* —1C **110**
Brandhall. —1F 69
Brandhall Rd. *O'bry* —3A **54**
Brandon Gro. *B31* —2D **109**
Brandon Pas. *B16* —2C **56**
Brandon Pl. *B34* —3B **52**
Brandon Rd. *B28* —1C **92**
Brandon Rd. *Sol* —4F **85**
Brandon Thomas Ct. *B6*
—2F **47**
Brandwood End. —2B 102
Brandwood Gro. *B14*
—1B **102**
Brandwood Pk. Rd. *B14*
—1F **101**
Brandwood Rd. *B14*
—2B **102**
Branksome Av. *B21* —2D **45**
Branscombe Clo. *B14*
—1B **102**
Branston Ct. *B18*
—5A **46** (2C **4**)
Branston St. *B18*
—5A **46** (2C **4**)
Brantford Rd. *B25* —5A **62**
Brantley Rd. *B6* —5E **35**
Brasshouse La. *Smeth*
—4D **43**
Brassie Clo. *B38* —5B **100**
Brassington Av. *S Cold*
—5F **19**
Bratt St. *W Brom* —3A **30**
Braunston Clo. *S Cold*
—2E **29**
Brawnes Hurst. *B26* —4E **63**
Braymoor Rd. *B33* —4C **64**
Brays Rd. *B26* —2E **79**
Bream Clo. *B37* —3A **66**
Brean Av. *B26* —3D **79**
Brearley Clo. *B19*
—5C **46** (2A **6**)
Brearley St. *Hand* —2B **44**
Brearley St. *Hock*
—5B **46** (2F **5**)
Breaside Wlk. *B37* —2A **66**
Brecon Rd. *B20* —2F **45**
Brecon Tower. *B16* —3E **57**
Brecon Way. *Salt* —5B **48**
Bredon Cft. *B18* —5E **45**
Breech Clo. *S Cold* —2C **16**
Breeden Dri. *Curd* —1F **41**
Breedon Rd. *B30* —1E **101**
Breedon Ter. *B18* —5E **45**
Brendan Clo. *Col* —1E **67**
Brennand Clo. *O'bry* —5A **54**
Brennand Rd. *O'bry* —5A **54**
Brentford Rd. *B14* —1E **103**

Brentnall Dri. *S Cold* —3F **13**
Brent Rd. *B30* —3B **90**
Brentwood Gro. *B44* —4C **24**
Bretby Gro. *B23* —1E **37**
Brett Dri. *B32* —3A **86**
Bretton Rd. *B27* —1B **94**
Brewery St. *Aston*
　　　　　—5C **46** (2B **6**)
Brewery St. *Hand* —2B **44**
Brewery St. *Smeth* —4D **43**
Brian Rd. *Smeth* —4C **42**
Briar Av. *S Cold* —1E **17**
Briar Clo. *B24* —3E **37**
Briarfield Rd. *B11* —5E **77**
Briars, The. *B23* —1B **36**
Brickfield Rd. *B25* —2F **77**
Brickhill Dri. *B37* —3E **65**
Brick Kiln La. *Gt Barr* —1C **34**
Brick Kiln La. *S Cold* —1E **15**
Briddsland Rd. *B33* —3C **64**
Brides Wlk. *B38* —2C **110**
Bridgeburn Rd. *B31* —3C **86**
Bridge Clo. *B11* —5F **75**
Bridge Cft. *B12* —2C **74**
Bridgeford Rd. *B34* —4F **51**
Bridgehead Wlk. *S Cold*
　　　　　—5D **29**
Bridge Ind. Est. *Sol* —4F **95**
Bridge Ind. Est., The.
　　　　　Smeth —4F **43**
Bridgelands Way. *B20*
　　　　　—1B **46**
Bridgeman Dri. *B36* —2A **52**
Bridgemeadow Ho. *B36*
　　　　　—2C **50**
Bridge Piece. *B31* —4F **99**
Bridge Rd. *B11* —4B **76**
Bridge Rd. *Salt* —1C **60**
Bridge St. *B1* —3A **58** (3D **9**)
Bridge St. *W Brom* —3A **30**
Bridge St. N. *Smeth* —4F **43**
Bridge St. S. *Smeth* —4F **43**
Bridge St. W. *B19*
　　　　　—4A **46** (1D **5**)
(in two parts)
Bridge Wlk. *B27* —5B **78**
Bridle La. *Wals & S Cold*
　　　　　—3A **16**
Bridle Mead. *B38* —1B **110**
Bridle Path, The. *Shir*
　　　　　—1E **105**
Bridle Ter. *Hand* —2C **44**
Bridlewood. *S Cold* —1D **17**
Bridport Ho. *B31* —4C **86**
Brier Mill Rd. *Hale* —5A **68**
Briffen Ho. *B16*
　　　　　—3F **57** (2B **8**)
Brigfield Cres. *B13* —1F **103**
Brigfield Rd. *B13* —1F **103**
Brighton Rd. *B12* —3D **75**
Bright Rd. *O'bry* —5A **42**
Brightstone Rd. *Redn* —4F **97**
Bright Ter. *Hand* —3C **44**

Brindle Clo. *Sheld* —3C **78**
Brindle Ct. *B23* —4F **35**
Brindle Rd. *Wals* —1A **22**
Brindley Ct. *B30* —4E **101**
Brindley Ct. *O'bry* —1F **69**
Brindley Dri. *B1*
　　　　　—3A **58** (2C **8**)
Brindley Pl. *B1*
　　　　　—3F **57** (3B **8**)
Brindley Way. *Smeth*
　　　　　—5A **44**
Brineton Gro. *B29* —2E **89**
Bringewood Gro. *B32*
　　　　　—3F **85**
Brinklow Cft. *B34* —3B **52**
Brinklow Rd. *B29* —1D **87**
Brinsley Rd. *B26* —5F **63**
Brisbane Ho. *B34* —4C **52**
Brisbane Rd. *Smeth* —5C **42**
Bristnall Fields. —3A **54**
Bristnall Hall Cres. *O'bry*
　　　　　—2A **54**
Bristnall Hall La. *O'bry*
　　　　　—2A **54**
Bristnall Hall Rd. *O'bry*
　　　　　—3A **54**
Bristnall Ho. *Smeth* —1B **54**
Bristol Pas. *B5* —5B **58**
Bristol Rd. *Erd* —4C **36**
Bristol Rd. *S Oak & B5*
　　　　　—4B **88**
Bristol Rd. S. *Redn & N'fld*
　　　　　—1E **107**
Bristol St. *B5* —5B **58** (5F **9**)
Britannic Gdns. *Mose*
　　　　　—1B **90**
Britford Clo. *B14* —3D **103**
Brittan Clo. *B34* —4C **52**
Britton Dri. *S Cold* —4A **28**
Britwell Rd. *S Cold* —2E **17**
Brixham Rd. *B16* —1B **56**
Broadacres. *B31* —5C **86**
Broadfields Rd. *B23* —5F **27**
Broadfield Wlk. *B16*
　　　　　—4F **57** (4B **8**)
Broadhidley Dri. *B32* —2F **85**
Broad La. *B14* —2B **102**
Broadmeadow Clo. *B30*
　　　　　—3F **101**
Broad Mdw. La. *B30*
　　　　　—3F **101**
Broadmoor Av. *O'bry &
　　　　　Smeth* —3B **54**
Broadoaks. *S Cold* —4E **29**
Broad Oaks Rd. *Sol* —5D **95**
Broad Rd. *B27* —5F **77**
Broadstone Rd. *B26* —3D **63**
Broad St. *B15 & B1*
　　　　　—4F **57** (5A **8**)
Broadway. *O'bry* —5A **54**
Broadway. *Shir* —2E **105**
Broadway. *B9* —3E **61**
Broadway Av. *Hale* —1A **84**

Broadway Cft. *B26* —2E **79**
Broadway Cft. *O'bry* —4A **54**
Broadway Ho. *B31* —4B **100**
Broadway, The. *B20* —5B **34**
Broadwell Rd. *Sol* —1E **95**
Broadyates Gro. *B25* —2A **78**
Broadyates Rd. *B25* —2A **78**
Brockhall Gro. *B37* —5D **53**
Brockhill La. *A'chu* —5F **111**
Brockhurst Dri. *B28* —1E **105**
Brockhurst Rd. *B36* —4A **50**
Brockhurst Rd. *S Cold*
　　　　　—5B **14**
Brockley Gro. *B13* —2A **90**
Brockley Pl. *B7* —3A **48**
Brockton Rd. *B29* —2E **87**
Brockwell Gro. *B44* —5C **16**
Brockwell Rd. *B44* —5C **16**
Brockworth Rd. *B14*
　　　　　—4A **102**
Bromfield Clo. *B6* —3C **46**
Bromford. —5B **38**
Bromford Clo. *B20* —1E **45**
Bromford Cft. *Erd* —2C **36**
Bromford Ct. *B31* —5F **99**
Bromford Cres. *B24* —5E **37**
Bromford Dri. *B36* —2F **49**
Bromford Hill. *B20* —4A **34**
Bromford La. *Erd* —5E **37**
Bromford La. *Wash H*
　　　　　—4F **49**
Bromford La. *W Brom*
　　　　　—5A **30**
Bromford Mere. *Sol* —3C **94**
Bromford Mills Ind. Est.
　　　　　Erd —1F **49**
Bromford Rd. *B36* —3F **49**
Bromford Rd. *B43* —5D **23**
Bromley Ho. *Wals* —1A **22**
Bromley St. *B9*
　　　　　—4E **59** (4E **11**)
Brompton Pool Rd. *B28*
　　　　　—3C **104**
Brompton Rd. *B44* —5C **16**
Bromsgrove Rd. *Hale*
　　　　　—5A **68**
Bromsgrove Rd. *Rom &
　　　　　Hunn* —3A **84**
Bromsgrove St. *B5*
　　　　　—4C **58** (5F **9**)
Bromsgrove St. *Hale* —5A **68**
Bromwall Rd. *B13* —5F **91**
Bromwich Dri. *S Cold*
　　　　　—2A **20**
Bromwich Wlk. *B9* —2E **61**
Bromyard Av. *S Cold* —4E **29**
Bromyard Rd. *B11* —5C **76**
Brookbank Av. *B34* —4B **52**
Brook Clo. *B33* —1C **62**
Brook Clo. *Shir* —5D **105**
Brook Cft. *Mars G* —1F **81**
Brook Cft. *Sheld* —1F **79**
Brookdale Clo. *Redn* —5E **97**

Brook Dri.—Burn Clo.

Brook Dri. *B32* —2B **86**
Brookend Dri. *Redn* —1D **107**
Brook Farm Wlk. *B37*
    —2B **66**
Brookfield Precinct. *B18*
    —1F **57** (4A **4**)
Brookfield Rd. *B18* —5E **45**
Brookfields. —1F 57 (3A 4)
Brookfields Rd. *O'bry*
    —1A **54**
Brookfield Way. *Sol* —4B **94**
Brook Hill Rd. *B8* —1E **61**
Brookhus Farm Rd. *S Cold*
    —4E **29**
Brooking Clo. *B43* —5B **16**
Brooklands. *Wals* —1A **22**
Brooklands Clo. *B28* —2D **93**
Brooklands Dri. *B14*
    —1C **102**
Brooklands Rd. *B28* —2D **93**
Brook La. *B13* —3E **91**
Brook La. *Sol* —3B **94**
Brooklea Gro. *B38* —5E **101**
Brooklyn Av. *B6* —3D **47**
Brookmans Av. *B32* —4B **70**
Brook Mdw. Rd. *B34* —4E **51**
Brook Piece Wlk. *B35*
    —4F **39**
Brook Rd. *Edg* —1D **73**
Brook Rd. *Redn* —2C **106**
Brooks Cft. *B35* —5E **39**
Brookside. *Gt Barr* —5C **22**
Brookside. *N'fld* —1D **99**
Brookside Av. *B13* —4F **91**
Brookside Clo. *B23* —5A **26**
Brooks Rd. *S Cold* —4A **54**
Brook St. *B3* —2A **58** (5D **5**)
Brook St. *Smeth* —4F **43**
Brook St. *W Brom* —4A **30**
Brookvale Gro. *Sol* —2B **94**
Brookvale Pk. Rd. *B23*
    —2F **35**
Brookvale Rd. *Sol* —2B **94**
Brookvale Rd. *Witt & Erd*
    —5E **35**
Brookvale Trad. Est. *B6*
    —4D **35**
Brookview. *Smeth* —2D **55**
Brook Wlk. *B32* —1B **86**
Brookwood Av. *B28* —1B **104**
Broomcroft Rd. *B37* —5D **53**
Broomdene Av. *B34* —3E **51**
Broom Dri. *B14* —2C **102**
Broome Av. *B43* —5A **22**
Broome Ct. *B36* —2A **52**
Broomfield. *Smeth* —5D **43**
Broomfield Rd. *B23* —5B **36**
Broom Hall Cres. *B27*
    —4F **93**
Broom Hall Gro. *B27*
    —3A **94**
Broomhill Clo. *B43* —4B **22**

Broomhill La. *B43* —4B **22**
Broomhill Rd. *B23* —5F **25**
(in two parts)
Broomhurst. *B15* —5C **56**
Broomie Clo. *S Cold* —4B **20**
Broomlea Clo. *S Cold*
    —1C **16**
Broom Rd. *Wals* —1A **22**
Broom St. *B12*
    —5E **59** (5E **11**)
Broomy Clo. *B34* —5E **51**
Broseley Av. *B31* —1F **109**
Broseley Brook Clo. *B9*
    —4A **60**
Brosil Av. *B20* —4C **32**
Brougham St. *B19* —3F **45**
(in two parts)
Brough Clo. *B7* —4F **47**
Broughton Cres. *B31*
    —1B **108**
Broughton Rd. *B20* —2E **45**
Brownfield Rd. *B34* —4A **52**
Browning St. *B16*
    —3F **57** (3A **8**)
Browning Tower. *B31*
    —3A **100**
Brown's Dri. *S Cold* —4D **27**
Brownsea Rd. *Redn* —5C **96**
Brownsea Dri. *B1*
    —4B **58** (4E **9**)
Brown's Green. —4D 33
Browns Grn. *B20* —4D **33**
Brownsover Clo. *B36* —1F **53**
Brueton Dri. *B24* —4E **37**
Brunel Clo. *B12*
Brunel St. *B2* —3B **58** (3E **9**)
Brunswick Gdns. *B19*
    —3A **46**
Brunswick Gdns. *B21*
    —1D **45**
Brunswick Ho. *B34* —3E **51**
Brunswick Ho. *B37* —5D **65**
Brunswick Rd. *Hand* —1D **45**
Brunswick Rd. *S'brk* —3E **75**
Brunswick Sq. *B1*
    —3F **57** (3B **8**)
Brunswick St. *B1*
    —3F **57** (3B **8**)
Brunton Rd. *B10* —1D **77**
Brushfield Rd. *B42* —4B **24**
Bryanston Ct. *Sol* —4D **95**
Bryanston Rd. *Sol* —5D **95**
Bryant St. *B18* —5C **44**
Bryher Wlk. *Redn* —1C **46**
Brylan Cft. *B44* —1D **35**
Bryn Arden Rd. *B26* —3C **78**
Bryndale Av. *B14* —1A **102**
Brynside Clo. *B14* —4B **102**
Bryony Cft. *Erd* —5F **25**
Bryony Rd. *B29* —4F **87**
Buckingham Ct. *B29* —2C **88**
Buckingham M. *S Cold*
    —1E **27**

Buckingham Rd. *B36*
    —3D **53**
Buckingham St. *B19*
    —1B **58** (3D **5**)
Buckland End. —3D 51
Buckland End. *B34* —4E **51**
Bucklands End La. *B34*
    —4D **51**
Bucklow Wlk. *B33* —1D **63**
Bucknall Cres. *B32* —3E **85**
Buckridge Clo. *B38* —2B **110**
Buckton Clo. *S Cold* —3C **14**
Budbrooke Gro. *B34* —4C **52**
Bulford Clo. *B14* —4D **103**
Bullace Cft. *B15* —5C **72**
Bullock St. *B7* —5E **47** (2E **7**)
Bullock St. *W Brom* —2B **42**
Bull Ring. *B5*
    —3C **58** (3B **10**)
Bull Ring Cen. *B5*
    —3C **58** (3A **10**)
Bull Ring Trad. Est. *B12*
    —4D **59** (4D **11**)
Bull's La. *Wis* —1F **29**
(in two parts)
Bull St. *B4* —2C **58** (1A **10**)
Bull St. *Harb* —2B **72**
Bull St. *W Brom* —4B **30**
Bulwell Clo. *B6* —3E **47**
Bunbury Gdns. *B30* —2A **100**
Bunbury Rd. *B31* —2F **99**
Bunbury St. *B9* —3A **46**
Burbidge Rd. *B9* —2B **60**
Burbury St. *B19* —3A **46**
Burbury St. S. *B19* —4A **46**
Burcombe Tower. *B23*
    —1F **37**
Burcote Rd. *B24* —4B **38**
Burdock Rd. *B29* —5E **87**
Burdons Clo. *B34* —5E **51**
Burford Clo. *Sol* —5E **79**
Burford Pk. Rd. *B38*
    —1C **110**
Burford Rd. *K'sdng* —5D **25**
Burhill Way. *B37* —5F **53**
Burke Av. *B13* —2B **92**
Burleton Rd. *B33* —3C **64**
Burley Clo. *Shir* —4D **105**
Burley Way. *B38* —1A **110**
Burlington Arc. *B2* —2F **9**
Burlington Av. *W Brom*
    —1C **42**
Burlington Pas. *B2* —2F **9**
Burlington Rd. *B10* —4C **60**
Burlington Rd. *W Brom*
    —1C **42**
Burlington St. *B6* —4C **46**
Burlish Av. *Sol* —2D **95**
Burman Clo. *Shir* —4E **105**
Burman Dri. *Col* —1D **67**
Burman Rd. *Shir* —4D **105**
Burnaston Rd. *B28* —2C **92**
Burnbank Gro. *B24* —3F **37**
Burn Clo. *Smeth* —1E **55**

Burnel Rd. *B29* —1E **87**
Burney La. *B8* —5A **50**
Burnham Av. *B25* —2A **78**
Burnham Mdw. *B28* —5E **93**
Burnham Rd. *B44* —5C **24**
Burnhill Gro. *B29* —3E **87**
Burnlea Gro. *B31* —5A **100**
Burnsall Clo. *B37* —3D **65**
Burnside Ct. *S Cold* —3E **27**
Burnside Way. *B31* —2D **109**
Burrelton Way. *B43* —4B **22**
Burrington Rd. *B32* —5A **85**
Burrow Hill Clo. *B36* —2A **52**
Burton Wood Dri. *B20*
—5B **34**
Buryfield Rd. *Sol* —5E **95**
Bury Mound Ct. *Shir*
—4A **104**
Bush Av. *Smeth* —5A **44**
Bushbury Cft. *B37* —2A **66**
Bushbury Rd. *B33* —5E **51**
Bush Gro. *B21* —1A **44**
Bushman Way. *B34* —5C **52**
Bushmore Dri. *B28* —5E **93**
Bushwood Rd. *B29* —2F **87**
(in two parts)
Bute Clo. *Redn* —5C **96**
Butler Rd. *Sol* —5D **79**
Butlers Clo. *Erd* —3B **26**
Butlers Clo. *Hand* —4E **33**
Butlers La. *S Cold* —3D **13**
Butler's Rd. *B20* —4E **33**
Butler St. *Small H* —5A **60**
Butlin St. *B7* —3A **48**
Buttermere Dri. *B32* —5D **71**
Butter Wlk. *B38* —1A **110**
Buttery Rd. *Smeth* —4C **42**
Buttress Way. *Smeth* —4E **43**
Buxton Rd. *B23* —1F **35**
Buxton Rd. *S Cold* —4E **27**
Byfield Clo. *B33* —5C **64**
Byfield Pas. *B9* —3C **60**
Byron Av. *B23* —4F **35**
Byron Clo. *B10* —1B **76**
Byron Ct. *S Cold* —1E **13**
Byron Gdns. *W Brom*
—2A **30**
Byron Rd. *B10* —1B **76**
Byron St. *W Brom* —1A **30**

Caban Clo. *B31* —1C **98**
Cadbury Dri. *B35* —1E **51**
Cadbury Ho. *B19* —1F **5**
Cadbury Rd. *B13* —4F **75**
Cadbury Way. *B17* —3F **71**
Cadbury World. —4D 89
Caddick Rd. *B42* —3F **23**
Cadec Trad. Est. *Smeth*
—2D **55**
Cadine Gdns. *B13* —2A **90**
Cadleigh Gdns. *B17* —5A **72**
Cadnam Clo. *B17* —5A **72**

Cala Dri. *B15* —1F **73**
Caldecote Gro. *B9* —3A **62**
Calder Dri. *S Cold* —4D **29**
Calder Gro. *B20* —5D **33**
Caldwell Ho. *W Brom*
—5A **30**
Caldwell Rd. *B9* —2F **61**
Caldy Wlk. *Redn* —5D **97**
Caledonian Clo. *Wals* —1A **22**
California. —5E **71**
California Way. *B32* —5D **71**
Callow Bri. Rd. *Redn*
—2D **107**
Callowbrook La. *Redn*
—1D **107**
Calshot Rd. *B42* —3D **23**
Calthorpe Mans. *Edg*
—4F **57** (5A **8**)
Calthorpe Rd. *Edg*
—5E **57** (5A **8**)
Calthorpe Rd. *Hand* —5A **34**
Calver Gro. *B44* —4B **23**
Calverley Rd. *B38* —5B **100**
Calverton Gro. *B43* —4C **22**
Camberley Gro. *B23* —1C **36**
Camborne Clo. *B6* —3C **46**
Cambrai Dri. *B28* —3C **92**
Cambridge Av. *S Cold*
—4F **27**
Cambridge Cres. *B15*
—1A **74**
Cambridge Dri. *B37* —5D **65**
Cambridge Rd. *B14 & B13*
—2D **91**
Cambridge Rd. *Smeth*
(Halford's La.) —3E **43**
Cambridge Rd. *Smeth*
(Middlemore Rd.) —2F **43**
Cambridge St. *B1*
—3A **58** (2C **8**)
Cambridge St. *W Brom*
—5A **30**
Cambridge Tower. *B1*
—3A **58** (2C **8**)
Cambridge Way. *B27*
—4B **78**
Camden Clo. *B36* —2E **51**
Camden Dri. *B1*
—2F **57** (5B **4**)
Camden Gro. *B1*
—2F **57** (5B **4**)
Camden St. *B18 & Hock*
—1E **57** (4A **4**)
Camelot Way. *B10* —5A **60**
Cameronian Cft. *B36* —2A **50**
Camford Gro. *B14* —3D **103**
Camino Rd. *B32* —5D **71**
Campbells Grn. *B26* —3F **79**
Campden Grn. *Sol* —5E **79**
Camp Hill. *B12*
—5E **59** (5F **11**)
Camp Hill Ind. Est. *B12*
—1E **75**

Campion Clo. *B34* —4F **51**
Campion Clo. *B38* —1D **111**
Camp La. *B21 & Hand*
—1F **43**
Camp La. *K Nor* —3D **101**
Camplea Cft. *B37* —3E **65**
Camplin Cres. *B20* —2C **32**
Camp Rd. *Lich & S Cold*
—1B **14**
Camp St. *B9* —4A **60**
Campville Gro. *B37* —5D **53**
Campwood Clo. *B30* —3C **88**
Camrose Cft. *Bal H* —3D **75**
Camrose Cft. *Buc E* —5F **51**
Camrose Tower. *B7* —4F **47**
Canal La. *B24* —1E **49**
Canal Side. *K Nor* —3E **101**
Canary Gro. *B19* —2A **46**
Canberra Ho. *B34* —4C **52**
Canberra Way. *B12* —5E **59**
Canford Clo. *B12* —1D **75**
Canning Gdns. *B18* —1C **56**
Cannon Hill Gro. *B12* —3C **74**
Cannon Hill Pl. *B12* —3C **74**
Cannon Hill Rd. *B12* —3B **74**
Cannon St. *B2* —3C **58** (2F **9**)
Canterbury Dri. *B37* —1E **81**
Canterbury Rd. *B20* —1B **46**
Canterbury Tower. *B1* —5A **4**
Cantlow Rd. *B13* —5E **91**
Canvey Clo. *Redn* —5C **96**
Canwell Av. *B37* —5D **53**
Canwell Dri. *Can* —1E **15**
Capcroft Rd. *B13* —5F **91**
Cape Hill. *Smeth* —1F **55**
Cape Hill Retail Cen. *Smeth*
—1F **55**
Capener Rd. *B43* —2E **23**
Capern Gro. *B32* —3D **71**
Cape St. *B18* —1B **56**
Capethorn Rd. *Smeth*
—2E **55**
Capilano Rd. *B23* —5A **26**
Capstone Av. *B18*
—1E **57** (3A **4**)
Carcroft Rd. *B25* —5B **62**
Cardigan Clo. *W Brom*
—1A **30**
Cardigan St. *B4*
—2D **59** (5D **7**)
Cardington Av. *B42* —3F **23**
Carhampton Rd. *S Cold*
—3E **21**
Carisbrooke Av. *B37* —3A **66**
Carisbrooke Dri. *Hale*
—4B **68**
Carisbrooke Rd. *B17* —4F **55**
Carless Av. *B17* —1F **71**
Carlisle St. *B18* —5C **44**
Carlton Av. *B21* —1C **44**
Carlton Clo. *S Cold* —2B **20**
Carlton Gro. *S'hll* —3A **76**
Carlton M. *B36* —2B **52**

Carlton M. Flats. *B36* —2B **52**
Carlton Rd. *Small H* —4B **60**
Carlton Rd. *Smeth* —2E **43**
Carlyle Rd. *Edg* —4C **56**
Carlyle Rd. *Loz* —2A **46**
Carmel Gro. *B32* —2F **85**
Carmodale Av. *B42* —1F **33**
Carnford Rd. *B26* —2F **79**
Carnoustie Clo. *S Cold*
—1A **20**
Carnwath Rd. *S Cold* —2C **26**
Caroline Dri. *B13* —4D **75**
Caroline St. *B3*
—1A **58** (4D **5**)
Carpenter Rd. *B15* —1E **73**
Carpenter's Rd. *B19* —3A **46**
Carroway Head. —2F 15
Carroway Head Hill. *Can*
—3F **15**
Carrs La. *B4* —3C **58** (2B **10**)
Carshalton Rd. *B44* —2E **25**
Carter Rd. *B43* —2D **23**
Carters Clo. *S Cold* —1D **29**
Carters Grn. *W Brom*
—3A **30**
Carter's Hurst. *B33* —4F **63**
Carter's La. *Hale* —3D **69**
Cartland Rd. *S'brk* —1A **76**
Cartland Rd. *Stir & K Hth*
—3F **89**
Cartmel Ct. *B23* —3F **35**
Cartwright Rd. *S Cold*
—3A **14**
Carver St. *B1* —1F **57** (4A **4**)
Casey Av. *B23* —4B **26**
Cassowary Rd. *B20* —4D **33**
Castello Dri. *B36* —1B **52**
Castle Bromwich. —1A 52
Castle Bromwich Bus. Pk.
Cas V —1D **51**
Castle Bromwich Hall.
Cas B —2E **51**
Castle Bromwich Hall
Gardens. —2E 51
Castle Clo. *Sol* —2F **95**
Castle Ct. *B34* —3C **52**
Castle Cres. *B36* —2A **52**
Castle Cft. *O'bry* —5B **54**
Castle Dri. *Col* —1D **67**
Castleford Gro. *B11* —4A **76**
Castleford Rd. *B11* —4A **76**
Castlehills Dri. *B36* —2E **51**
Castle La. *Sol* —2D **95**
Castle Rd. *B29* —1E **87**
Castle Rd. *B30* —2D **101**
Castle Rd. E. *O'bry* —5B **54**
Castle Rd. W. *O'bry* —5A **54**
Castle Sq. *B29* —2E **87**
Castle St. *B4* —3C **58** (2B **10**)
Castleton Rd. *B42* —5B **24**
Castle Vale. —3F 39
Castle Va. Ind. Est. *Min*
—2E **39**

Castle Va. Shop. Cen. *B35*
—5D **39**
Cater Dri. *S Cold* —2D **29**
Catesby Ho. *B37* —5D **53**
Catesby Rd. *Shir* —5F **105**
Cateswell Rd. *Hall G* —1D **93**
Cateswell Rd. *S'hll* —1D **93**
Cathel Dri. *B42* —5E **23**
Catherine de Barnes La.
Bick —5B **82**
Catherine Dri. *S Cold* —3E **19**
Catherine St. *B6* —3E **47**
Cat La. *B34* —3F **51**
Caton Gro. *B28* —4E **93**
Cato St. *B7* —1F **59**
Cato St. N. *B7* —5A **48**
Cattell Dri. *S Cold* —4F **21**
Cattell Rd. *B9* —4A **60**
Cattells Gro. *B7* —4A **48**
Cattermole Gro. *B43* —1A **24**
Cattock Hurst Dri. *S Cold*
—5B **28**
Causeway, The. *B25* —1B **78**
Cavandale Av. *B44* —3C **24**
Cavendish Clo. *B38* —5F **101**
Cavendish Rd. *B16* —2B **56**
Cavendish Rd. *Hale* —4D **69**
Caversham Rd. *B44* —2E **25**
Cawdor Cres. *B16* —4D **57**
Caxton Gro. *B44* —3A **26**
Caynham Rd. *B32* —3F **85**
Cayton Gro. *B23* —1D **37**
Cecil Rd. *Erd* —4D **37**
Cecil Rd. *S Oak* —2A **90**
Cecil St. *B19* —1G **58** (3A **6**)
Cedar Av. *B36* —2A **52**
Cedar Bri. Cft. *S Cold*
—1F **39**
Cedar Clo. *B30* —5C **88**
Cedar Clo. *O'bry* —5A **54**
Cedar Dri. *B24* —2A **38**
Cedar Dri. *S Cold* —1C **16**
Cedar Ho. *B36* —2D **51**
Cedarhurst. *B32* —3E **71**
Cedar Rd. *B30* —5C **88**
Cedars Av. *B27* —4A **78**
Cedars, The. *B25* —4C **62**
Cedar Wlk. *B37* —3F **65**
Cedar Way. *B31* —5D **99**
Cedarwood. *S Cold* —1F **19**
Cedarwood Cft. *B42* —4D **23**
Celbury Way. *B43* —4B **22**
Cemetery La. *Hock*
—5F **45** (2B **4**)
Cemetery Rd. *O'bry* —4A **42**
Cemetery Rd. *Smeth* —1D **55**
Cemetery Rd. *S Cold* —3B **28**
Centenary Clo. *B31* —5E **99**
Centenary Dri. *B21* —1C **44**
Centenary Sq. *B1*
—3A **58** (2D **9**)
Central Av. *B31* —1C **108**
Central Av. *B24* —5A **38**

Central Gro. *B27* —1A **94**
Central Links Ind. Est. *B7*
—4F **47**
Central Sq. *Erd* —3E **37**
Centre City. *B5* —4F **9**
Centre La. *Hale* —5A **68**
Centreway, The. *B14*
—2B **104**
Century Ind. Est. *B44*
—1C **24**
Century Pk. *B9* —3A **60**
Century Tower. *B5* —3A **74**
Ceolmund Cres. *B37* —3F **65**
Chaceley Gro. *B23* —5B **26**
Chadbrook Crest. *B15*
—1C **72**
Chadbury Rd. *Hale* —5A **68**
Chaddersley Clo. *Redn*
—5D **97**
Chaddesley Rd. *B31*
—4B **100**
Chadley Clo. *Sol* —5E **95**
Chad Rd. *B15* —5D **57**
Chadshunt Clo. *B36* —5B **40**
Chadsmoor Ter. *B7* —4F **47**
Chad Sq. *B15* —1C **72**
Chad Valley. —1B 72
Chad Valley Clo. *B17* —2B **72**
Chadwell Dri. *Shir* —5F **93**
Chadwick Av. *Redn* —3F **107**
Chadwick Rd. *S Cold* —4D **21**
Chaffcombe Rd. *B26* —2A **80**
Chaffinch Dri. *B36* —3F **53**
Chain Wlk. *B19* —2B **46**
Chalcot Gro. *B20* —2C **32**
Chale Gro. *B14* —3E **103**
Chalfont Rd. *B20* —5F **33**
Chalford Rd. *B23* —4A **26**
Chalgrove Av. *B38* —5C **100**
Chalybeate Clo. *Redn*
—5D **97**
Chamberlain Ct. *K Hth*
—2C **90**
Chamberlain Cres. *Shir*
—4E **105**
Chamberlain Rd. *B13*
—5D **91**
Chamberlain Sq. *B3*
—3B **58** (2E **9**)
Chamberlain Wlk. *Smeth*
—5F **43**
Chance Cft. *O'bry* —1F **69**
Chancellors Clo. *B15* —1C **72**
Chancel Way. *B6* —2D **35**
Chancel Way. *Hale* —2A **68**
Chandos Av. *B13* —5D **75**
Chandos Rd. *B12* —5B **59**
Chanston Av. *B14* —2C **102**
Chantrey Cres. *B43* —5B **16**
Chantry Dri. *Hale* —1E **69**
Chantry Rd. *Hand* —2D **45**
Chantry Rd. *Mose* —4C **74**
Chapel Clo. *Crad H* —1A **68**

Chapelfield Rd. Redn
—2E 107
Chapel Fields Rd. Sol
—1D 95
Chapelhouse Rd. B37
—3D 65
Chapel Ho. St. B12
Chapel La. Gt Barr —1C 22
Chapel La. S Oak —1C 88
Chapel St. B4
—2D 59 (1C 10)
Chapel St. Hand —3B 44
Chapel Vw. Smeth —1D 55
Chapel Wlk. B30 —4E 101
Chapelwood Gro. B42
—2B 34
Chapman Rd. Small H
—5A 60
Chapman's Hill. Rom
—5A 96
Chapmans Pas. B1
—4B 58 (4E 9)
Chapman St. W Brom
—4A 30
Charfield Clo. B30 —4B 88
Charingworth Rd. Sol
—5A 80
Charlbury Av. B37 —3D 65
Charlbury Cres. B26 —5D 63
Charlecoat Tower. B15
—5D 9
Charlecote Cft. Shir —5F 105
Charlecote Dri. B23 —5C 26
Charlecote Gdns. S Cold
—4E 27
Charlecott Clo. B13 —4B 92
Charles Clo. B8 —1B 60
Charles Ct. S Cold —1D 29
Charles Dri. B7 —4F 47
Charles Edward Rd. B26
—2B 78
Charles Henry St. B12
—5D 59 (5C 10)
Charles Pearson Ct. Smeth
(off Mill Dri.) —5F 43
Charles Rd. Aston —1E 47
Charles Rd. Hand —1A 46
Charles Rd. Small H —3C 60
Charles St. Smeth —3A 44
Charleville Rd. B19 —3F 45
Charlotte Gdns. Smeth
—5F 43
Charlotte Rd. Edg —1A 74
Charlotte Rd. Stir —5E 89
Charlotte St. B3
—2A 58 (1D 9)
Charlton Pl. B8 —5B 48
Charlton Rd. B44 —4E 25
Charminster Av. B25 —5B 62
Charnley Dri. S Cold —4C 14
Charnwood Clo. Redn
—3F 97

Charnwood Rd. B42 —5D 23
Charter Cres. Crad H —1A 68
Chartist Rd. B8 —4B 48
Chartley Rd. B23 —1B 48
Chartley Rd. W Brom
—1B 30
Chartwell Dri. S Cold —2B 12
Chase Gro. B24 —1B 38
Chase, The. S Cold —5B 28
Chater Dri. S Cold —3E 29
Chatham Rd. B31 —3E 99
Chatsworth Av. B43 —3A 22
Chatsworth Clo. S Cold
—5B 28
Chatsworth Rd. Hale —1A 68
Chatsworth Tower. B15
—5A 58 (5D 9)
Chattaway St. B7 —3A 48
Chattock Clo. B36 —3C 50
Chatwell Gro. B29 —1F 87
Chatwin St. Smeth —3D 43
Chaucer Clo. B23 —4F 85
Chaucer Gro. B27 —1F 93
Chavasse Rd. S Cold —1A 28
Chaynes Gro. B33 —2B 64
Cheadle Dri. B23 —4B 26
Cheapside. B5 & B12
—4D 59 (5C 10)
Cheapside Ind. Est. B12
—4D 59 (5D 11)
Cheatham St. B7 —4A 48
Checkley Cft. S Cold —4D 29
Cheddar Rd. B12 —2C 74
Chedworth Clo. B29 —5C 88
Chedworth Ct. B29 —3C 88
Chells Gro. B13 —1F 103
Chelmar Clo. B36 —2D 53
Chelmorton Rd. B42 —5B 24
Chelmscote Rd. Sol —2D 95
Chelmsley Circ. B37 —3F 65
Chelmsley Gro. B33 —2C 64
Chelmsley La. B37 —5D 65
(in two parts)
Chelmsley Rd. B37 —2D 65
Chelmsley Wood. —3A 66
Chelsea Clo. B32 —4D 73
Chelsea Dri. S Cold —2D 13
Chelsea Trad. Est. B7 —4E 47
Chelston Rd. B31 —4C 98
Chelworth Rd. B38 —4F 101
Chepstow Gro. Redn
—3F 107
Cherhill Covert. B14
—4A 102
Cherington Rd. B29 —3E 89
Cheriton Wlk. B23 —4F 35
Cherrington Clo. B31 —4D 87
Cherry Cres. Erd —4D 37
Cherry Dri. B9 —4F 59
Cherry Gro. Smeth —5A 44
(off Rosedale Av.)

Cherry La. S Cold —5E 27
Cherry Lea. B34 —4F 51
Cherry Orchard Rd. B20
—2D 33
Cherry St. B2
—3C 58 (2A 10)
Cherry Tree Ct. B30 —1D 101
Cherry Tree Cft. B27 —3A 78
Cherrywood Ct. Sol —1E 95
Cherrywood Ind. Est. B9
—3B 60
Cherrywood Rd. B9 —3B 60
Cherrywood Rd. S Cold
—1B 16
Cherrywood Way. Lit A
—1B 12
Chervil Ri. B42 —5A 24
Cherwell Dri. B36 —2D 53
Cherwell Gdns. B6 —2B 46
Cheshire Av. Shir —3E 105
Cheshire Ct. B34 —3F 51
Cheshire Rd. B6 —5E 35
Cheshire Rd. Smeth —1E 55
Cheshunt Ho. B37 —3F 65
Cheslyn Gro. B14 —3E 103
Chessetts Gro. B13 —5E 91
Chester Clo. B37 —3E 65
Chester Ct. B37 —3B 66
(off Hedingham Gro.)
Chesterfield Clo. B31 —1F 99
Chestergate Cft. B24 —3B 38
Chester Hayes Ct. Erd
—2A 38
Chester Ri. O'bry —5A 54
Chester Road. —5A 28
Chester Rd. Cas B & K'hrst
Chester Rd. Chel W & Col
—5F 53
Chester Rd. Erd & Cas V
—2A 38
Chester Rd. S Cold & Erd
—3B 26
Chester Rd. Wals & S Cold
—1D 17
Chester Rd. N. S Cold
—4E 17
Chester St. B6 & Aston
—5D 47 (2D 7)
Chester St. Wharf. B6
—5D 47 (1D 7)
Chesterton Av. B12 —3F 75
Chesterton Av. B18 —1C 56
Chesterton Clo. Sol —5C 94
Chesterton Rd. B12 —3F 75
Chesterwood Gdns. B20
—5B 34
Chesterwood Rd. B13
—5D 91
Chestnut Clo. B27 —4A 78
Chestnut Clo. Sol —3B 94
Chestnut Ct. Cas B —3C 52
Chestnut Ct. Smeth —3C 42

Chestnut Dri.—Clee Rd.

Chestnut Dri. *Cas B* —2E **51**
Chestnut Dri. *Erd* —3A **38**
Chestnut Dri. *Redn* —5B **108**
Chestnut Gro. *Harb* —3B **72**
Chestnut Ho. *B7*
　—1E **59** (2F **7**)
Chestnut Pl. *B12* —2E **75**
Chestnut Pl. *K Hth* —3D **91**
Chestnut Rd. *B13* —4E **75**
Chestnut Rd. *O'bry* —1A **70**
Chestnuts Av. *B26* —1F **79**
Chestnut Wlk. *B37* —3F **65**
Cheston Ind. Est. *B7* —4F **47**
Cheston Rd. *B7* —4E **47**
Cheswood Dri. *Min* —1F **39**
Chetwynd Rd. *B8* —5F **49**
Cheveley Av. *Redn* —2F **107**
Cheverton Rd. *B31* —2C **98**
Cheviot Way *Salt* —4A **48**
Cheylesmore Clo. *S Cold*
　—5F **19**
Cheyne Gdns. *B28* —3C **104**
Cheyne Pl. *Harb* —3B **72**
Cheyne Way. *Harb* —3B **72**
Chichester Ct. *S Cold* —4F **19**
Chichester Dri. *B32* —3E **69**
Chichester Gro. *B37* —4E **65**
Chigwell Clo. *B35* —4E **39**
Chilcote Clo. *B28* —2D **105**
Chilham Dri. *B37* —3A **66**
Chillinghome Rd. *B36*
　—2B **50**
Chilton Ct. *B23* —5A **36**
　(off Park App.)
Chilton Rd. *B14* —2B **104**
Chilwell Cft. *B19*
　—5C **46** (1A **6**)
Chilworth Clo. *B6* —4D **47**
Chimes Clo. *B33* —4C **64**
Chingford Rd. *B44* —4E **25**
Chinley Gro. *B44* —3A **26**
Chinn Brook Rd. *B13*
　—1F **103**
Chip Clo. *B38* —4B **100**
Chipperfield Rd. *B36* —2C **50**
Chipstead Rd. *B23* —5B **26**
Chirbury Gro. *B31* —5F **99**
Chirton Gro. *B14* —5B **90**
Chiseldon Cft. *B14* —3E **103**
Chisholm Gro. *B27* —3A **94**
Chiswell Rd. *B18* —1C **56**
Chiswick Ct. *B23* —5C **36**
Chiswick Ho. *B15* —5C **8**
Chiswick Wlk. *B37* —3B **66**
Chivenor Ho. *B35* —5E **39**
Chivers Gro. *B37* —5D **53**
Chorley Av. *B34* —4D **51**
Christchurch Clo. *B15*
　—5C **56**
Christopher Rd. *B29* —1A **88**
Christopher Rd. *Hale* —5C **68**
Christopher Taylor Ct. *B30*
　—1C **100**

Chudleigh Av. *B23* —3C **36**
Chudleigh Gro. *B43* —4B **22**
Chudleigh Rd. *B23* —3C **36**
Churchacre. *B23* —4A **26**
Church Av. *B20* —2A **46**
Church Av. *Mose* —5D **75**
Church Av. *Wat O* —4F **41**
Church Clo. *B37* —4E **53**
Churchcroft. *B17* —4F **71**
Chu. Dale Rd. *B44* —1B **24**
Church Dri. *Stir* —4F **85**
Church Gdns. *Smeth* —1E **55**
Church Grn. *B20* —5D **33**
Church Gro. *Hand* —1F **45**
Church Gro. *Mose* —1A **90**
Church Hill. *N'fld* —3F **99**
　(in two parts)
Church Hill. *Quin* —1E **87**
Church Hill. *S Cold* —4A **20**
Chu. Hill Rd. *B20* —1F **45**
Chu. Hill St. *Smeth* —4D **43**
Church Ho. Dri. *S Cold*
　—4A **20**
Churchill Ho. *Wals* —1A **22**
Churchill Pde. *S Cold* —4E **21**
Churchill Pl. *B33* —2A **64**
Churchill Rd. *B9* —2D **61**
Churchill Rd. *New O* —1B **24**
Churchill Rd. *S Cold* —4E **21**
Church La. *B6 & Aston*
　—2E **47**
Church La. *Bick* —5C **82**
Church La. *Curd* —1F **41**
Church La. *Hand* —5D **33**
Church La. *Kitts G* —2D **63**
Church La. *W Brom* —1A **30**
Church La. Ind. Est.
　W Brom —1A **30**
Churchover Clo. *S Cold*
　—1B **38**
Church Rd. *Aston* —3F **47**
Church Rd. *Edg* —1E **73**
Church Rd. *Erd* —3D **37**
Church Rd. *Maney* —1F **27**
Church Rd. *Mose* —5E **75**
Church Rd. *N'fld* —2E **99**
Church Rd. *P Barr* —2B **34**
Church Rd. *Shld* —3F **79**
Church Rd. *Shir* —4F **105**
Church Rd. *Smeth* —1D **55**
Church Rd. *S Cold* —4D **27**
Church Rd. *Yard* —1B **78**
Church St. *B3* —2B **58** (1F **9**)
Church St. *Loz* —3A **46**
Church St. *W Brom* —3A **30**
Church Ter. *S Cold* —3F **13**
Church Ter. *Yard* —4C **62**
Church Va. *B20* —1F **45**
Church Va. *W Brom* —3A **30**
Church Wlk. *B8* —4E **49**
Churchwell Ct. *Hale* —5A **68**

Churchwell Gdns. *W Brom*
　—1C **30**
Circle, The. *B17* —2A **72**
Circular Rd. *B27* —1A **94**
Circus Av. *B37* —3A **66**
City Arc. *B2* —3C **58** (2A **10**)
　(off Corporation St.)
City Plaza. *B2* —2A **10**
City Rd. *B17 & B16* —4F **55**
City Trad. Est. *B16* —2E **57**
City Vw. *B8* —1B **60**
City Wlk. *B5* —4C **58** (4A **10**)
Civic Clo. *B1* —3A **58** (2C **8**)
Claerwen Gro. *B31* —1C **98**
Claines Rd. *B31* —2A **100**
Claire Ct. *B26* —1A **80**
Clandon Clo. *B14* —4A **102**
Clapgate La. *B32* —1E **85**
Clapton Gro. *B44* —3F **25**
Clare Ct. *Shir* —4B **104**
Clare Dri. *B15* —5D **57**
Clarel Av. *B8* —2A **60**
Claremont Pl. *B18* —5D **45**
Claremont Rd. *Hock* —4F **45**
Claremont Rd. *Smeth*
　—1F **55**
Claremont Rd. *S'brk* —1F **75**
Clarence Av. *B21* —2A **44**
Clarence Ct. *O'bry* —3A **54**
Clarence Gdns. *S Cold*
　—4D **13**
Clarence Rd. *Erd* —4B **36**
Clarence Rd. *Hand* —2A **44**
Clarence Rd. *Harb* —2B **72**
Clarence Rd. *K Hth &*
　Mose —2E **91**
Clarence Rd. *S'hll* —4A **76**
Clarence Rd. *S Cold* —1C **12**
Clarenden Pl. *B17* —3A **72**
Clarendon Pl. *Hale* —2E **127**
Clarendon Rd. *B16* —4C **56**
Clarendon Rd. *Smeth*
　—1D **55**
Clarendon Rd. *S Cold*
　—3A **14**
Clark St. *B16* —3D **57**
Clarry Dri. *S Cold* —1D **19**
Clausen Clo. *B43* —5C **16**
Clavedon Clo. *B31* —4C **86**
Claverdon Dri. *B43* —4B **22**
Claverdon Dri. *S Cold*
　—2A **12**
Claverdon Gdns. *B27*
　—3F **77**
Claybrook St. *B5*
　—4C **58** (5A **10**)
Claydon Gro. *B14* —3E **103**
Clay Dri. *B32* —3E **69**
Clay La. *B26* —3C **78**
Clayton Dri. *B36* —2A **52**
Clayton Rd. *B8* —5B **48**
Clayton Wlk. *B35* —5E **39**
Clee Rd. *B31* —1E **109**

Clee Rd. *O'bry* —1A **54**
Cleeve Dri. *S Cold* —1D **13**
Cleeve Ho. *Erd* —5E **37**
Cleeve Rd. *B14* —2A **104**
Clements Rd. *B25* —5B **62**
Clement St. *B1*
　　　　　—2F **57** (1B **8**)
Clements Way. *B38*
　　　　　—2B **110**
Clent Rd. *Hand* —1B **44**
Clent Rd. *O'bry* —5A **54**
Clent Rd. *Redn* —1C **106**
Clent Vw. *Smeth* —2F **55**
Clent Vw. Rd. *B32* —2E **85**
Clent Vs. *B12* —4F **75**
Clent Way. *B32* —3E **85**
Clevedon Av. *B36* —2C **52**
Clevedon Rd. *B12* —2C **74**
Cleveland Tower. *B1* —4F **9**
Cleves Dri. *Redn* —2C **106**
Cleves Rd. *Redn* —1C **106**
Clewley Gro. *B32* —3F **69**
Clewshaw La. *B38* —5F **111**
Cley Clo. *B5* —2B **74**
Cliffe Dri. *B33* —2A **64**
Clifford Rd. *Smeth* —4D **55**
Clifford St. *B19* —3B **46**
Clifford Wlk. *B19* —3B **46**
(in two parts)
Cliff Rock Rd. *Redn*
　　　　　—2F **107**
Clifton Clo. *B6* —3D **47**
Clifton Dri. *S Cold* —3F **19**
Clifton Grn. *B28* —1E **105**
Clifton Ho. *Bal H* —3E **75**
Clifton Rd. *Bal H* —3D **75**
Clifton Rd. *Smeth* —1D **55**
Clifton Rd. *Cas B* —2C **52**
Clifton Rd. *S Cold* —5E **19**
Clifton Ter. *Erd* —3D **37**
Clinton St. *B18* —5C **44**
Clipper Vw. *B16* —4C **56**
Clipston Rd. *B8* —1D **61**
Clissold Clo. *B12* —1C **74**
Clissold Pas. *B18* —1E **57**
Clissold St. *B18*
　　　　　—1E **57** (2A **4**)
Clive Clo. *S Cold* —4B **14**
Cliveden Av. *B42* —3A **34**
Cliveden Coppice. *S Cold*
　　　　　—5D **13**
Cliveland St. *B19*
　　　　　—1C **58** (3A **6**)
Clive Pl. *B19* —1B **58** (4F **5**)
Clive Rd. *B32* —1B **70**
Clive St. *W Brom* —2A **30**
Clock La. *Bick* —5A **82**
Clodeshall Rd. *B8* —1C **60**
Cloister Dri. *Hale* —5B **68**
Clonmel Rd. *B30* —5B **89**
Clopton Cres. *B37* —1F **65**
Clopton Rd. *B33* —5A **64**

Close, The. *Harb* —1D **71**
Close, The. *S Oak* —3B **88**
Close, The. *Sol* —3D **95**
Cloudsley Gro. *Sol* —5D **79**
Clovelly Ho. *B31* —4A **98**
Clover Av. *B37* —3B **66**
Clover Dri. *B32* —1A **86**
Clover Lea Sq. *B8* —4E **49**
Clover Rd. *B29* —4E **87**
Club Vw. *B38* —4B **100**
Clunbury Cft. *B34* —5F **51**
Clunbury Rd. *B31* —1E **109**
Clun Rd. *B31* —5D **87**
Clyde Ct. *S Cold* —4F **19**
Clydesdale. *B26* —3E **79**
Clydesdale Rd. *B32* —2F **69**
Clydesdale Tower. *B1* —5F **9**
Clyde St. *Bord*
　　　　　—4E **59** (5E **11**)
Clyde Tower. *B19* —3B **46**
Coalway Av. *B26* —4A **80**
Cobbles, The. *S Cold* —5A **28**
Cobble Wlk. *B18* —5B **45**
Cobden Gdns. *B12* —2C **74**
Cobham Clo. *B35* —4D **39**
Cobham Rd. *B9* —3B **60**
Cobham Rd. *Hale* —4A **68**
Cob La. *B30* —4A **88**
Cobs Fld. *B30* —5A **88**
Coburn Dri. *S Cold* —4B **14**
Cock Hill La. *Redn* —5D **97**
Cockshed La. *Hale* —2A **68**
Cockshut Hill. *B26* —5E **63**
Cocksmead Cft. *B14*
　　　　　—1B **102**
Cockthorpe Clo. *B17* —1D **71**
Codeshill Ct. *S Cold* —5C **28**
Cofield Rd. *S Cold* —3D **27**
Cofton Chu. La. *Redn &*
　　　B Grn —5C **108**
Cofton Ct. *Redn* —2B **108**
Cofton Gro. *B31* —3C **108**
Cofton Lake Rd. *Redn*
　　　　　—5A **108**
Cofton Rd. *B31* —2E **109**
Colbrand Gro. *B15* —5B **58**
Coldbath Rd. *B13* —3F **91**
Coldstream Rd. *S Cold*
　　　　　—4C **28**
Coldstream Way. *Witt*
(in two parts) —5C **34**
Cole Bank Rd. *Mose &*
　　　Hall G —3B **92**
Colebourne Rd. *B13* —4A **92**
Colebrook Cft. *Shir* —4D **105**
Colebrook Rd. *B11* —3B **76**
Colebrook Rd. *Shir* —4C **104**
Cole Ct. *B37* —3F **65**
Coleford Dri. *B37* —3E **65**
Cole Grn. *Shir* —5C **104**
Colehall. —5F 51
Cole Hall La. *B34 & B33*
(in three parts) —4E **51**

Cole Holloway. *B31* —3C **86**
Colemeadow Rd. *B13*
　　　　　—1F **103**
Colenso Rd. *B16* —1B **56**
Coleraine Rd. *B42* —1E **33**
Coleridge Pas. *B4*
　　　　　—2C **58** (5B **6**)
Coleridge Rd. *B43* —5C **22**
Colesbourne Av. *B14*
　　　　　—4A **102**
Colesbourne Rd. *Sol* —5E **79**
Coleshill Heath. —5A 66
Coleshill Heath Rd. *B37 &*
　　　Col —1A **82**
Coleshill Rd. *B36* —4B **50**
Coleshill Rd. *Curd* —1F **41**
(in two parts)
Coleshill Rd. *Mars G* —1E **81**
Coleshill Rd. *S Cold* —4A **20**
Coleshill Rd. *Wat O* —4F **41**
Coleshill St. *B4*
　　　　　—2D **59** (5C **6**)
Coleshill St. *S Cold* —4A **20**
Coleside Av. *B13* —4B **92**
Coles La. *S Cold* —5A **28**
Cole Valley Rd. *B28* —5B **92**
Coleview Cres. *B33* —2C **64**
Coleville Rd. *Min* —1F **39**
Coley's La. *B31* —4E **99**
Colgreave Av. *B11* —1B **92**
Colindale Rd. *B44* —1E **25**
Collector Rd. *B36* —1F **51**
Colleen Av. *B30* —3F **101**
College Dri. *B20* —5D **33**
College Farm Dri. *B23*
　　　　　—4B **26**
College Gro. *Hand* —3F **45**
College Hill. *S Cold* —5F **19**
College Rd. *B8* —2C **60**
College Rd. *B44 & P Barr*
　　　　　—2C **34**
College Rd. *Hand* —5C **32**
College Rd. *Mose* —1A **92**
College Rd. *Quin* —2E **69**
College St. *B18* —1E **57**
College Wlk. *B29* —3B **88**
Collets Brook. *Bass P* —4F **15**
Colletts Gro. *B37* —5D **53**
Colley St. *W Brom* —3B **30**
Colliery Rd. *W Brom* —1E **43**
Collingbourne Av. *B36*
　　　　　—3B **52**
Collingdon Av. *B26* —2A **80**
Colling Wlk. *B37* —4E **53**
Collingwood Cen., The.
　　　　　B43 —1B **24**
Collingwood Dri. *B43*
　　　　　—5A **16**
Collins Clo. *B32* —3E **69**
Collister Clo. *Shir* —2F **105**
Colly Cft. *B37* —5D **53**
Collycroft Pl. *A Grn* —3F **77**
Colman Cres. *O'bry* —3A **54**

Colmers Wlk. *B31* —5B **98**
Colmore Av. *B14* —4B **90**
Colmore Cir. Queensway.
   B4 —2C **58** (1A **10**)
Colmore Cres. *B13* —2F **91**
Colmore Dri. *S Cold* —4E **21**
Colmore Flats. *B19*
   —1B **58** (3F **5**)
Colmore Ga. *B2* —1A **10**
Colmore Rd. *B14* —4B **90**
Colmore Row. *B3*
   —3B **58** (2E **9**)
Coln Clo. *B31* —5D **87**
Colonial Rd. *B9* —2D **61**
Colston Rd. *B24* —5F **37**
Colt Clo. *S Cold* —2C **16**
Coltishall Rd. *B35* —5D **39**
Columbia Clo. *B5* —1B **74**
Colville Rd. *B12* —3F **75**
Colville Wlk. *B12* —3F **75**
Colwall Wlk. *B27* —4B **78**
Colworth Rd. *B31* —2C **98**
Colyns Gro. *B33* —5D **51**
Comber Cft. *B13* —3B **92**
Comberton Rd. *B26* —1F **79**
Combrook Grn. *B34* —4B **52**
Commercial St. *B1*
   —4A **58** (4D **9**)
Commissary Rd. *Birm A*
   —5E **81**
Commonfield Cft. *B8* —5B **48**
Common La. *Sheld* —3E **79**
Common La. *Wash H*
   —4D **49**
Communication Row. *B15*
   —4A **58** (5C **8**)
Compton Rd. *B37* —4B **66**
Compton Dri. *S Cold* —2C **16**
Compton Rd. *B24* —1C **48**
Compton Rd. *Hale* —3D **69**
Comsey Rd. *B43* —1F **23**
Conally Rd. *Redn* —5F **97**
Conchar Clo. *S Cold* —2A **28**
Conchar Rd. *S Cold* —2A **28**
Concorde Tower. *B35*
   —5D **39**
Condover Rd. *B31* —1F **109**
Coneybury Wlk. *Min* —2B **40**
Coneyford Rd. *B34* —4A **52**
(in two parts)
Coney Grn. Dri. *B31*
   —1D **109**
Congreve Pas. *B3*
   —3B **58** (2E **9**)
Conifer Ct. *B13* —1C **90**
Conifer Dri. *B31* —3F **99**
Conifer Dri. *Hand* —3C **44**
Conifer Rd. *S Cold* —1C **16**
Conington Gro. *B17* —3E **71**
Coniston Av. *Sol* —4D **79**
Coniston Clo. *B28* —4D **93**
Coniston Cres. *B43* —5D **23**
Coniston Ho. *B17* —3B **72**

Coniston Rd. *B23* —2B **36**
Conrad Clo. *B11* —1E **75**
Consort Rd. *B30* —3E **101**
Constables, The. *O'bry*
   —3A **54**
Constance Av. *W Brom*
   —1B **42**
Constance Rd. *B5* —3B **74**
Constitution Hill. *B19*
   —1B **58** (3D **5**)
Conway Av. *B32* —2F **69**
Conway Av. *O'bry* —3A **54**
Conway Gro. *B43* —5B **22**
Conway Rd. *F'brk* —2F **65**
Conway Rd. *S'brk* —2A **76**
Conybere St. *B12* —1C **74**
Conyworth Clo. *B27* —4B **78**
Cooke Ct. *B37* —5F **53**
Cookes Cft. *B31* —4F **99**
Cookesley Clo. *B43* —5B **16**
Cooksey La. *B43* & *B44*
   —5C **16**
Cooksey Rd. *B10* —1A **76**
Cook's La. *B37* —2D **65**
Cookspiece Wlk. *B33*
   —2D **63**
Cook St. *B7* —3A **48**
Coombe Hill. *Crad H* —1A **68**
Coombe Pk. *S Cold* —2D **19**
Coombe Rd. *B20* —1C **46**
Coombes La. *B31* —3D **109**
Coombeswood. —1A 68
Coombs Rd. *Hale* —2A **68**
Cooper Clo. *W Brom* —5C **30**
Cooper's La. *Smeth* —5D **43**
Coopers Rd. *B20* —4E **33**
Cooper St. *W Brom* —4B **30**
Copeley Hill. *B23* —1A **48**
Cope St. *B18* —2E **57**
Coplow Cotts. *B16* —2D **57**
Coplow Ter. *B16* —2D **57**
(off Coplow St.)
Copnor Gro. *B26* —2C **78**
Coppenhall Gro. *B33* —2E **63**
Copperbeech Clo. *B32*
   —3D **71**
Copperbeech Dri. *B12*
   —3E **75**
Copperbeech Gdns. *Hand*
   —5D **33**
Coppice Ash Cft. *B19* —2B **46**
Coppice Clo. *Redn* —2D **107**
Coppice Clo. *Sol* —4E **95**
Coppice Dri. *B27* —1F **93**
Coppice Hollow. *B32* —2F **85**
Coppice La. *Midd* —4F **15**
Coppice Rd. *B13* —5E **75**
Coppice, The. *B20* —5E **33**
Coppice Vw. Rd. *S Cold*
   —5E **17**
Coppice Way. *B37* —3F **65**

Copplestone Clo. *B34* —4F **51**
Copse Clo. *B31* —4E **99**
Copse, The. *S Cold* —5D **13**
Copston Gro. *B29* —3F **87**
Copthall Rd. *B21* —5A **32**
Copthorne Rd. *B44* —1C **24**
Coralin Clo. *B37* —3F **65**
Corbett St. *Smeth* —1F **55**
Corbridge Av. *B44* —3D **25**
Corbridge Rd. *S Cold*
   —2D **27**
Corbyn Rd. *B9* —2F **61**
Corfe Clo. *B32* —3D **71**
Coriander Clo. *Redn* —5F **97**
Corinne Clo. *Redn* —3E **107**
Corinne Cft. *B37* —1E **65**
Corisande Rd. *B29* —1A **88**
Corley Av. *B31* —3F **99**
Corley Clo. *Shir* —5C **104**
Cornbrook Rd. *B29* —4D **87**
Corncrake Clo. *S Cold*
   —2B **28**
Corncrake Dri. *B36* —2E **53**
Cornel Clo. *B37* —5A **66**
Cornerstone Country Clo.
   B31 —1F **99**
Cornerway. *B38* —2D **111**
Cornfield Cft. *B37* —2B **66**
Cornfield Cft. *S Cold* —1D **29**
Cornfield Rd. *B31* —2F **99**
Corngreaves, The. —4A **52**
Cornhill Gro. *B30* —4A **90**
Corn Mill Clo. *B32* —2C **86**
Cornwall Av. *O'bry* —5A **54**
Cornwall Ind. Est. *Smeth*
   —3F **43**
Cornwall Rd. *B20* —5D **33**
Cornwall Rd. *Redn* —5C **96**
Cornwall Rd. *Smeth* —3F **43**
Cornwall St. *B3*
   —2B **58** (1E **9**)
Cornwall Tower. *B18*
   —5F **45** (1A **4**)
Coronation Rd. *Gt Barr*
   —1C **22**
Coronation Rd. *Salt* —4D **49**
Coronation Rd. *S Oak*
   —1D **89**
Corporation Sq. *B4*
   —2C **58** (1B **10**)
Corporation St. *B2* & *B4*
   —3C **58** (2A **10**)
(in two parts)
Corrie Cft. *B26* —1F **79**
Corrie Cft. *Bart G* —3F **85**
Corron Hill. *Hale* —4A **68**
(off Cobham Rd.)
Corvedale Rd. *B29* —5E **87**
Corville Gdns. *B26* —4A **80**
Corville Rd. *Hale* —2D **69**
Corwen Cft. *B31* —4B **86**
(in two parts)

Cosford Cres. *B35* —4E **39**
Cossington Rd. *B23* —5B **26**
Cotford Rd. *B14* —4E **103**
Cotleigh Gro. *B43* —1B **24**
Cotman Clo. *B43* —1A **24**
Coton Gro. *Shir* —4C **104**
Coton La. *B23* —3D **37**
Cotswold Clo. *Redn* —4F **97**
Cottage Gdns. *Redn*
—4D **107**
Cottage La. *Min* —1B **40**
Cottage Wlk. *W Brom*
—5B **30**
Cotteridge. —2D 101
Cotteridge Rd. *B30* —2E **101**
Cotterills Av. *B8* —1A **62**
Cotterills La. *B8* —1E **61**
Cottesbrook Rd. *B27* —4B **78**
Cottesfield Clo. *B8* —1F **61**
Cottesmore Ho. *B20* —4D **33**
Cotton La. *B13* —1D **91**
Cottrells Clo. *B14* —2A **104**
Cottrell St. *W Brom* —3B **30**
Cottsmeadow Dri. *B8*
—1A **62**
Cotysmore Rd. *S Cold*
—3B **20**
Couchman Rd. *B8* —1C **60**
County Clo. *B30* —5F **89**
County Clo. *W'gte* —5A **70**
County Pk. Av. *Hale* —5A **68**
Courtenay Gdns. *B43*
—2C **22**
Courtenay Rd. *B44* —5C **24**
Ct. Farm Rd. *B23* —1C **36**
Ct. Farm Way. *B29* —4D **87**
Courtlands Clo. *B5* —2A **74**
Court La. *B23* —4C **26**
Ct. Oak Gro. *B32* —2D **71**
Ct. Oak Rd. *B32 & B17*
—2C **70**
Court Rd. *Bal H* —2C **74**
Court Rd. *S'hll* —4A **76**
Courtway Av. *B14* —5F **103**
Coveley Gro. *B18* —5E **45**
Coven Gro. *B29* —1F **87**
Coventry Rd. *Bick* —5E **81**
Coventry Rd. *Col* —2E **67**
Coventry Rd. *Sheld &*
Elmd —2C **78**
Coventry Rd. *Small H &*
Yard —4E **59** (5F 11)
Coventry St. *B5*
—3D **59** (3C 10)
Cover Cft. *S Cold* —3E **29**
Coverdale Rd. *Sol* —4E **79**
Cowles Cft. *B25* —4C **62**
Cowley Clo. *B36* —1D **53**
Cowley Dri. *B27* —4B **78**
Cowley Gro. *B11* —3C **76**
Cowley Rd. *B11* —3C **76**
Cowslip Clo. *K Nor* —1D **111**
Cowslip Clo. *S Oak* —4E **87**

Cox St. *B3* —1B **58** (4D 5)
Coxwell Gdns. *B16* —3D **57**
Coyne Rd. *W Brom* —5A **30**
Crabmill Clo. *B38* —1D **123**
Crabmill La. *B38* —5C **102**
Crabtree Clo. *B31* —4A **100**
Crabtree Dri. *B37* —3D **65**
Crabtree Rd. *B18* —5E **45**
Craddock Rd. *Smeth* —4C **42**
Cradley Cft. *B21* —4A **44**
Cradock Rd. *Salt* —5C **48**
Craig Cft. *B37* —3B **66**
Crail Gro. *B43* —1F **23**
Cramlington Rd. *B42* —4E **23**
Cranbourne Clo. *Redn*
—4E **25**
Cranbourne Gro. *B44* —4E **25**
Cranbourne Pl. *W Brom*
—3B **30**
Cranbourne Rd. *B44* —4E **25**
Cranbrook Rd. *B21* —1A **44**
Cranby St. *B8* —5B **48**
Craneberry Rd. *B33 & B37*
—3C **64**
Cranehouse Rd. *B44* —2E **25**
Cranemoor Clo. *B7* —4A **48**
Cranesbill Rd. *B29* —5F **87**
Cranes Pk. Rd. *B26* —3A **80**
Cranfield Gro. *B26* —5D **63**
Cranford St. *Smeth* —5A **44**
Cranford Way. *Smeth*
—5A **44**
Cranhill Clo. *Sol* —2F **95**
Cranleigh Ho. *B23* —1D **37**
Cranleigh Pl. *B44* —2C **34**
Cranmer Gro. *S Cold* —1D **13**
Cranmore Av. *B21* —3B **44**
Cranmore Rd. *B36* —1B **52**
Crantock Rd. *B42* —3A **34**
Cranwell Gro. *B24* —4B **38**
Cranwell Way. *B35* —4E **39**
Crawford Av. *Smeth* —1D **55**
Crawford Rd. *S Cold* —4D **29**
Crawford St. *B8* —5A **48**
Crawshaws Rd. *B36* —1A **52**
Crayford Rd. *B44* —3E **25**
Craythorne Av. *B20* —2C **32**
Crecy Clo. *S Cold* —5C **20**
Credon Rd. *Edg* —4D **73**
Cregoe St. *B15*
—4A **58** (5D 9)
Cremore Av. *B8* —5C **48**
Cremorne Rd. *S Cold* —4F **13**
Crescent, The. *B43* —1B **24**
(Collingwood Dri.)
Crescent, The. *B43* —3E **23**
(Queslett Rd.)
Crescent, The. *Birm P*
—5C **66**
Crescent, The. *Hock*
—4F **45** (1A 4)

Crescent, The. *Shir* —2E **105**
Crescent, The. *Wat O* —4F **41**
Crescent Theatre. —3F 57
Crescent Tower. *B1* —2C **8**
Crescent Wlk. *B1* —3C **8**
Cressage Av. *B31* —5E **99**
Cressington Dri. *S Cold*
—5E **103**
Cresswell Gro. *B24* —3B **38**
Crest, The. *B31* —2F **109**
Crest Vw. *B14* —2F **103**
Crest Vw. *S Cold* —1D **17**
Crestwood Dri. *B44* —1C **42**
Creswell Rd. *B28* —4F **93**
Creswick Gro. *Redn* —2A **108**
Crick La. *B20* —2E **45**
Cricklewood Dri. *Hale*
—5B **68**
Crocketts Av. *B21* —3B **44**
Crockett's La. *Smeth* —5E **43**
Crocketts Rd. *B21* —3A **44**
Crockford Dri. *S Cold* —3F **13**
Croft Clo. *B25* —5C **62**
Croft Ct. *Cas B* —2F **51**
Croftdown Rd. *B17* —2D **71**
Cft. Down Rd. *Sol* —4B **80**
Croft Dri. *B26* —5D **63**
Crofters Ct. *B15* —2C **72**
Croft Gdns. *B36* —2D **51**
Croft Ind. Est. *B37* —3B **66**
Crofton Common. —2E 109
Croft Rd. *B26* —5C **62**
Crofts, The. *S Cold* —5E **29**
Croft, The. *B31* —3F **99**
Croftway, The. *B20* —1C **32**
Cromane Sq. *B43* —5C **22**
Crome Rd. *B43* —1B **24**
Cromer Rd. *B12* —3D **75**
Crompton Av. *Hand* —1A **46**
Crompton Rd. *Hand* —1A **46**
Crompton Rd. *Nech* —2A **48**
Crompton Rd. *Redn* —5B **96**
Cromwell La. *B31* —3B **86**
Cromwell St. *B7*
—5F **47** (1F 8)
Cromwell St. *W Brom*
—3A **30**
Crondal Pl. *B15* —1F **73**
Cronehills Linkway.
W Brom —3B **30**
Cronehills St. *W Brom*
—4B **30**
Cronehills, The. —4A 30
Crookham Clo. *B17* —1D **71**
Croome Clo. *S'hll* —5F **75**
Cropredy Rd. *B31* —1E **109**
Cropthorne Rd. *Shir* —3F **105**
Crosbie Rd. *B17* —2F **71**
Crosby Clo. *B1*
—2F **57** (1A 8)
Cross Farm Rd. *B17* —4A **72**
Cross Farms La. *Redn*
—5D **97**

Crossfield Rd.—Dawn Rd.

Crossfield Rd. *B33* —1F **63**
Crosskey Clo. *B33* —3C **64**
Crossland Rd. *B31* —2D **99**
Cross La. *B43* —3C **22**
Cross St. *B21* —2A **44**
Cross St. *Smeth* —4E **43**
Crossway La. *B44* —1D **35**
Crossways Ct. *B44* —5F **25**
Crossways Grn. *B44* —5F **25**
Crosswells Rd. *O'bry* —5A **42**
Crowhurst Rd. *B31* —2C **108**
Crown Av. *B20* —5B **34**
Crown La. *S Cold* —3C **12**
Crown Rd. *B9* —3B **60**
Crown Rd. *B30* —2E **101**
Crows Nest Clo. *S Cold*
—1D **29**
Crowther Rd. *B23* —2A **36**
Croxall Way. *Smeth* —5F **43**
Croxton Gro. *B33* —1E **63**
Croyde Av. *B42* —5E **23**
Croydon Clo. *B'brk* —5D **73**
Croydon Rd. *Erd* —1D **49**
Croy Dri. *B35* —3F **39**
Crychan Clo. *Redn* —4F **97**
Crystal Dri. *Smeth* —2A **42**
Crystal Ho. *Smeth* —4F **43**
Cubley Rd. *B28* —2C **92**
Cuckoo Rd. *B6 & B7* —2A **48**
Cuin Dri. *Smeth* —5A **44**
Cuin Rd. *Smeth* —5A **44**
Cuin Wlk. Smeth —5A 44
(off Cuin Rd.)
Culey Gro. *B33* —3B **64**
Culey Wlk. *B37* —3B **66**
Culford Dri. *B32* —3A **86**
Culham Clo. *B27* —1B **94**
Culmington Rd. *B31*
—1D **109**
Culvert Way. *Smeth* —3B **42**
Cumberford Av. *B33* —4C **64**
Cumberland Av. *B5* —1C **74**
Cumberland Rd. *O'bry*
—1F **69**
Cumberland Rd. *W Brom*
—1B **30**
Cumberland St. *B1*
—3A **58** (3C **8**)
Cumberland St. N. *B1*
—3F **57** (3B **8**)
Cumberland Wlk. *S Cold*
—4F **21**
Cumbria Way. *Salt* —4B **48**
Curbar Rd. *B42* —1A **34**
Curdale Rd. *B32* —3F **85**
Curdworth. —1F 41
Curlews Clo. *B23* —4A **26**
Curtis Clo. *Smeth* —1A **56**
Curzon Circ. *B4*
—2E **59** (5E **7**)
Curzon St. *B4*
—2D **59** (1D **11**)
Cuthbert Rd. *B18* —1C **56**

Cutlers Rough Clo. *B31*
—1D **99**
Cutler St. *Smeth* —4F **43**
Cutsdean Clo. *B31* —5D **87**
Cutshill Clo. *B36* —2A **52**
Cutworth Clo. *S Cold* —1C **29**
Cygnet Gro. *B23* —1E **35**
Cypress Gro. *B31* —5C **98**
Cypress Sq. *B25* —3A **78**
Cypress Way. *B31* —1D **109**
Cyprus Clo. *B29* —4E **87**
Cyril Rd. *B10* —5B **60**

D

Dacer Clo. *B30* —1F **101**
Dad's La. *B13* —2A **90**
Daffodil Way. *B31* —5C **98**
Dagger La. *W Brom* —3C **30**
Dagnall Rd. *B27* —5B **78**
Daimler Clo. *B36* —1D **53**
Daimler Rd. *B14* —3B **104**
Dainton Gro. *B32* —2A **86**
Dairy Ct. *O'bry* —1B **70**
Daisy Dri. *Erd* —2E **35**
Daisy Farm Rd. *B14* —4F **103**
Daisy Rd. *B16* —3D **57**
Dalbury Rd. *B28* —1C **104**
Dale Clo. *B43* —3B **22**
Dale Clo. *Smeth* —2E **55**
Dale End. *B4* —2C **58** (2B **10**)
Dale Rd. *B29* —5C **72**
Dale Rd. *Hale* —1C **68**
Dale St. *Smeth* —2E **55**
Daleview Rd. *B14* —2A **104**
Dale Wlk. *B25* —1F **77**
Dalewood Cft. *B26* —2D **79**
Dalewood Rd. *B37* —5D **53**
Daley Clo. *B1* —2F **57** (1A **8**)
Dalkeith Rd. *S Cold* —2B **26**
Dallas Rd. *B23* —3A **36**
Dallimore Clo. *Sol* —5D **79**
Dalloway Clo. *B5* —2B **74**
Dalston Rd. *B27* —4A **78**
Dalton Ct. *B23* —3F **35**
Dalton St. *B4*
—2C **58** (1B **10**)
Dalton Tower. *B4* —4C **6**
Dalton Way. *B4*
—2C **58** (1A **10**)
Damar Cft. *B14* —2B **102**
Damian Clo. *Smeth* —5D **43**
Damson Parkway. *Sol*
—5D **81**
Danbury Clo. *S Cold* —2E **29**
Danbury Rd. *Shir* —4F **105**
Danby Gro. *B24* —5F **37**
Dane Gro. *B13* —3B **90**
Danesbury Cres. *B44*
—4E **25**
Daneways Clo. *S Cold*
—1E **17**
Danford Gdns. *B10* —5A **60**
Danford Way. *B43* —4B **22**

Dangerfield Ho. *W Brom*
—1C **42**
Daniels Rd. *B9* —3E **61**
Danzey Grn. Rd. *B36* —1F **51**
Danzey Gro. *B14* —3A **102**
Darby Rd. *O'bry* —5A **42**
Darell Cft. *S Cold* —1C **28**
Daren Clo. *B36* —2D **53**
Dare Rd. *B23* —3C **36**
Darfield Wlk. *B12* —5D **59**
Darkies, The. *N'fld* —3F **99**
(in two parts)
Darley Av. *B34* —4D **51**
Darleydale Av. *B44* —3C **24**
Darley Way. *S Cold* —2E **17**
Darnel Cft. *B10* —4F **59**
Darnel Hurst Rd. *S Cold*
—3A **14**
Darnford Clo. *B28* —1E **105**
Darnford Clo. *S Cold* —5B **28**
Darnick Rd. *S Cold* —1B **26**
Darnley Rd. *B16* —3E **57**
Darris Rd. *B29* —3E **89**
Dartmoor Clo. *Redn* —4E **97**
Dartmouth Cir. *B6*
—5D **47** (1C **6**)
Dartmouth Middleway.
B6 & B7 —5D **47** (2D **7**)
Dartmouth Rd. *S Oak*
—1D **89**
Dartmouth Rd. *Smeth*
—2D **43**
Dartmouth Sq. *W Brom*
—5B **30**
Dartmouth St. *W Brom*
—4A **30**
Dart St. *B9* —4F **59**
Darwin Ho. *B37* —4F **65**
Darwin St. *B12* —5D **59**
(in two parts)
Dassett Gro. *B9* —3A **62**
Dauntsey Covert. *B14*
—4B **102**
Davena Dri. *B29* —1C **86**
Davenport Dri. *B35* —4A **40**
Daventry Gro. *B32* —2B **70**
Davey Rd. *B20* —1C **46**
David Cox Tower. *B31*
—4D **87**
David Rd. *B20* —5F **33**
Davids, The. *B31* —5A **88**
Davis Gro. *B25* —2B **78**
Davison Rd. *Smeth* —2D **55**
Dawberry Clo. *B14* —1B **102**
Dawberry Fields Rd. *B14*
—1A **102**
Dawberry Rd. *B14* —1A **102**
Dawes Av. *W Brom* —1A **42**
Dawley Cres. *B37* —4F **65**
Dawlish Rd. *B29* —5D **73**
Dawlish Rd. *Smeth* —5F **43**
Dawney Dri. *S Cold* —2E **13**
Dawn Rd. *B31* —5C **86**

Dawson Rd. *B21* —2C **44**
Dawson St. *Smeth* —2E **55**
Daylesford Rd. *Sol* —5E **79**
Deakin Rd. *B24* —4D **37**
Deakin Rd. *S Cold* —2C **20**
Deakins Rd. *B25* —1F **77**
Deal Gro. *B31* —2E **99**
Dean Clo. *B44* —4F **25**
Dean Clo. *S Cold* —5A **28**
Dean Rd. *B23* —2D **37**
Dean St. *B5* —4C **58** (4B 10)
Dearman Rd. *B11* —1F **75**
Dearmont Rd. *B31* —2C **108**
Debenham Cres. *B25* —4B **62**
Debenham Rd. *B25* —4B **62**
Deblen Dri. *B16* —4B **56**
Dee Gro. *B38* —1C **110**
Deelands Rd. *Redn* —1D **107**
Deeley Clo. *B15* —1A **74**
Deepdale Av. *B26* —4F **79**
Deeplow Clo. *S Cold* —5A **20**
Deepmoor Rd. *B33* —2D **63**
Deepwood Gro. *B32* —3F **85**
Deerham Clo. *B23* —5B **26**
Deerhurst Rd. *B20* —2D **33**
Dee Wlk. *B36* —2E **53**
(in two parts)
Defford Dri. *O'bry* —1A **54**
Delamere Clo. *B36* —1B **52**
Delamere Dri. *Wals* —1A **22**
Delamere Rd. *B28* —4D **93**
Delancey Keep. *S Cold*
—4E **21**
Delhurst Rd. *B44* —3B **24**
Delius Ho. *B16*
—3F **57** (3B 8)
Della Dri. *B32* —3B **86**
Dellows Clo. *B38* —2B **110**
Dell Rd. *B30* —1E **101**
Dell, The. *B36* —1D **53**
Dell, The. *N'fld* —5B **86**
Dell, The. *Sol* —2D **95**
Dell, The. *S Cold* —1E **19**
Delmore Way. *Min* —1F **39**
Delphinium Clo. *B9* —2D **61**
Delrene Rd. *Hall G & Shir*
—3D **105**
De Marnham Clo. *W Brom*
—1C **42**
De Montfort Ho. *B37* —5D **53**
Denaby Gro. *B14* —2B **104**
Denbigh Dri. *W Brom*
—1A **30**
Denbigh St. *B9* —3B **60**
Denby Clo. *B7* —5F **47** (2F 7)
Dencer Clo. *Redn* —1E **107**
Dene Ct. Rd. *Sol* —2D **95**
Denegate Clo. *Min* —1E **39**
Dene Hollow. *B13* —5A **92**
Denewood Av. *B20* —5E **33**
Denford Gro. *B14* —1B **102**
Denham Ct. *B23* —4A **36**
(off Park App.)

Denham Rd. *B27* —3F **77**
Denholme Gro. *B14* —3E **103**
Denholm Rd. *S Cold* —1B **26**
Denise Dri. *Harb* —4A **72**
Denise Dri. *K'hrst* —1D **65**
Dennis Rd. *B12* —4F **75**
Denshaw Rd. *B14* —5B **90**
Denton Gro. *Gt Barr* —5B **22**
Denton Gro. *Stech* —3B **62**
Denver Rd. *B14* —4E **103**
Denville Cres. *B9* —2F **61**
Derby Dri. *B37* —5F **65**
Derby St. *B9* —3E **59** (2F 11)
Dereham Clo. *B8* —1B **60**
Deritend. —4E **59** (4D 11)
Derron Av. *B26* —3C **78**
Derry Clo. *B17* —5E **71**
Derrydown Clo. *B23* —4C **36**
Derrydown Rd. *B42* —2F **33**
Derwent Gro. *B30* —3A **90**
Derwent Ho. *B17* —3B **72**
Derwent Rd. *B30* —3A **90**
Desford Av. *B42* —5A **24**
Dettonford Rd. *B32* —3F **85**
Devereux Clo. *B36* —2A **52**
Devereux Rd. *S Cold* —5A **14**
Devereux Rd. *W Brom*
—1C **42**
Devon Clo. *B20* —5D **33**
Devon Cres. *W Brom* —1A **30**
Devon Ho. *B31* —4A **98**
Devon Rd. *Redn* —4C **96**
Devon Rd. *Smeth* —1C **55**
Devonshire Av. *B18* —4D **45**
Devonshire Ct. *S Cold*
—4D **13**
Devonshire Dri. *W Brom*
—4C **30**
Devonshire Rd. *B20* —5D **33**
Devonshire Rd. *Smeth*
—4C **42**
Devonshire St. *B18* —4D **45**
Devon St. *B7* —1A **60**
Dewhurst Cft. *B33* —2F **63**
Dewsbury Gro. *B42* —2A **34**
Deykin Av. *B6* —5E **35**
Dial Clo. *B14* —4D **102**
Dibble Rd. *Smeth* —4D **43**
Dice Pleck. *B31* —4A **100**
Dickens Gro. *B14* —3E **103**
Dickinson Dri. *S Cold*
—5C **20**
Diddington Av. *B28* —1E **105**
Diddington La. *H Ard* —5B **83**
Didgley Gro. *B37* —5E **53**
Digbeth. —4D **59** (4C 10)
Digbeth. *B5* —4D **59** (3B 10)
Digby Cres. *Wat O* —4F **41**
Digby Dri. *B37* —2E **81**
Digby Ho. *B37* —1D **65**
Digby Rd. *S Cold* —5B **14**
Digby Wlk. *B33* —5A **64**
Dillington Ho. *B37* —3F **65**

Dimmingsdale Bank. *B32*
—4A **70**
Dimsdale Gro. *B31* —3C **98**
Dimsdale Rd. *B31* —3B **98**
Dingle Clo. *B30* —4B **88**
Dingle Mead. *B14* —4A **102**
Dingle, The. *S Oak* —1C **88**
Dingleys Pas. *B4*
—2C **58** (2B 10)
Dinmore Av. *B31* —2F **99**
Ditton Gro. *B31* —3D **109**
Dixon Clo. *B35* —5E **39**
Dixon Rd. *B10* —5F **59**
Dobbs Mill Clo. *B29* —1F **89**
Dockar Rd. *B31* —4C **98**
Doddington Gro. *B32* —3F **85**
Dodford Clo. *Redn* —2D **107**
Doe Bank. —1F **19**
Doe Bank Ct. *S Cold* —1F **19**
Doe Bank La. *Wals & B43*
—3A **16**
Dogge La. Cft. *B27* —1F **93**
Dogkennel La. *Hale* —5A **68**
Dogkennel La. *O'bry* —5A **42**
Dogpool La. *B30* —2F **89**
Doidge Rd. *B23* —4B **36**
Dollery Dri. *B5* —3A **74**
Dollis Gro. *B44* —1D **25**
Dollman St. *B7* —2F **59**
Dolman Rd. *B6* —2C **46**
Dolobran Rd. *B11* —1F **75**
Dolphin La. *B27* —2F **93**
(in two parts)
Dolphin Rd. *B11* —3B **76**
Dominic Dri. *B30* —2B **100**
Doncaster Way. *B36* —2A **50**
Don Clo. *B15* —5B **56**
Donegal Rd. *S Cold* —4D **17**
Donibristle Cft. *B35* —3E **39**
Doranda Way. *W Brom*
—1D **43**
Dora Rd. *Hand* —3C **44**
Dora Rd. *Small H* —5C **60**
Dora Rd. *W Brom* —1A **42**
Dorchester Dri. *B17* —4F **71**
Dordon Clo. *Shir* —5C **104**
Doreen Gro. *B24* —5F **37**
Doris Rd. *Bord G* —3A **60**
Doris Rd. *S'hll* —4F **75**
Dorking Gro. *B15*
—4A **58** (5D 9)
Dorlcote Rd. *B8* —1E **61**
Dormie Clo. *B38* —5B **100**
Dormington Rd. *B44* —1C **24**
Dormston Dri. *B29* —1D **87**
Dorny Dri. *B31* —2E **109**
Dorncliffe Av. *B33* —1B **80**
Dornie Dri. *B38* —5D **101**
Dornton Rd. *B30* —3A **90**
Dorothy Gdns. *Hand* —5E **33**
Dorothy Rd. *B11* —3F **77**
Dorothy Rd. *Smeth* —2E **55**
Dorrington Grn. *B42* —2E **33**

Dorrington Rd. *B42* —1E **33**
Dorset Clo. *Redn* —4D **97**
Dorset Cotts. *B30* —5E **89**
Dorset Rd. *B17* —2F **55**
Dorset Tower. *Hock*
—1F **57** (4A **4**)
Dorset Way. *Salt* —4B **48**
Dorsheath Gdns. *B23*
—3D **37**
Dorsington Rd. *B27* —2B **94**
Dorstone Covert. *B14*
—4A **102**
Dorville Clo. *B38* —1B **110**
Douay Rd. *B23 & B24*
—1F **37**
Douglas Av. *B36* —4B **50**
Douglas Av. *O'bry* —5B **42**
Douglas Rd. *A Grn* —4F **77**
Douglas Rd. *Hand* —2C **44**
Douglas Rd. *O'bry* —1B **54**
Douglas Rd. *S Cold* —1A **28**
Doulton Clo. *B32* —5D **71**
Dovebridge Clo. *S Cold*
—5D **21**
Dove Clo. *B25* —5C **62**
Dovecote Clo. *Sol* —3F **95**
Dovecotes, The. *S Cold*
—3F **13**
Dovedale Av. *Shir* —5F **105**
Dovedale Clo. *Wat O* —4E **41**
Dovedale Dri. *B28* —5D **93**
Dovedale Rd. *B23* —4A **26**
Dove Gdns. *B38* —4F **101**
Dove Ho. Ct. *Sol* —4D **95**
Dove Ho. La. *Sol* —4D **95**
Dovehouse Pool Rd. *B6*
—2C **46**
Dover Clo. *B32* —4E **85**
Dovercourt Rd. *B26* —3A **80**
Doveridge Clo. *Sol* —4C **94**
Doveridge Rd. *B28* —1C **104**
Doversley Rd. *B14* —1A **102**
Dover St. *B18* —4E **45**
Dove Way. *B36* —2D **53**
Dovey Dri. *S Cold* —5E **29**
Dovey Rd. *B13* —1B **92**
Dovey Tower. *B7*
—1E **59** (4F **5**)
Dowar Rd. *Redn* —2A **108**
Dowells Clo. *B13* —1D **91**
Doweries, The. *Redn*
—1D **107**
Dower Rd. *S Cold* —5F **13**
Dowles Clo. *B29* —5F **87**
Downcroft Av. *B38* —4C **100**
Downey Clo. *B11* —1F **75**
Downing Clo. *O'bry* —1F **69**
Downing Ho. *B37* —4F **65**
Downing St. *Smeth* —3F **43**
Downing St. Ind. Est.
Smeth —3A **44**
Downland Clo. *B38* —5D **101**
Downsfield Rd. *B26* —1F **79**

Downside Rd. *B24* —1C **48**
Downton Cres. *B33* —2C **64**
Dowry Ho. *Redn* —1D **107**
(off Rubery La. S.)
Drake Rd. *B23* —5F **35**
Drake Rd. *Smeth* —1C **72**
Drake St. *W Brom* —2A **30**
Drawbridge Rd. *Shir*
—5C **104**
Draycott Av. *B23* —3B **36**
Draycott Dri. *B31* —4C **100**
Draycott Rd. *Smeth* —3C **42**
Drayton Clo. *S Cold* —3F **13**
Drayton Rd. *B14* —3C **90**
Drayton Rd. *Smeth* —4E **55**
Dreel, The. *B15* —1C **72**
Dreghorn Rd. *B36* —2C **50**
Drem Cft. *B35* —5E **39**
Drews La. *B8* —4E **49**
Drews Mdw. Clo. *B14*
—4A **102**

Driffield. —5E **19**
Driffold. *S Cold* —5F **19**
Driffold Vs. *S Cold* —1F **27**
Driftwood Clo. *B38* —2B **110**
Drive, The. *A'chu* —5F **109**
Drive, The. *Erd* —5C **36**
Drive, The. *Hand* —5E **33**
Druids La. *B14* —4A **102**
Drummond Gro. *B43* —1A **24**
Drummond Rd. *B9* —3D **61**
Drummond Way. *B37*
—3A **66**
Drybrook Clo. *B38* —1C **110**
Dryden Gro. *B27* —1F **93**
Drylea Gro. *B36* —2D **51**
Duchess Pl. *B16* —4E **57**
Duchess Rd. *B16* —4E **57**
Duddeston Dri. *B8* —1B **60**
Duddeston Mnr. Rd. *B7*
—1E **59** (3F **7**)
Duddeston Mill Rd. *Vaux &*
Salt —1F **59**
Duddeston Mill Trad. Est.
Salt —1A **60**
Dudley Gro. *B18* —1C **56**
Dudley Pk. Rd. *B27* —5A **78**
Dudley Rd. *B18* —1B **56**
Dudley Rd. *Hale* —2A **68**
Dudley St. *B5*
—3C **58** (3A **10**)
Dudnill Gro. *B32* —3E **85**
Dufton Rd. *B32* —3C **70**
Dugdale Cres. *S Cold* —3A **14**
Dugdale St. *B18* —1B **56**
Dukes Rd. *B30* —3E **101**
Duke St. *S Cold* —5F **19**
Duke St. *W Brom* —3A **30**
Dulvern Gro. *B14* —1B **102**
Dulverton Rd. *B6* —1E **47**
Dulwich Gro. *B44* —4F **25**
Dulwich Rd. *B44* —4E **25**
Dunard Rd. *Shir* —3D **105**

Dunbar Clo. *B32* —2B **86**
Dunbar Gro. *B43* —5A **16**
Duncalfe Dri. *S Cold* —3F **13**
Dunchurch Cres. *S Cold*
—1A **26**
Dunchurch Dri. *B31* —4C **86**
Duncombe Gro. *B17* —1D **71**
Duncroft Rd. *B26* —5D **63**
Duncumb Rd. *S Cold* —4E **21**
Dundedin Ho. *B32* —4D **71**
Dunedin Rd. *B44* —1C **24**
Dunlin Clo. *B23* —5A **36**
Dunlop Way. *Cas V* —1C **50**
(in two parts)
Dunnigan Rd. *B32* —5D **71**
Dunsfold Cft. *B6* —4D **47**
Dunsford Rd. *Smeth* —3E **55**
Dunsink Rd. *B6* —1D **47**
Dunslade Rd. *B23* —5C **26**
Dunsmore Gro. *Sol* —4D **95**
Dunsmore Rd. *B28* —1C **92**
Dunstall Gro. *B29* —3D **87**
Dunstan Cft. *Shir* —5F **105**
Dunster Clo. *B30* —2F **101**
Dunster Rd. *B37* —2A **66**
Dunton Clo. *S Cold* —2E **13**
Dunton Hall Rd. *Shir*
—5E **105**
Dunton Ind. Est. *B7* —3B **48**
Dunton Rd. *K'hrst* —1D **65**
Dunvegan Rd. *B24* —3E **37**
Durant Clo. *Redn* —4B **96**
Durban Rd. *Smeth* —1A **56**
Durham Cft. *B37* —3F **65**
Durham Dri. *W Brom*
—1B **30**
Durham Rd. *B11* —4F **75**
Durham Tower. *B1*
—2F **57** (1A **8**)
Durley Dean Rd. *B29* —1A **88**
Durley Dri. *S Cold* —1A **26**
Durley Rd. *B25* —2A **78**
Durlston Gro. *B28* —3E **93**
Durnford Cft. *B14* —5C **102**
Dursley Clo. *Sol* —3F **95**
Dutchess Pde. *W Brom*
—4B **30**
Dutton's La. *S Cold* —2C **14**
Duxford Rd. *B42* —4F **23**
Dwellings La. *B32* —3F **69**
Dyas Av. *B42* —5D **23**
Dyas Rd. *Gt Barr* —3B **24**
Dyce Clo. *B35* —3E **39**
Dymoke St. *B12* —5D **59**
Dynes Wlk. *Smeth* —5E **43**
Dyott Rd. *B13* —2E **91**
Dyson Gdns. *Wash H*
—5C **48**

Eachelhurst Rd. *B24 &*
S Cold —3C **38**
Eachway. —3D **107**

Eachway. *Redn* —3D **107**
Eachway Farm Clo. *Redn*
  —3E **107**
Eachway La. *Redn* —3E **107**
Eadgar Ct. *B43* —5B **22**
Eagle Cft. *B14* —4C **102**
Eagle Gdns. *Erd* —5E **37**
Ealing Gro. *B44* —3E **25**
Earlsbury Gdns. *B20* —1B **46**
Earls Ct. Rd. *B17* —2E **71**
Earls Ferry Gdns. *B32*
  —4F **85**
Earlsmead Rd. *B21* —2A **44**
Earlston Way. *B43* —4B **22**
Earl St. *W Brom* —3A **30**
Earls Way. *Hale* —4A **68**
Earlswood Ct. *B20* —5E **33**
Earlswood Dri. *S Cold*
  —2A **20**
Easby Way. *B8* —5C **48**
Easmore Clo. *B14* —4B **102**
Eastbourne Av. *B34* —4B **50**
Eastbrook Clo. *S Cold*
  —5B **20**
Eastbury Dri. *Sol* —5E **79**
Eastbury Dri. *Sol* —5E **79**
E. Car Pk. Rd. *B40* —4D **88**
Eastcote Rd. *B27* —2E **93**
Eastdean Clo. *B23* —1B **36**
East Dri. *B5* —4A **74**
Eastern Rd. *B29* —5F **73**
Eastern Rd. *S Cold* —3F **27**
Easterton Cft. *B14* —4C **102**
E. Farm Cft. *B10* —2A **90**
Eastfield Rd. *Salt & Bord G*
  —1A **62**
East Ga. *B16* —2C **56**
Eastham Rd. *B13* —5A **92**
East Holme. *B9* —3A **60**
Easthope Rd. *B33* —1E **63**
Eastlake Clo. *B44* —1B **24**
Eastlands Rd. *B13* —2E **91**
Eastleigh Cft. *S Cold* —5E **29**
Eastleigh Gro. *B25* —5B **62**
East Meadway. *B33* —3B **64**
East M. *B44* —2B **24**
Easton Gro. *B27* —2A **94**
East Pathway. *B17* —2A **72**
East Ri. *S Cold* —3B **20**
East Rd. *B24* —5B **38**
E. View Rd. *S Cold* —1B **28**
Eastville. *B31* —3F **99**
East Way. *B17* —2A **72**
Eastway. *B40 & H Ard*
  —5D **83**
Eastwood Rd. *Bal H* —4B **90**
Eastwood Rd. *Gt Barr*
  —4C **22**
Eatesbrook Rd. *B33* —2A **64**
Eathorpe Clo. *B34* —4B **52**
Eaton Ct. *S Cold* —2F **19**
Eaton Wood. *B24* —4B **38**

Eaton Wood Dri. *B26*
  —3B **78**
Eaves Grn. Gdns. *B27*
  —3F **77**
Ebley Rd. *B20* —3E **33**
Ebmore Dri. *B14* —4B **102**
Ebrington Av. *Sol* —5F **79**
Ebrington Clo. *B14* —2B **102**
Ebrington Rd. *W Brom*
  —1B **30**
Ebrook Rd. *S Cold* —5A **20**
Ebury Rd. *B30* —2F **101**
Eccleston Clo. *S Cold*
  —4D **21**
Eckersall Rd. *B38* —3C **100**
Eckington Wlk. *B38* —2C **110**
Edale Rd. *B42* —5A **24**
Eddish Rd. *B33* —2F **63**
Edenbridge Rd. *B28* —3E **93**
Eden Clo. *B31* —1C **108**
Edendale Rd. *B26* —2F **79**
Eden Gro. *B37* —4B **66**
Eden Gro. *W Brom* —2B **30**
Edenhall Rd. *B32* —2F **69**
Edenhurst Rd. *B31* —3D **109**
Eden Pl. *B3* —3B **58** (2E **9**)
Eden Rd. *Sol* —5B **80**
Edgbaston. —1D **73**
Edgbaston Pk. Rd. *B15*
  —3E **73**
Edgbaston Rd. *B5* —3B **74**
Edgbaston Rd. *B12* —4C **74**
Edgbaston Rd. *Smeth*
  —1E **55**
Edgbaston Rd. E. *B12*
  —3D **75**
Edgbaston Shop. Cen. *B16*
  —5E **57** (5A **8**)
Edgbaston St. *B5*
  —4C **58** (4A **10**)
Edgcombe Rd. *B28* —2D **93**
Edgehill Rd. *B31* —1E **99**
Edge Hill Rd. *S Cold* —2B **12**
Edgemond Av. *B24* —3D **39**
Edgewood Rd. *K Nor*
  —2C **110**
Edgewood Rd. *Redn*
  —2F **107**
Edgware Rd. *B23* —2B **36**
Edinburgh Ct. *B24* —3B **38**
Edinburgh Rd. *O'bry* —5A **54**
Edison Gro. *B32* —3F **85**
Edith Rd. *Smeth* —2F **55**
Edith St. *W Brom* —4A **30**
Edmonds Clo. *B33* —3F **63**
Edmonds Rd. *O'bry* —3A **54**
Edmonton Av. *B44* —3F **25**
Edmund Rd. *B8* —1B **60**
Edmund St. *B3*
  —2B **58** (1E **9**)
Edsome Way. *B36* —2D **51**
Edstone M. *B36* —2D **51**
Edward Rd. *Bal H* —2B **74**

Edward Rd. *May* —5D **103**
Edward Rd. *O'bry* —5A **54**
Edward Rd. *Smeth* —1D **55**
Edwards Rd. *B24* —2E **37**
Edwards Rd. *S Cold* —3B **14**
Edward St. *B1* —3F **57** (2B **8**)
Edward St. *W Brom* —4A **30**
Edwin Rd. *B30* —4F **89**
Effingham Rd. *B13* —5A **92**
Egbert Clo. *B6* —2F **47**
Egerton Rd. *B24* —4B **38**
Egerton Rd. *S Cold* —1D **17**
Egg Hill. —3F 97
Egghill La. *Fran & N'fld*
  —2E **97**
Egginton Rd. *B28* —1C **104**
Eileen Gdns. *B37* —1D **65**
Eileen Rd. *B11* —5F **75**
Elan Rd. *B31* —4A **98**
Elcock Dri. *B42* —2B **34**
Elderfield. *B33* —5F **63**
Elderfield Rd. *B30* —3F **101**
Elder Way. *B23* —5C **36**
Eldon Dri. *S Cold* —5C **28**
Eldon Rd. *B16* —4D **57**
Eldon Rd. *Hale* —5E **69**
Electra Pk. *B6* —1F **47**
Electric Av. *B6* —1F **47**
Elford Clo. *B14* —1C **102**
Elford Gro. *B37* —4F **65**
Elford Rd. *B17 & B29*
  —5F **71**
Elgar Ho. *B1* —3F **57** (3B **8**)
Elgin Gro. *B25* —1A **78**
Eliot St. *B7* —2A **48**
Elizabeth Cres. *O'bry* —3B **54**
Elizabeth Ho. *S Cold* —1D **29**
Elizabeth Rd. *Mose* —1A **90**
Elizabeth Rd. *Stech* —2A **62**
Elizabeth Rd. *S Cold* —3A **26**
Elkington St. *B6*
  —5C **46** (1B **6**)
Elkstone Clo. *Sol* —5F **79**
Elkstone Covert. *B14*
  —4A **102**
Elland Gro. *B27* —1A **94**
Ellen St. *B18* —1E **57** (4A **4**)
  (in two parts)
Ellerby Gro. *B24* —3C **38**
Ellerside Gro. *B31* —4D **99**
Ellerslie Rd. *B13* —4A **92**
Ellerton Rd. *B44* —3F **25**
Ellesborough Rd. *B17*
  —5F **55**
Ellesmere Rd. *B8* —1B **60**
Ellice Dri. *B36* —3F **51**
Elliott Gdns. *Redn* —4A **108**
Elliott Rd. *B29* —2C **88**
Elliot Way. *Witt* —4D **35**
Ellison St. *W Brom* —1A **42**
Ellis St. *B1* —4B **58** (4E **9**)
Elliston Av. *B44* —4C **24**
Elm Av. *B12* —3E **75**

Elmay Rd.—Exeter Pas.

Elmay Rd. *B26* —1E **79**
Elm Bank. *Mose* —5E **75**
Elmbank Gro. *B20* —2C **32**
Elmbank Rd. *Wals* —1A **22**
Elmbridge Ho. *B31* —4B **100**
Elmbridge Rd. *B44* —1C **34**
Elm Ct. *Smeth* —2A **42**
Elm Cft. *O'bry* —1A **70**
Elmcroft. *Smeth* —5A **44**
Elmcroft Av. *B32* —2E **85**
Elmcroft Rd. *B26* —1D **79**
Elmdale. *Hale* —1E **69**
Elmdale Cres. *B31* —1C **98**
Elmdale Gro. *B31* —2C **98**
Elmdon. —5D 81
Elmdon Clo. *Sol* —5B **80**
Elmdon Ct. *Mars G* —1E **81**
Elmdon La. *Birm A* —5E **81**
Elmdon La. *Mars G* —1D **81**
Elmdon Pk. Rd. *Sol* —5B **80**
Elmdon Rd. *A Grn* —4B **78**
Elmdon Rd. *Mars G* —1E **81**
Elmdon Rd. *S Oak* —1E **81**
Elmdon Trad. Est. *B37*
—3A **82**
Elm Dri. *B43* —3B **22**
Elm Farm Av. *B37* —1D **91**
Elmfield Av. *B24* —3D **39**
Elmfield Cres. *B13* —1D **91**
Elm Gro. *B37* —4D **53**
Elmhurst Rd. *B21* —1C **44**
Elmley Gro. *B30* —4F **101**
Elmore Clo. *F'bri* —1E **65**
Elmore Rd. *B33* —2E **63**
Elm Rd. *B30* —3D **89**
Elm Rd. *S Cold* —2D **29**
Elms Clo. *B38* —1A **110**
Elms Rd. *Edg* —4D **73**
Elms Rd. *S Cold* —1A **28**
Elmstead Av. *B33* —1B **80**
Elms, The. *B16* —2D **57**
Elm Tree Rd. *Harb* —1E **71**
Elmtree Rd. *Stir* —5E **89**
Elmtree Rd. *S Cold* —1B **54**
Elmwood Clo. *B5* —2B **74**
Elmwood Ct. *S Cold* —4E **17**
Elmwood Gdns. *B20* —5F **33**
Elmwood Rd. *B24* —5A **38**
Elmwood Rd. *S Cold* —4E **17**
Elmwoods. *B32* —1F **85**
Elphinstone End. *B24*
—1A **38**
Elsma Rd. *O'bry* —5A **54**
Elstree Rd. *B23* —2B **36**
Elswick Gro. *B44* —4F **25**
Elswick Rd. *B44* —3F **25**
Elsworth Gro. *B25* —2A **78**
Elsworth Ho. *B31* —4B **100**
Eltham Gro. *B44* —3F **25**
Elton Gro. *B27* —1E **93**
Eltonia Cft. *B26* —2F **79**
Elva Cft. *B36* —1D **53**

Elvetham Rd. *B15* —5A **58**
Elvetham Rd. N. *B15*
—5A **58** (5C **8**)
Elwyn Rd. *S Cold* —1E **27**
Ely Clo. *B37* —3F **65**
Ely Cres. *W Brom* —1A **30**
Ely Gro. *B32* —4D **71**
Embassy Dri. *Edg*
—5E **57** (5A **8**)
Embleton Gro. *B34* —4E **51**
Emerald Ct. *B8* —5A **50**
Emerald Ct. *Sol* —2D **95**
Emerson Rd. *B17* —2A **72**
Emery Clo. *B23* —1B **48**
Emily Gdns. *B16* —2D **57**
Emily Rd. *B26* —2B **78**
Emily St. *B12* —5D **59**
Emily St. *W Brom* —5A **30**
Emmanuel Rd. *S Cold*
—5F **27**
Emmeline St. *B9* —4F **59**
Empress Dri. *B36* —2C **50**
Emscote Dri. *S Cold* —5F **27**
Emscote Rd. *B6* —1D **47**
Emsworth Gro. *B14* —5B **90**
Enderby Rd. *B23* —5A **26**
Endhill Rd. *B44* —5E **17**
Endicott Rd. *B6* —1D **47**
Endmoor Gro. *B23* —1B **36**
Endsleigh Gro. *B28* —3E **93**
Endwood Ct. *Hand* —5E **33**
Endwood Ct. Rd. *B20*
—5E **33**
Endwood Dri. *S Cold* —2A **12**
Enfield Clo. *B23* —1D **37**
Enfield Rd. *B15*
—5F **57** (5B **8**)
Enford Clo. *B34* —4B **52**
Engine St. *Smeth* —4F **43**
Englestede Clo. *B20* —4D **33**
Englewood Dri. *B28* —3E **93**
Ennerdale Rd. *B43* —1D **33**
Ensdon Gro. *B44* —3F **25**
Ensford Clo. *S Cold* —1C **12**
Ensign Ho. *B35* —3E **39**
Enstone Rd. *B23* —5E **27**
Enterprise Dri. *S Cold*
—2C **16**
Enterprise Way. *B7*
—1D **59** (3C **6**)
Enville Gro. *B11* —3B **76**
Epping Clo. *Redn* —4H **143**
Epping Gro. *B44* —5E **25**
Epsom Gro. *B44* —4F **25**
Epwell Gro. *B44* —1D **35**
Epwell Rd. *B44* —1D **35**
Erasmus Rd. *B11* —1E **75**
Ercall Clo. *B23* —1E **35**
Erdington. —3E 37
Erdington Hall Rd. *B24*
—5D **37**
Erdington Ind. Pk. *B24*
—3D **39**

Erdington Rd. *Wals* —1A **16**
Erica Clo. *B29* —3E **87**
Erica Rd. *Wals* —1A **22**
Ermington Cres. *B36* —2C **50**
Ernest Rd. *B12* —4F **75**
Ernest Rd. *Smeth* —4C **42**
Ernest St. *B1* —4B **58** (5E **9**)
Erskine St. *B7* —1F **59** (4F **7**)
Esher Rd. *B44* —5D **17**
Esher Rd. *W Brom* —1B **30**
Esme Rd. *B11* —4F **75**
Esmond Clo. *B30* —1B **100**
Essendon Gro. *B8* —1F **61**
Essendon Rd. *B8* —1F **61**
Essendon Wlk. *B8* —1F **61**
Essex Av. *W Brom* —1A **30**
Essex Ct. *B29* —4A **88**
Essex Rd. *S Cold* —5B **14**
Essex St. *B5* —4C **58** (5F **9**)
Essington Ho. *B8* —5E **49**
Essington St. *B16*
—4F **57** (4B **8**)
Este Rd. *B26* —5E **63**
Estone Wlk. *B6* —3D **47**
Estria Rd. *B15* —1F **73**
Ethelred Clo. *S Cold* —3E **13**
Ethel Rd. *B17* —3B **72**
Ethel St. *B2* —3B **58** (2F **9**)
Ethel St. *Smeth* —3D **55**
Eton Rd. *B12* —4F **75**
Etta Gro. *B44* —5D **17**
Ettington Rd. *B6* —2C **46**
Etwall Rd. *B28* —1C **104**
Euan Clo. *B17* —5A **56**
Europa Av. *W Brom* —5D **31**
Europa Way. *Birm A* —4A **82**
Evans Gdns. *B29* —2B **88**
Eva Rd. *B18* —4B **44**
Eva Rd. *O'bry* —2A **54**
Evason Ct. *B6* —1C **46**
Evelyn Cft. *S Cold* —4E **27**
Evelyn Rd. *B11* —4A **76**
Evenlode Clo. *Sol* —5F **79**
Evenlode Rd. *Sol* —5E **79**
Everest Clo. *Smeth* —2C **42**
Everest Rd. *B20* —4E **33**
Eversley Dale. *B24* —5E **37**
Eversley Rd. *B9* —4B **60**
(in two parts)
Everton Rd. *B8* —1A **62**
Eves Cft. *B32* —2A **86**
Ewell Rd. *B24* —3F **37**
Ewhurst Av. *B29* —2D **89**
(Heeley Rd.)
Ewhurst Av. *B29* —3E **89**
(Umberslade Rd.)
Exchange St. *W Brom*
—5A **30**
Exe Cft. *B31* —1F **109**
Exeter Dri. *B37* —5D **65**
Exeter Ho. *B31* —4A **98**
Exeter Pas. *B1*
—4B **58** (5F **9**)

Exeter Rd. *B29* —1D **89**
Exeter Rd. *Smeth* —5F **43**
Exeter St. *B1* —4B **58** (5F **9**)
Exhibition Way. *B40* —3B **82**
Expressway, The. *W Brom*
—3A **30**
Exton Way. *B8* —5B **48**
Eymore Clo. *B29* —5F **87**
Eyre St. *B18* —2E **57**
Eyton Cft. *B12* —1D **75**

Fabian Clo. *Redn* —4D **97**
Fabian Cres. *Shir* —5F **105**
Facet Rd. *B38* —4E **101**
Factory Rd. *B18* —4D **45**
Fairbourne Av. *B44* —2C **24**
Fairbourn Tower. *B23*
—1E **37**
Faircroft Av. *S Cold* —1D **39**
Faircroft Rd. *B36* —1B **52**
Fairdene Way. *B43* —4B **22**
Fairfax Ct. *S Cold* —5E **21**
Fairfax Rd. *B31* —1E **109**
Fairfax Rd. *S Cold* —4D **21**
Fairfield Rd. *B14* —3C **90**
Fairford Rd. *B44* —1D **35**
Fairgreen Way. *B29* —2D **89**
Fairgreen Way. *S Cold*
—1E **17**
Fairhill Way. *B11* —1F **75**
Fairholme Rd. *B8 & B36*
—3F **49**
Fairlawn. *Edg* —1E **73**
Fairlawns. *B26* —4E **63**
Fairlawns. *S Cold* —4E **29**
Fairlie Cres. *B38* —5B **100**
Fairmead Ri. *B38* —5C **100**
Fairview Av. *B42* —1F **33**
Fairway. *N'fld* —4C **98**
Fairway Dri. *Redn* —3D **107**
Fairway, The. *K Nor* —4B **100**
Fairyfield Av. *B43* —3B **22**
Fairyfield Ct. *B43* —3B **22**
Fakenham Cft. *B17* —1D **71**
Falconhurst Rd. *B29* —1A **88**
Falcon Lodge. —4F 21
Falcon Lodge Cres. *S Cold*
—4D **21**
Falcons, The. *S Cold* —4F **21**
Falfield Gro. *B31* —2C **108**
Falkland Cft. *B30* —5F **89**
Falkland Way. *B36* —5E **53**
Fallindale Rd. *B26* —2F **79**
Fallow Fld. *S Cold* —3A **12**
Fallowfield Av. *B28* —1D **105**
Fallowfield Rd. *Sol* —5A **80**
Fallows Ho. *B19*
—5C **46** (1A **6**)
Fallows Rd. *B11* —2A **76**
Fallow Wlk. *B32* —1E **85**
Falmouth Rd. *B34* —5C **50**
Falstaff Clo. *S Cold* —5F **29**

Falstaff Ct. *S Cold* —4F **21**
Falstaff Rd. *Shir* —4F **105**
Falstone Rd. *S Cold* —2B **26**
Fancott Rd. *B31* —1E **99**
Fanshawe Rd. *B27* —2A **94**
Fanum Ho. *Hale* —5A **68**
Faraday Av. *B32* —3B **70**
Farcroft Av. *B21* —2B **44**
Farcroft Gro. *B21* —1B **44**
Farcroft Rd. *B21* —1B **44**
Farfield Clo. *B31* —4F **99**
Far Highfield. *S Cold*
—5B **20**
Farlands Gro. *B43* —5D **23**
Farley Cen. *W Brom* —5B **30**
Farley Rd. *B23* —3F **33**
Farlow Cft. *Mars G* —5D **65**
Farlow Rd. *B31* —3A **100**
Farmacre. *B9*
—3F **59** (3F **11**)
Farm Clo. *Sol* —5A **80**
Farmcote Rd. *B33* —1E **63**
Farm Cft. *B19* —4A **46**
Farmdale Gro. *Redn*
—3E **107**
Farmer Rd. *B10* —1E **77**
Farmers Clo. *S Cold* —5C **20**
Farmers Wlk. *B21* —1A **44**
Farm Ho. Way. *B43* —1C **22**
Farm Rd. *B11* —1C **76**
Farm Rd. *Smeth* —2C **54**
Farmstead Rd. *Sol* —5A **80**
Farm St. *B19* —4F **45** (1B **4**)
Farm St. *W Brom* —1A **42**
Farnborough Ct. *S Cold*
—4F **13**
Farnborough Rd. *B35*
—5E **39**
Farnbury Cft. *B38* —4F **101**
Farn Clo. *B33* —2D **63**
Farncote Dri. *S Cold* —3D **13**
Farndon Av. *Mars G* —1F **81**
Farndon Rd. *B8* —1D **61**
Farndon Way. *B23* —5B **26**
Farnham Clo. *B43* —4D **23**
Farnham Rd. *B21* —5B **32**
Farnhurst Rd. *B8 & B36*
—3F **49**
Farnol Rd. *B26* —5D **63**
Farnworth Gro. *B36* —1C **52**
Farquhar Rd. *Edg* —2D **73**
Farquhar Rd. *Mose* —5D **75**
Farquhar Rd. E. *B15* —2D **73**
Farran Way. *B43* —5C **22**
Farren Rd. *B31* —5B **98**
Farrier Clo. *S Cold* —4D **21**
Farrier Rd. *B43* —1B **24**
Farriers, The. *B26* —3F **79**
Farrington Rd. *B23* —2F **35**
Farrow Rd. *B44* —1C **24**
Farthing La. *Curd* —1F **41**
Farthing La. *S Cold* —5F **21**

Farthing Pools Clo. *S Cold*
—5A **20**
Farthings, The. *B17* —2B **72**
Farvale Rd. *Min* —1A **40**
Far Wood Rd. *B31* —3C **86**
Fashoda Rd. *B29* —2F **89**
Fastlea Rd. *Bart G* —2B **86**
Fastmoor Oval. *B33* —4C **64**
Fast Pits Rd. *B25* —5F **61**
Faulkner Rd. *Sol* —2F **95**
Faulkners Farm Dri. *B23*
—1F **35**
Fawdry Clo. *S Cold* —4F **19**
Fawdry St. *B9*
—3E **59** (2F **11**)
Fawdry St. *Smeth* —5A **44**
Fawley Gro. *B14* —1F **101**
Fazeley St. *B5*
—3D **59** (2C **10**)
Fazeley St. Ind. Est. *B5*
—3E **59** (2D **11**)
Fearon Pl. *Smeth* —5E **43**
Featherstone Rd. *B14*
—5C **90**
Feldings, The. *B24* —3A **38**
Feldon La. *Hale* —1C **68**
Fellbrook Clo. *B33* —1D **63**
Fell Gro. *B21* —5A **32**
Fellmeadow Rd. *B33* —3E **63**
Fellows La. *B17* —2E **71**
Felsted Way. *B7*
—1E **59** (4F **7**)
Felstone Rd. *B44* —3C **24**
Feltham Clo. *B33* —4C **64**
Felton Cft. *B33* —2E **63**
Fencote Av. *F'bri* —1E **65**
Fennel Cft. *B34* —3F **51**
Fensway, The. *B34* —5E **51**
Fenter Clo. *B13* —3D **75**
Fentham Ct. *Sol* —3D **95**
Fentham Rd. *Aston* —2B **46**
Fentham Rd. *Erd* —4B **36**
Fenton Rd. *B27* —3F **77**
Fenton St. *Smeth* —3C **42**
Fenton Way. *B27* —4F **77**
Ferguson Rd. *O'bry* —5B **42**
Fernbank Cres. *Wals* —1A **22**
Fernbank Rd. *B8* —1E **61**
Ferncliffe Rd. *B17* —4F **71**
Ferndale Av. *B43* —5D **23**
Ferndale Ct. *Col* —1E **67**
Ferndale Cres. *B12* —5E **59**
Ferndale M. *Col* —1E **67**
Ferndale Rd. *B28* —3D **93**
Ferndale Rd. *Col* —1E **67**
Ferndale Rd. *S Cold* —1D **13**
Ferndene Rd. *B11* —5D **77**
Ferndown Clo. *B26* —4E **63**
Ferndown Rd. *Sol* —5F **95**
Fernfell Ct. *B23* —2C **36**
Fernhill Gro. *B44* —1D **25**
Fernhill Rd. *Sol* —1C **94**
Fernhurst Rd. *B8* —2E **61**

Fernley Av. *B29* —1F **89**
Fernley Rd. *B11* —4A **76**
Fern Rd. *B24* —3E **37**
Fernside Gdns. *B13* —5F **75**
Fernwood Clo. *S Cold*
    —3C **26**
Fernwood Cft. *B14* —5C **90**
Fernwood Rd. *S Cold*
    —4C **26**
Fernwoods. *B32* —1F **85**
Ferrers Clo. *S Cold* —4B **14**
Ferris Gro. *B27* —2E **93**
Field Av. *B31* —1D **99**
Field Clo. *B26* —2E **79**
Fieldfare Cft. *B36* —2E **53**
Fieldhead Rd. *B11* —5E **77**
Fieldhouse Rd. *B25* —5A **62**
Field La. *B32* —3E **85**
Fifield Gro. *B33* —2D **63**
Fifth Av. *B9* —3D **61**
Fillingham Clo. *B37* —4B **66**
Filton Cft. *B35* —3E **39**
Finbury Clo. *Sol* —2D **95**
Finch Dri. *S Cold* —4E **17**
Finches End. *B34* —5A **52**
Finchley Av. *B19* —2A **46**
Finchley Rd. *B44* —2F **25**
Finchmead Rd. *B33* —4C **64**
Finch Rd. *B19* —2A **46**
Findlay Rd. *B14* —2C **90**
Findon Rd. *B8* —4F **49**
Finlarigg Dri. *B15* —2D **73**
Finmere Rd. *B28* —3D **93**
Finnemore Rd. *B9* —3E **61**
Finsbury Gro. *B23* —1B **36**
Finstall Clo. *B7*
    —1E **59** (4F **7**)
Finstall Clo. *S Cold* —3A **28**
Fir Av. *B12* —3E **75**
Firbank Clo. *B30* —4C **88**
Firbarn Clo. *S Cold* —1B **28**
Firbeck Gro. *B44* —3E **25**
Firbeck Rd. *B44* —3E **25**
Fircroft. *B31* —3D **87**
Fircroft. *Sol* —5D **95**
Fircroft Ho. *B33* —3E **65**
Firecrest Clo. *Erd* —5F **25**
Fire Sta. Rd. *Birm A* —3F **81**
Fir Gro. *B14* —1D **103**
Firhill Cft. *B14* —4B **102**
Firsby Rd. *B32* —3C **70**
Firs Clo. *Smeth* —5E **43**
Firs Dri. *Shir* —5E **105**
Firs Farm Dri. *B36* —2D **51**
Firsholm Clo. *S Cold* —5E **27**
Firs Ho. *B36* —2D **51**
Firs La. *Smeth* —5E **43**
First Av. *Bord G* —4C **60**
First Av. *Min* —2E **39**
First Av. *S Oak* —5F **73**
First Av. *Witt* —5D **35**
First Exhibition Av. *B40*
    —3B **82**

Firs, The. *B11* —2A **76**
First Mdw. Piece. *B32*
    —4C **70**
Firswood Rd. *B33* —4A **64**
Firth Dri. *B14* —1F **103**
Firth Pk. Cres. *Hale* —1C **93**
Firtree Clo. *B44* —5C **24**
Fir Tree Gro. *S Cold* —3D **27**
Firtree Rd. *B24* —4F **37**
Fisher Clo. *Redn* —4C **96**
Fisher Rd. *O'bry* —3A **42**
Fishpond La. *Mer* —2F **83**
Fishpool Rd. *B36* —2A **50**
Fitters Mill Clo. *B5* —2C **74**
Fitzguy Clo. *W Brom* —1C **42**
Fitz Roy Av. *B17* —1D **71**
Fitzroy Rd. *B31* —3A **98**

Five Ways. —5F 57 (5A 8)

Five Ways. *Stech* —3B **62**
Five Ways Shop. Cen.
    B15 —5F **57** (5A **8**)
Flackwell Rd. *B23* —5C **26**
Fladbury Cres. *B29* —2B **88**
Fladbury Gdns. *Hand*
    —2A **46**
Fladbury Pl. *B19* —3A **46**
Flamborough Clo. *B34*
    —3E **51**
Flavell Clo. *B32* —2F **85**
Flavells La. *B25* —5A **62**
Flax Gdns. *B38* —1D **111**
Flaxley Clo. *B33* —2D **63**
Flaxley Parkway. *B33*
    —1C **62**
Flaxley Rd. *B33* —1B **62**
Flaxton Gro. *B33* —1E **63**
Flecknoe Clo. *B36* —1A **52**
Fledburgh Dri. *S Cold*
    —5B **20**
Fleet St. *B3* —2A **58** (1D **9**)
Fleetwood Gro. *B26* —4E **63**
Fleming Rd. *B32* —3B **70**
Fletchers Wlk. *B3*
    —3A **58** (2D **9**)
Fletton Gro. *B14* —3E **103**
Flint Grn. Rd. *B27* —5F **77**
Flintham Clo. *B27* —5C **78**
Flintway, The. *B33* —1C **62**
Floodgate St. *B5*
    —4D **59** (4D **11**)
Flora Rd. *B25* —1F **77**
Florence Av. *S'hll* —2A **76**
Florence Av. *S Cold* —5F **27**
Florence Bldgs. *B29* —1D **89**
Florence Dri. *S Cold* —5F **27**
Florence Gro. *B18* —1C **56**
Florence Rd. *A Grn* —4B **78**
Florence Rd. *Hand* —2B **44**
Florence Rd. *K Hth* —3D **91**
Florence Rd. *Smeth* —1F **55**
Florence Rd. *S Cold* —5F **27**
Florence Rd. *W Brom*
    —1C **42**

Florence St. *B1*
    —4B **58** (5E **9**)
Floyer Rd. *B10* —4C **60**
Flyford Cft. *B29* —1D **87**
Foden Rd. *B42* —4E **23**
Fold, The. *B38* —5E **101**
Folkestone Cft. *B36* —2C **50**
Foldyard Clo. *S Cold* —4E **29**
Foley Ho. *O'bry* —1F **69**
Foley Rd. *B8* —5F **49**
Foley Rd. W. *S Cold* —1B **16**
Foley Wood Clo. *S Cold*
    —1C **16**
Foliot Fields. *B25* —5B **62**
Folliott Rd. *B33* —2E **63**
Fontley Clo. *B26* —4D **63**
Fordbridge. —2E 65
Fordbridge Rd. *B37* —1D **65**
Forder Gro. *B14* —4E **103**
Forde Way Gdns. *B38*
    —2C **110**
Fordfield Rd. *B33* —1A **64**
Fordhouse La. *B30* —5F **89**
Fordrift, The. *B37* —2E **81**
Fordrough. *Yard* —1D **77**
Fordrough Av. *B9* —2C **60**
Fordrough La. *B9* —2C **60**
Fordrough, The. *N'fld*
    —5F **99**
Fordrough, The. *S Cold*
    —5E **13**
Ford St. *B18* —5F **45** (1A **4**)
Ford St. *Smeth* —4D **43**
Fordwater Rd. *S Cold*
    —3D **17**
Foredraft Clo. *B32* —1A **86**
Forest Clo. *Smeth* —3C **42**
Forest Clo. *S Cold* —2C **16**
Forest Dale. *Redn* —3F **107**
Forest Dri. *B17* —2B **72**
Forest Hill Rd. *B26* —3A **80**
Fore St. *B2* —3C **58** (2A **10**)
Forest Rd. *Mose* —5E **75**
Forest Rd. *O'bry* —1A **94**
Forest Rd. *Yard* —2A **78**
Forfar Wlk. *B38* —4B **100**
Forge Cft. *Min* —1F **39**
Forge La. *Foot & Lit A*
    —1A **12**
Forge La. *Hale* —3A **68**
Forge La. *Min* —1F **39**
(in two parts)
Forge La. *W Brom* —1E **31**
Forge Trad. Est. *Hale* —3A **68**
Forhill. —5E 111
Forman's Rd. *B11* —5B **76**
Forrell Gro. *B31* —2F **109**
Forster St. *B4 & B7*
    —2E **59** (5E **7**)
Forster St. *Smeth* —3C **42**
Forsythia Clo. *B31* —3D **87**
Forth Dri. *B37* —1F **65**

Forth Gro. *B38* —1C **110**
Forth Way. *Hale* —1C **68**
Fort Ind. Est., The. *Cas V*
　—1C **50**
Fortnum Clo. *B33* —3B **64**
Fort Parkway. *B24* —2F **49**
Fort Shop. Pk., The. *B24*
　—1F **49**
Forward Rd. *Birm A* —5E **81**
Fosbrooke Rd. *B10* —5E **61**
Fosseway Dri. *B23* —4C **26**
Fossil Dri. *Redn* —2E **107**
Foster Gdns. *B18* —4D **45**
Foster Way. *B5* —3A **74**
(in two parts)
Foundry La. *Smeth* —3A **44**
Foundry Rd. *B18* —5B **44**
Fountain Clo. *B31* —3C **108**
Fountain Ho. *Hale* —5A **68**
Fountain Cres. *B17* —4F **55**
Four Acres. *B32* —4A **70**
Fourlands Av. *S Cold* —5B **28**
Fourlands Rd. *B31* —5C **86**
Four Oaks. —3E 13
Four Oaks Comn. Rd.
　S Cold —3C **12**
Four Oaks Park. —1E 19
Four Oaks Rd. *S Cold*
　—4E **13**
Four Stones Gro. *B5* —2C **74**
Fourth Av. *Bord G* —3D **61**
Fourth Av. *S Oak* —5A **74**
Fowey Clo. *S Cold* —5E **29**
Fowey Rd. *B34* —4D **51**
Fowler Clo. *Smeth* —2E **43**
Fowler Rd. *S Cold* —4E **21**
Fowler St. *B7* —5F **47**
Fowlmere Rd. *B42* —4F **23**
Fox & Goose Shop. Cen.
　B8 —5A **50**
Foxcote Av. *B21* —3C **44**
Fox Cres. *B11* —4B **76**
Foxdale Gro. *B33* —3A **64**
Foxford Clo. *B36* —1B **52**
Foxford Clo. *S Cold* —5B **28**
Foxglove Cres. *B37* —2C **64**
Foxglove Way. *Hand* —3B **44**
Fox Grn. Cres. *B27* —2E **93**
Fox Gro. *B27* —1E **93**
Fox Hill. *B29* —3A **88**
Fox Hill Clo. *B29* —3A **88**
Fox Hill Rd. *S Cold* —4C **14**
Fox Hollies Rd.
　Hall G & A Grn —4D **93**
Fox Hollies Rd. *S Cold*
(in two parts) —4D **29**
Foxhope Clo. *B38* —4A **102**
Foxland Av. *Redn* —2A **108**
Foxland Clo. *B37* —3B **66**
Foxlands Dri. *S Cold* —5B **28**
Fox St. *B5* —2D **59** (1C **10**)
Foxton Rd. *B8* —5D **49**

Foxwell Gro. *B9* —2A **62**
Foxwell Rd. *B9* —2F **61**
Foxwood Av. *B43* —2F **23**
Foxwood Gro. *B37* —5D **53**
Foyle Rd. *B38* —5C **100**
Fradley Clo. *B30* —2B **100**
Frampton Clo. *B30* —4B **88**
Frampton Clo. *Chel W*
　—2B **66**
Frampton Way. *B43* —5B **16**
Frances Rd. *B23* —4D **25**
Frances Rd. *K Nor* —1E **101**
Frances Rd. *Loz* —2A **46**
Franchise St. *B42* —5C **34**
Francis Clo. *S Cold* —1D **17**
Francis Rd. *A Grn* —3B **78**
Francis Rd. *Edg*
　—4E **57** (5A **8**)
Francis Rd. *Smeth* —5B **42**
Francis Rd. *Stech* —3B **62**
Francis Rd. *Yard* —2E **77**
Francis St. *B7* —1E **59** (4F **7**)
Francis St. *W Brom* —1B **42**
Francis Wlk. *B31* —2E **109**
Frankburn Rd. *S Cold*
　—1C **16**
Frankfort St. *B19*
　—4B **46** (1F **5**)
Frankley. —3E 97
Frankley Av. *Hale* —3D **69**
Frankley Beeches. —2E 97
Frankley Beeches Rd. *B31*
　—4A **98**
Frankley Grn. *B32* —1B **96**
Frankley Grn. La. *B32*
　—1C **96**
Frankley Hill. —3D 97
Frankley Hill La. *B32* —3D **97**
Frankley Hill Rd. *Redn*
　—3D **97**
Frankley Ind. Pk. *Redn*
　—5D **97**
Frankley La. *Quin & N'fld*
　—5A **86**
Frankley Lodge Rd. *B31*
　—2B **98**
Frankley Ter. *B17* —3F **71**
Franklin Rd. *B30* —1C **100**
Franklin St. *B18* —5C **44**
Franklin Way. *B'vlle* —5D **89**
Frank Rd. *Smeth* —4C **42**
Frank St. *B12* —1D **75**
Franks Way. *B33* —3C **62**
Frankton Clo. *Sol* —1F **95**
Frankton Gro. *B9* —3F **61**
Fraser Rd. *B11* —3B **76**
Freasley Rd. *B34* —5B **52**
Freda Rd. *W Brom* —1B **42**
Freda's Gro. *B17* —3E **71**
Frederick Rd. *Aston* —2C **46**
Frederick Rd. *Edg*
　—5F **57** (5A **8**)
Frederick Rd. *Erd* —5C **36**

Frederick Rd. *O'bry* —1B **70**
Frederick Rd. *S Oak* —1B **88**
Frederick Rd. *S'hll* —4A **76**
Frederick Rd. *Stech* —2B **62**
Frederick Rd. *S Cold* —2E **27**
Frederick St. *B1*
　—1A **58** (4C **4**)
Frederick St. *W Brom*
　—3A **30**
Freeman Dri. *S Cold* —5D **21**
Freeman Rd. *B7* —4F **47**
Freeman St. *B5*
　—3C **58** (2B **10**)
Freemantle Ho. *B34* —4C **52**
Freemount Sq. *B43* —5C **22**
Freer Rd. *B6* —2B **46**
Freeth St. *B16* —3D **57**
French Walls. *Smeth* —5A **44**
Frensham Clo. *B37* —3A **66**
Frensham Way. *B17* —2A **72**
Frenshaw Gro. *B44* —5D **25**
Friars Wlk. *B37* —3B **66**
Friary Clo. *B20* —4D **33**
Friary Gdns. *B21* —5B **32**
Friary Rd. *B20* —5C **32**
Frinton Gro. *B21* —3A **44**
Friston Av. *B16*
　—4F **57** (4A **8**)
Frobisher Way. *Smeth*
　—3B **42**
Frodesley Rd. *B26* —5F **63**
Froggatts Ride. *S Cold*
　—1D **29**
Frogmill Rd. *Redn* —5F **97**
Frogmill Shop. Cen. *Redn*
　—4F **97**
Frome Way. *B14* —5A **90**
Fryer Rd. *B31* —2F **109**
Fugelmere Clo. *B17* —1D **71**
Fulbrook Gro. *B29* —3D **87**
Fulford Dri. *Min* —2F **39**
Fulford Gro. *B26* —2A **80**
Fulham Rd. *B11* —3F **75**
Fulmer Wlk. *B18* —2E **57**
Fulwell Gro. *B44* —5E **25**
Fulwood Av. *Hale* —1D **69**
Furlong Mdw. *B31* —4A **100**

G

Gaddesby Rd. *B14* —3D **91**
Gadwell Cft. *B23* —4F **35**
Gailey Cft. *B44* —1C **24**
Gainford Rd. *B44* —3A **26**
Gainsborough Cres. *B43*
　—5B **16**
Gainsborough Rd. *B42*
　—1F **33**
Gainsford Dri. *Hale* —2A **68**
Gaitskell Way. *Smeth*
　—3D **43**
Galena Way. *B6* —4C **46**
Galloway Av. *B34* —4D **51**
Galton Clo. *B24* —3D **39**

Galton Rd. *Smeth* —3D **55**
Galton Tower. *B1* —2C **8**
Gannah's Farm Clo. *S Cold*
    —1D **29**
Gannow Green. —5B 96
Gannow Grn. La. *Redn*
    —5A **96**
Gannow Mnr. Cres. *Redn*
    —4C **96**
Gannow Mnr. Gdns. *Redn*
    —5D **97**
Gannow Rd. *Redn* —2C **106**
Gannow Shop. Cen. *Redn*
    —5C **96**
Gannow Wlk. *Redn* —2C **106**
Garden Clo. *B8* —5E **49**
Garden Clo. *Redn* —4E **97**
Garden Gro. *B20* —1C **32**
Gardens, The. *Erd* —4C **36**
Garfield Rd. *B26* —5F **63**
Garland Cres. *Hale* —1C **68**
Garland Rd. *B9* —2A **60**
Garland Way. *B31* —1F **99**
Garman Clo. *B43* —2C **22**
Garnet Av. *B43* —5A **16**
Garnet Ct. *Sol* —2D **95**
Garnett Dri. *S Cold* —3C **20**
Garrard Gdns. *S Cold*
    —4F **19**
Garratt Clo. *O'bry* —1A **54**
Garratt St. *W Brom* —2A **30**
Garrett's Green. —5B 64
Garrett's Grn. Ind. Est.
    B33 —4A **64**
Garretts Grn. La.
    B26 & B33 —1D **79**
Garretts Wlk. *B14* —4C **102**
Garrison Cir. *B9*
    —3E **59** (2F **11**)
Garrison La. *B9*
    —3F **59** (2F **11**)
Garrison St. *B9*
    —3F **59** (2F **11**)
Garston Way. *B43* —4B **22**
Garth, The. *B14* —2B **104**
Garway Gro. *B25* —2F **77**
Garwood Rd. *B26* —3D **63**
Gas St. *B1* —3A **58** (3C **8**)
Gate La. *S Cold* —2D **27**
Gateley Rd. *O'bry* —1C **70**
Gate St. *B8* —5B **48**
Gatwick Rd. *B35* —3A **40**
Gaydon Gro. *B29* —1E **87**
Gaydon Pl. *S Cold* —5F **19**
Gaydon Rd. *Sol* —5B **80**
Gay Hill. —2F 111
Gayhill La. *B38* —5F **101**
Gayle Gro. *B27* —3A **94**
Gayton Rd. *W Brom* —1B **30**
Gaywood Cft. *B15*
    —5A **58** (5D **9**)
Geach St. *B19* —4B **46**

Geach Tower. *B19* —1E **5**
Gedney Clo. *Shir* —3A **104**
Geeson Clo. *B35* —3F **39**
Gee St. *B19* —4B **46** (1F **5**)
Gem Ho. *B4* —5C **6**
Genners App. *N'fld* —3B **86**
Genners La. *Bart G & B31*
    —3A **86**
Genners La. *N'fld* —2B **86**
Gentian. *S Cold* —2D **13**
Gentian Clo. *B31* —5D **87**
Geoffrey Clo. *S Cold* —5F **29**
Geoffrey Pl. *B11* —5A **76**
Geoffrey Rd. *B11* —5A **76**
Geoffrey Rd. *Shir* —3D **105**
George Arthur Rd. *B8*
    —1B **60**
George Bird Clo. *Smeth*
    —4E **43**
George Frederick Rd.
    S Cold —5E **17**
George Rd. *Edg*
    —5F **57** (5B **8**)
George Rd. *Erd* —3F **35**
George Rd. *Gt Barr* —2D **23**
George Rd. *O'bry* —3A **54**
George Rd. *S Oak* —5C **72**
George Rd. *S Cold* —3B **26**
George Rd. *Yard* —2E **77**
George St. *B3* —2A **58** (1C **8**)
George St. *Bal H* —3C **74**
George St. *Hand* —2A **44**
George St. *Loz* —3F **45**
George St. *W Brom* —5B **30**
George St. W. *B18*
    —1E **57** (4A **4**)
Geraldine Rd. *B25* —1F **77**
Geranium Gro. *B9* —2D **61**
Gerardsfield Rd. *B33* —2B **64**
Gerrard Clo. *B19* —3A **46**
Gerrard St. *B19* —3A **46**
Gibbins Rd. *B29* —2A **88**
Gibbons Rd. *S Cold* —3F **13**
Gibb Hill Rd. *B31* —2F **109**
Gibb St. *B12 & B9*
    —4D **59** (4D **11**)
Gib Heath. —4E 45
Gibson Dri. *B20* —1F **45**
Gibson Rd. *B20* —2F **45**
Gideon Clo. *B25* —2B **78**
Gilbert Rd. *Smeth* —1F **55**
Gilbertstone. —1C 78
Gilbertstone Av. *B26* —3C **78**
Gilby Rd. *B16* —3E **57** (4A **8**)
Gilchrist Dri. *B15* —5C **56**
Gildas Av. *B38* —5E **101**
Giles Clo. *B33* —2C **62**
Giles Clo. Ho. *B33* —2C **62**
Giles Rd. *O'bry* —5A **42**
Gilldown Pl. *B15* —1F **73**
Gillespie Cft. *B6* —3D **47**
Gillhurst Rd. *B17* —1F **71**
Gillies Ct. *Stech* —2B **62**

Gilling Gro. *B34* —4E **51**
Gilliver Rd. *Shir* —4F **105**
Gillman Clo. *B26* —4B **80**
Gillott Rd. *B16* —4A **56**
Gillscroft Rd. *B33* —1E **63**
Gill St. *W Brom* —1A **42**
Gilmorton Clo. *B17* —1F **71**
Gilpin Clo. *B8* —3A **50**
Gilson Way. *B37* —5E **53**
Gilwell Rd. *B34* —4C **52**
Gimble Wlk. *B17* —5E **55**
    (in two parts)
Gipsy La. *B23* —2E **35**
Girton Ho. *B36* —2D **53**
Gisborn Clo. *B10* —5F **59**
Glade, The. *B26* —4B **80**
Gladstone Rd. *Erd* —4B **36**
Gladstone Rd. *S'brk* —2F **75**
Gladstone Rd. *Yard* —2B **78**
Gladstone St. *B6* —2E **47**
Gladstone St. *W Brom*
    —1A **30**
Gladstone Ter. *Hand* —3C **44**
Gladys Rd. *B25* —1F **77**
Gladys Rd. *Smeth* —3D **55**
Gladys Ter. *Smeth* —3D **55**
Glaisdale Rd. *B28* —3E **93**
Glanville Dri. *S Cold* —2E **13**
Glasbury Cft. *B38* —2C **110**
Glascote Clo. *Shir* —2E **105**
Glascote Gro. *B34* —3A **52**
Glastonbury Rd. *B14*
    —2A **104**
Gleads Cft. *Hale* —5E **69**
Gleave Rd. *B29* —2C **88**
Glebe Farm. —1F 63
Glebe Dri. *S Cold* —4D **27**
Glebe Farm Rd. *B33* —5E **51**
Glebe Fields. *Curd* —1F **41**
Glebeland Clo. *B16*
    —4F **57** (4A **8**)
Glenavon Rd. *B14* —3D **103**
Glencoe Rd. *B16* —1A **56**
Glencroft Rd. *Sol* —4B **80**
Glendale Clo. *Hale* —4A **68**
Glendale Dri. *B33* —2D **63**
Glendale Tower. *B23* —1F **37**
Glendene Cres. *B38* —2A **110**
Glendene Dri. *B43* —4B **22**
Glendevon Clo. *Redn* —4E **97**
Glendon Rd. *B23* —1B **36**
Glendower Rd. *B42* —3A **34**
Gleneagles Dri. *B43* —1C **22**
Gleneagles Dri. *S Cold*
    —2A **20**
Gleneagles Rd. *B26* —5E **63**
Glenfield Clo. *Sol* —1C **28**
Glenfield Gro. *B29* —2E **89**
Glengarry Clo. *B32* —4F **85**
Glenmead Rd. *B44* —4B **24**
Glenmore Dri. *B38* —5B **100**
Glenpark Rd. *B8* —5C **48**
Glen Ri. *B13* —5A **92**

Glenroyde. *B38* —2C **110**
Glen Side. *B32* —1B **86**
Glenside Av. *Sol* —5F **79**
Glenthorne Rd. *B24* —5E **37**
Glenthorne Way. *B24*
—5E **37**
Glentworth. *S Cold* —2E **29**
Glenville Dri. *B23* —2C **36**
Glenwood Rd. *B38* —1B **110**
Gloucester St. *B5*
—4C **58** (4A **10**)
Gloucester Way. *B37*
—4E **65**
Glover Clo. *B28* —5D **93**
Glover Rd. *S Cold* —4D **21**
Glovers Cft. *B37* —2D **65**
Glovers Fld. Dri. *B7* —3A **48**
Glover's Rd. *B10* —5A **60**
Glover St. *B9*
—3E **59** (3F **11**)
Glover St. *W Brom* —1B **42**
Glovers Trust Homes.
S Cold —4D **27**
Glyn Farm Rd. *B32* —3A **70**
Glyn Rd. *B32* —2B **70**
Glynside Av. *B32* —2B **70**
Goffs Clo. *B32* —5D **71**
Goldcrest Cft. *B36* —2E **53**
Golden Cft. *B20* —1D **45**
Golden Hillock Rd.
Small H —1B **76**
Golden Hillock Rd.
S'brk & New S —3B **76**
Goldfinch Clo. *B30* —3B **88**
Goldieslie Clo. *S Cold*
—2F **27**
Goldieslie Rd. *S Cold*
—2F **27**
Golds Hill Gdns. *B21*
—3D **45**
Golds Hill Rd. *B21* —2D **45**
Goldsmith Rd. *B14* —3D **91**
Goldstar Way. *B33* —3A **64**
Goldthorne Av. *B26* —4A **80**
Golson Clo. *S Cold* —3D **21**
Gomeldon Av. *B14* —3D **103**
Gonville Ho. *B20* —2D **53**
Gooch St. *B5* —5C **58**
Gooch St. N. *B5*
—4C **58** (5A **10**)
Goodall Gro. *B43* —4C **16**
Goodby Rd. *B13* —5B **74**
Goode Av. *B18*
—5E **45** (1A **4**)
Goode Clo. *O'bry* —1A **54**
Goodeve Wlk. *S Cold*
—4F **21**
Goodison Gdns. *B24* —2F **37**
Goodleigh Av. *B31* —3C **108**
Goodman Clo. *B28* —5D **93**
Goodman St. *B1*
—2F **57** (1A **8**)
Goodrest Av. *Hale* —3D **99**

Goodrest Cft. *B14* —2A **104**
Goodrest La. *B38* —3D **111**
(in two parts)
Goodrich Covert. *B14*
—4A **102**
Goodrick Way. *B7* —4F **47**
Goodway Rd. *B44* —4C **24**
Goodway Rd. *Sol* —5C **80**
Goodwood Clo. *B36* —2B **50**
Goodwood Dri. *S Cold*
—2D **17**
Goodwyn Av. *O'bry* —1B **70**
Goodyear Rd. *Smeth* —3C **54**
Goosemoor La. *B23* —5C **26**
Gopsal St. *B4* —2E **59** (5E **7**)
Gordon Av. *B19* —3B **46**
Gordon Rd. *Harb* —2B **72**
Gordon Rd. *Loz* —2A **46**
Gordon St. B9 —3F **59**
(off Garrison La.)
Gorleston Gro. *B14* —4F **103**
Gorleston Rd. *B14* —4F **103**
Gorse Clo. *F'bri* —3D **65**
Gorse Clo. *S Oak* —3E **87**
Gorse Farm Rd. *B43* —4C **22**
Gorsefield Rd. *B34* —5A **52**
Gorseway, The. *S Cold*
—5F **19**
Gorsly Piece. *B32* —4A **70**
Gorstie Cft. *B43* —4C **22**
Gorsty Hill Rd. *Row R*
—1A **68**
Gorsymead Gro. *B31* —4A **98**
Gorsy Rd. *B32* —4B **70**
Gosford St. *B12* —2D **75**
Gosford Wlk. *Sol* —2C **95**
Gospel Farm Rd. *B27* —3F **93**
Gospel La. *B27* —4A **94**
Goss Cft. *B29* —2B **88**
Gossey La. *B33* —3A **64**
Gosta Grn. *B4*
—1D **59** (4C **6**)
Gotham Rd. *B26* —2C **78**
Gough Rd. *Edg* —1A **74**
Gough Rd. *Greet* —3B **76**
Gough St. *B1* —4B **58** (4E **9**)
Gowan Rd. *B8* —1C **60**
Gower Rd. *Hale* —2C **68**
Gower St. *B19* —3B **46**
Gracechurch Cen. *S Cold*
—4F **19**
Gracemere Cres. *B28*
—3C **104**
Grace Rd. *B11* —1A **76**
Gracewell Homes. *B13*
—2B **92**
Gracewell Rd. *B13* —2B **92**
Grafton Gro. *B19* —3A **46**
Grafton Rd. *Hand* —1B **44**
Grafton Rd. *Shir* —4A **104**
Grafton Rd. *S'brk* —1F **75**
Grafton Rd. *W Brom* —3B **30**
Graham Cres. *Redn* —2E **107**

Graham Rd. *B25* —2A **78**
Graham Rd. *Hale* —1A **68**
Graham Rd. *W Brom*
—3B **30**
Graham St. *B1*
—2A **58** (5C **4**)
Graham St. *Loz* —3A **46**
Graith Clo. *B28* —3C **104**
Granary La. *S Cold* —1D **29**
Granby Av. *B33 & Kitts G*
—4A **64**
Granby Bus. Pk. *B33*
—4A **64**
Granby Clo. *Sol* —4C **94**
Grand Clo. *Smeth* —2F **55**
Grandys Cft. *B37* —2D **65**
Grange Av. *S Cold* —3A **14**
Grange Cres. *Hale* —5A **68**
Grange Cres. *Redn* —1C **106**
Grange Farm Dri. *B38*
—5B **100**
Grange Hill. *Hale* —1A **84**
Grange Hill Rd. *B38*
—5C **100**
Grange La. *S Cold* —3A **14**
Grange Ri. *B38* —2D **111**
Grange Rd. *Aston* —2C **46**
Grange Rd. *Erd* —2F **37**
Grange Rd. *Hale* —5A **68**
Grange Rd. *K Hth* —3C **90**
Grange Rd. *S Oak* —5D **73**
Grange Rd. *Small H* —4B **60**
Grange Rd. *Smeth* —2E **55**
Grange Rd. *Sol* —4C **94**
Grange Rd. *W Brom* —4A **30**
Grange, The. *Hale* —2D **69**
Grangewood. *S Cold* —5E **27**
Grangewood Ct. *Sol* —4C **94**
Granshaw Clo. *B38* —5D **101**
Grant Clo. *W Brom* —2A **30**
Grant Ct. *K Nor* —1E **101**
Grantham Rd. *B11* —2F **75**
Grantham Rd. *Smeth*
—2F **55**
Grantley Dri. *B37* —2F **65**
Granton Clo. *B14* —1B **102**
Granton Rd. *B14* —1B **102**
Grant St. *B15* —5B **58** (5E **9**)
Granville Sq. *B15*
—4A **58** (4C **8**)
Granville St. *B1*
—4A **58** (4C **8**)
Grasdene Gro. *B17* —4A **72**
Grasmere Clo. *B43* —5D **23**
Grasmere Rd. *B21* —3D **45**
Grassington Dri. *B37*
—4D **65**
Grassmoor Rd. *B38*
—4C **100**
Graston Clo. *B16*
—3E **57** (3A **8**)
Grattidge Rd. *B27* —1B **94**
Gravel Bank. *B32* —5B **70**

Gravelly Hill. —5C **36**
Gravelly Hill. *B23* —1B **48**
Gravelly Hill N. *B23* —5C **36**
Gravelly Hill Ind. Pk. *B24 & Erd*
(in two parts) —2C **48**
Gravelly La. *B23* —2D **89**
Graydon Ct. *S Cold* —2F **19**
Grayfield Av. *B13* —5D **75**
Grayland Clo. *B27* —1F **93**
Grayling Wlk. *B37* —2A **66**
Grayshott Clo. *B23* —2C **36**
Grays Rd. *B17* —2B **72**
Gray St. *B9* —3F **59**
Grayswood Pk. Rd. *B32*
—2A **70**
Grayswood Rd. *B31*
—2D **109**
Grazebrook Cft. *B32* —3B **86**
Gt. Arthur St. *Smeth* —3D **43**
Great Barr. —1C **22**
Gt. Barr St. *B9*
—3E **59** (3E **11**)
Gt. Brook St. *B7*
—1E **59** (4E **7**)
Gt. Charles St. Queensway.
B3 —2B **58** (1E **9**)
Gt. Colmore St. *B15*
—5A **58** (5D **9**)
Gt. Cornbow. *Hale* —5A **68**
Gt. Francis St. *B7*
—1F **59** (4F **7**)
Gt. Hampton Row. *B19*
—1A **58** (3D **5**)
Gt. Hampton St. *B18*
—5A **46** (2C **4**)
Gt. King St. *B19*
—5A **46** (1C **4**)
(in two parts)
Gt. King St. N. *B19*
—4A **46** (1D **5**)
Gt. Lister St. *B7*
—1D **59** (3D **7**)
Great Oaks. *B26* —3F **79**
Gt. Stone Rd. *B31* —3E **99**
Gt. Tindal St. *B16*
—3E **57** (2A **8**)
Gt. Western Arc. *B2*
—2C **58** (1A **10**)
Gt. Western Clo. *B18* —4C **44**
Gt. Western Ind. Est. *B18*
—4C **44**
Gt. Wood Rd. *B10* —4A **60**
Greaves Sq. *B38* —5F **101**
Grebe Clo. *B23* —3F **35**
Green Acres. *B27* —1F **93**
Greenacres. *S Cold* —4E **29**
Greenacres Rd. *B38*
—1B **110**
Greenaleigh Rd. *B14*
—2B **104**
Green Av. *B28* —2C **92**
Greenaway Clo. *B43* —1A **24**
Grn. Bank Av. *B28* —2C **92**

Greencoat Tower. *B1*
—3A **58** (2C **8**)
Green Ct. *B24* —5C **36**
Green Ct. *Hall G* —4D **91**
Green Cft. *B9* —2E **61**
Green Dri. *B32* —2A **86**
Greenend Rd. *B13* —1D **91**
Greenfield Cres. *B15* —5E **57**

Greenfield Rd. *Gt Barr*
—5A **22**
Greenfield Rd. *Harb* —3A **72**
Greenfield Rd. *Smeth*
—1C **54**
Greenfinch Clo. *B36* —3E **53**
Greenfinch Rd. *B36* —3E **53**
Grenford Rd. *B14* —3A **104**
Grn. Gables. *S Cold* —2F **19**
Grn. Hill Av. *K Hth* —2D **91**
Greenhill Dri. *B29* —2A **88**
Greenhill Gdns. *B43* —2C **22**
Greenhill Rd. *Hale* —1B **68**
Greenhill Rd. *Hand* —5B **32**
Greenhill Rd. *Mose* —2D **91**
Greenhill Rd. *S Cold* —4F **27**
Grn. Hill Way. *Shir* —1F **105**
Greenholm Rd. *B44* —5C **24**
Greening Dri. *B15* —1F **73**
Greenland Ct. *B8* —4C **48**
Greenland Rd. *B29* —2F **89**
Greenlands Ct. *B14* —3C **102**
Greenlands Rd.
B37 & Chel W —3F **65**
Green La. *B38* —1C **110**
Green La. *Cas B* —2B **52**
Green La. *Chel W* —2A **66**
Green La. *Col* —1D **67**
(in two parts)
Green La. *Gt Barr* —4B **22**
Green La. *Hand* —2A **44**
Green La. *Quin* —2A **70**
Green La. *Shir* —5C **104**
Green La. *Small H* —4A **60**
Green La. *Wat O* —2F **53**
Green La. Ind. Est. *Bord G*
—4C **60**
Green Lanes. *S Cold* —5F **27**
Green La. Wlk. *B38* —1D **111**
Greenleas Gdns. *Hale*
—5A **68**
Green Leigh. *B23* —4D **37**
Green Mdw. Rd. *B29* —4D **87**
Greenoak Cres. *B30* —3A **90**
Green Pk. Rd. *B31* —4C **98**
Greenridge Rd. *B20* —2C **32**
Green Rd. *Mose & Hall G*
—2B **92**
Greenside. *B17* —3A **72**
Greenside Rd. *B24* —2A **38**
Greenslade Cft. *B31* —4E **99**
Greenslade Rd. *Shir*
—4A **104**
Greensleeves. *S Cold*
—5D **13**

Greenstead Rd. *B13* —2B **92**
Green St. *B12*
—4D **59** (5D **11**)
Green St. *Smeth* —5D **43**
Green St. *W Brom* —1C **42**
Green, The. *Cas B* —1E **51**
Green, The. *Erd* —2E **37**
Green, The. *K Nor* —4D **101**
Green, The. *Quin* —2E **69**
Green, The. *S Cold* —3B **28**
Greenvale. *B31* —1D **99**
Greenvale Av. *B26* —2B **80**
Green Wlk. *B17* —1D **71**
Greenway. *B20* —1D **33**
Greenway Dri. *S Cold*
—1A **26**
Greenway Gdns. *B38*
—2C **110**
Greenways. *N'fld* —3D **87**
Greenway St. *B9* —4A **60**
Greenway, The. *B37* —2E **81**
Greenway, The. *S Cold*
—1F **25**
Greenway Wlk. *B33* —4C **64**
Greenwood. *B25* —5B **62**
Greenwood Av. *B27* —1E **93**
Greenwood Av. *O'bry* —5A **42**
Greenwood Clo. *B14*
—1C **102**
Greenwood Pl. *B44* —3F **25**
Greenwood Sq. *B37* —3F **65**
Greenwood Way. *B37*
—3F **65**

Greet. —3B **76**
Greethurst Dri. *B13* —1A **92**
Greetville Clo. *B34* —5E **51**
Gregory Av. *B29* —3D **87**
Grendon Dri. *S Cold* —1B **26**
Grendon Rd. *B14* —3E **103**
Grendon Rd. *Sol* —3C **94**
Grenfell Dri. *B15* —5D **57**
Grenville Dri. *B23* —4F **35**
Grenville Dri. *Smeth* —2B **42**
Grenville Rd. *Shir* —4F **105**
Gresham Rd. *B28* —5D **93**
Gresham Rd. *O'bry* —4A **42**
Gresley Clo. *S Cold* —2E **13**
Gresley Gro. *B23* —1A **48**
Gressel La. *B33* —2A **64**
Grestone Av. *B20* —3C **32**
Greswolde Dri. *B24* —3F **37**
Greswolde Pk. Rd. *B27*
—4F **77**
Greswolde Rd. *B11* —5A **76**
Greswolde Rd. *B33* —3C **62**
Greswolde Rd. *Sol* —5C **94**
Greswold Gdns. *B34* —5E **51**
Gretton Rd. *B23* —5B **26**
Greville Dri. *B15* —2A **74**
Grevis Clo. *B13* —4D **75**
Grevis Rd. *B25* —4C **62**
Greyfort Cres. *Sol* —2D **95**
Greyfriars Clo. *Sol* —5B **94**

Greystoke Av.—Halloughton Rd.

Greystoke Av. *B36* —3B **50**
Grice St. *W Brom* —2A **42**
Griffin Clo. *B31* —5F **87**
Griffin Gdns. *B17* —4B **72**
Griffin Rd. *B23* —2A **36**
Griffin's Brook Clo. *B30*
　　　　　　　—4B **88**
Griffin's Brook La. *B30*
　　　　　　　—5A **88**
Griffin St. *W Brom* —4B **30**
Grigg Gro. *B31* —5C **98**
Grimley Rd. *B31* —4B **100**
Grimpits La. *B38* —2E **111**
Grimshaw Rd. *B27* —2E **93**
Grindleford Clo. *B42* —5B **24**
Gristhorpe Rd. *B29* —2E **89**
Grizedale Clo. *Redn* —4F **97**
Grosmont Av. *B12* —2E **75**
Grosvenor Av. *B20* —5A **34**
Grosvenor Av. *S Cold*
　　　　　　　—1D **17**
Grosvenor Clo. *S Cold*
　　　　　　　—5A **14**
Grosvenor Ct. *B20* —5A **34**
Grosvenor Rd. *B20 & Hand*
　　　　　　　—5A **34**
Grosvenor Rd. *Aston* —2F **47**
Grosvenor Rd. *Harb* —2E **71**
Grosvenor Shop. Cen. *N'fld*
　　　　　　　—2E **99**
Grosvenor Sq. *B28* —1D **105**
Grosvenor St. *B5*
　　　　　　—2D **59** (1C **10**)
Grosvenor St. W. *B16*
　　　　　—4F **57** (4A **8**)
Grosvenor Ter. *B16*
　　　　　—4F **57** (4B **8**)
Grounds Dri. *S Cold* —3D **13**
Grounds Rd. *S Cold* —3D **13**
Grove Av. *B27* —5F **77**
Grove Av. *B29* —2C **88**
Grove Av. *Hand* —2D **45**
Grove Av. *Mose* —1E **91**
Gro. Cottage Rd. *B9* —4B **60**
Grove Ct. *B42* —1D **33**
Grove Cres. *W Brom* —1C **42**
Gro. Farm Dri. *S Cold*
　　　　　　　—4D **21**
Grove Gdns. *B20* —5D **33**
Gro. Hill Rd. *B21* —1D **45**
Grove La. *Hand* —5D **33**
(B20)
Grove La. *Hand* —2D **45**
(B21)
Grove La. *Harb* —4A **72**
Grove La. *Smeth* —5A **44**
(in two parts)
Groveley La. *Redn & B31*
　　　　　　　—5A **108**
Grovely Fall Rd. *B31*
　　　　　　　—2F **109**
Grove M. *N'fld* —1F **109**
Grove Rd. *K Hth* —4B **90**

Grove Rd. *O'bry* —4B **54**
Grove Rd. *S'hll* —5A **76**
Grove St. *Smeth* —1B **56**
Grove, The. *Col* —1D **97**
Grove, The. *Gt Barr* —1C **22**
Grove, The. *N'fld* —1F **109**
Grove, The. *Redn* —5B **108**
Grove, The. *Salt* —1A **60**
Grove, The. *S Cold* —1B **12**
Grove, The. *Wals* —1A **22**
Grove Vale. —3A 22
Grove Va. Av. *B43* —3A **22**
Grove Way. *S Cold* —2D **17**
Grovewood Dri. *B38*
　　　　　　　—5C **100**
Guardian Ho. *O'bry* —1A **70**
Guardians Way. *B31* —3C **86**
Guernsey Dri. *B36* —4F **53**
Guest Gro. *B19*
　　　　　—4A **46** (1C **4**)
Guild Clo. *B16* —3E **57**
Guild Cft. *B19* —4B **46**
Guildford Cft. *B37* —5D **65**
Guildford Dri. *B19* —4B **46**
Guildford St. *B19* —3B **46**
Guillemard Ct. *B37* —4F **65**
Guiting Rd. *B29* —4E **87**
Gullane Clo. *B38* —5B **100**
Gullswood Clo. *B14*
　　　　　　　—4B **102**
Gumbleberrys Clo. *B8*
　　　　　　　—1A **62**
Gunmakers Wlk. *B19*
　　　　　　　—3B **46**
Gunner La. *Redn* —2B **106**
Gunns Way. *Sol* —4B **94**
Guns La. *W Brom* —3A **30**
Gunstock Clo. *S Cold*
　　　　　　　—2C **16**
Gunter Rd. *B24* —4C **38**
Guthrie Clo. *B19*
　　　　　—4B **46** (1F **5**)
Guys Cliffe Av. *S Cold*
　　　　　　　—3D **29**
Gwalia Gro. *Erd* —3D **37**

Habitat Ct. *S Cold* —1D **29**
Hackett Dri. *Smeth* —1A **70**
Hack St. *B9* —4E **59** (4E **11**)
Haddon Rd. *B42* —1B **34**
Haden St. *B12* —2D **75**
Haden Way. *B12* —2D **75**
Hadfield Clo. *B24* —4B **38**
Hadfield Cft. *B19*
　　　　　—5A **46** (2D **5**)
Hadfield Way. *F'bri* —1E **65**
Hadland Rd. *B33* —4F **63**
Hadleigh Cft. *Min* —1E **39**
Hadley Cft. *Smeth* —3E **43**
Hadlow Cft. *B33* —1B **80**
Hadyn Gro. *B26* —2F **79**
Hadzor Rd. *O'bry* —5B **54**

Hafren Clo. *Redn* —4F **97**
Hafton Gro. *B9* —4B **60**
Hagley Pk. Dri. *Redn*
　　　　　　　—3E **107**
Hagley Rd. *B17 & Edg*
　　　　　—4F **55** (5A **8**)
Hagley Rd. W. *B32 & B17*
　　　　　　　—2E **69**
Hagley Rd. W. *Hale & O'bry*
　　　　　　　—2E **69**
Haig Clo. *S Cold* —2A **20**
Haig Pl. *B13* —4E **91**
Haig St. *W Brom* —2A **30**
Hailsham Rd. *B23* —2D **37**
Haines St. *W Brom* —5B **30**
Halberton St. *Smeth* —1B **56**
Haldon Gro. *B31* —2C **108**
Hale Gro. *B24* —3B **38**
Hales Cres. *Smeth* —2C **54**
Halescroft Sq. *B31* —5C **86**
Hales Gdns. *B23* —4A **26**
Hales La. *Smeth* —1C **54**
Halesmere Way. *Hale* —5A **68**
Halesowen Abbey. —1B 84
Halesowen Ind. Pk. *Hale*
(in two parts) —2A **68**
Halesowen Rd. *Hale* —2C **68**
Halesowen Rd. *L Ash*
　　　　　　　—5A **106**
Halewood Gro. *B28* —4E **93**
Halford Gro. *B24* —3C **38**
Halford Rd. *Sol* —5C **94**
Halford's La.
　Smeth & W Brom —3E **43**
Halford's La. Ind. Est.
　　　　　Smeth —2E **43**
Halfpenny Fld. Wlk. *B35*
　　　　　　　—5E **39**
Halfway Clo. *B44* —1C **34**
Halifax Rd. *Shir* —3F **105**
Haliscombe Gro. *Aston*
　　　　　　　—2C **46**
Halkett Glade. *B33* —2B **62**
Halladale. *B38* —5D **101**
Hallam Clo. *W Brom* —2C **30**
Hallam Ct. *W Brom* —2B **30**
Hallam St. *B12* —3C **74**
Hallam St. *W Brom* —3B **30**
Hall Cres. *W Brom* —1A **30**
Hallcroft Clo. *S Cold* —5A **28**
Hall Dale Clo. *B28* —1D **105**
Hall Dri. *B37* —1E **81**
Hall End. —1B 30
Hallewell Rd. *B16* —2B **56**
Hall Green. —3D 93
Hall Hays Rd. *B34* —3C **52**
Hallmoor Rd. *B33* —2F **63**
Hall of Memory.
　　　　　—3A **58** (2D **9**)
(War Memorial)
Hallot Clo. *B23* —4B **26**
Halloughton Rd. *S Cold*
　　　　　　　—2E **19**

Hallow Ho.—Harvington Rd.

Hallow Ho. *B31* —4B **100**
Hall Rd. *Cas B* —2E **51**
Hall Rd. *Hand* —2E **45**
Hall Rd. *Salt* —1B **60**
Hall Rd. *Smeth* —1C **54**
Hall Rd. Av. *Hand* —2E **45**
Hallstead Rd. *B13* —1F **103**
Hall St. *O'bry* —5A **42**
Hall St. *W Brom* —5A **30**
Hall St. S. *W Brom* —2B **42**
Hallswelle Gro. *B43* —5C **16**
Hall Wlk. *Col* —1C **66**
(in two parts)
Halsbury Gro. *B44* —4F **25**
Halton Rd. *S Cold* —1B **26**
Hamar Way. *B37* —4E **65**
Hamberley Ct. *B18* —4F **57**
Hamble Rd. *B43 & B42*
—3D **23**
Hambury Dri. *B14* —4B **90**
Hamilton Av. *B17* —5E **55**
Hamilton Av. *Hale* —5A **68**
Hamilton Ct. *B30* —2C **100**
Hamilton Dri. *S Oak* —3B **88**
Hamilton Ho. *Smeth* —1A **56**
Hamilton Rd. *B21* —2B **44**
Hamilton Rd. *Smeth* —3C **54**
Hamlet Gdns. *B28* —3D **93**
Hamlet Rd. *B28* —3D **93**
Hammond Dri. *B23* —2D **37**
Hampden Retreat. *B12*
—2C **74**
Hampshire Dri. *B15* —5C **56**
Hampson Clo. *B11* —2F **75**
Hampstead. —5C 22
Hampstead Glade. *Hale*
—1A **84**
Hampton Clo. *S Cold* —2A **26**
Hampton Ct. Rd. *B17*
—2D **71**
Hampton Dri. *S Cold* —1F **19**
Hampton Rd. *Aston* —1B **46**
Hampton Rd. *Erd* —3B **36**
Hampton St. *B19*
—1B **58** (3E **5**)
Hams Rd. *B8* —1B **60**
Hamstead. —4D 23
Hamstead Hall Av. *B20*
—2C **32**
Hamstead Hall Rd. *B20*
—3C **32**
Hamstead Hill. *B20* —4D **33**
Hamstead Ho. *B43* —5D **23**
Hamstead Ind. Est. *Hamp I*
—2E **33**
Hamstead Rd. *Gt Barr*
—4A **22**
Hamstead Rd. *Hand &*
Hock —1F **45**
Hanam Clo. *S Cold* —3D **21**
Hanbury Cft. *B27* —5C **78**
Hancock Rd. *B8* —1D **61**

Hancox St. *O'bry* —3A **54**
Handley Gro. *B31* —4A **98**
Handsworth. —1B 44
Handsworth Clo. *B21*
—3B **44**
Handsworth Dri. *B43* —1E **23**
(in two parts)
Handsworth New Rd. *B18*
—4C **44**
Handsworth Wood. —5E 33
Handsworth Wood Rd.
B20 & Hand —4D **33**
Hanger Rd. *Birm A* —5E **81**
Hanging La. *B31* —4C **98**
Hanley St. *B19*
—1C **58** (3F **5**)
Hannafore Rd. *B16* —2B **56**
Hannon Rd. *B14* —1C **102**
Hanover Clo. *B6* —3C **46**
Hanover Dri. *Erd* —2B **48**
Hansom Rd. *B32* —3A **70**
Hanson Gro. *Sol* —3D **79**
Hansons Bri. Rd. *B24*
—2D **39**
Hanwell Clo. *S Cold* —5F **29**
Hanwood Clo. *B12* —5D **59**
Harbeck Av. *B44* —4D **25**
Harbet Dri. *B40* —4C **82**
Harbinger Rd. *B38* —4F **101**
Harborne. —2E 71
Harborne La. *Harb & S Oak*
—5B **72**
Harborne Pk. Rd. *B17*
Harborne Rd. *B15*
—2C **72** (5A **8**)
Harborne Rd. *O'bry* —4B **54**
Harborough Ct. *S Cold*
—4E **13**
Harborough Dri. *B36* —1B **52**
Harbury Clo. *Min* —1F **89**
Harbury Rd. *B12* —3B **74**
Harcourt Dri. *S Cold* —2D **13**
Harcourt Rd. *B23* —1C **36**
Harden Ct. *N'fld* —5C **98**
Harden Mnr. Ct. *Hale* —5A **68**
Hardware St. *W Brom*
—3B **30**
Hardwicke Wlk. *B14*
—4B **102**
Hardwick Rd. *Sol* —4C **78**
Hardwick Rd. *S Cold* —4A **12**
Harebell Gdns. *B38* —1D **111**
Harebell Wlk. *B37* —3B **66**
Harewell Dri. *S Cold* —5A **14**
Harewood Av. *B43* —2A **22**
Harewood Clo. *B28* —1C **104**
Harford St. *B19*
—1A **58** (3D **5**)
Hargate La. *W Brom* —3A **30**
Hargrave Rd. *Wat O* —4F **41**

Hargrave Rd. *Shir* —4A **104**
Hargreave Clo. *S Cold*
—5D **29**
Harland Rd. *S Cold* —3E **13**
Harlech Clo. *B32* —4E **85**
Harlech Tower. *B23* —1E **37**
Harleston Rd. *B44* —4D **25**
Harlow Gro. *B28* —5E **93**
Harman Rd. *S Cold* —5F **27**
Harmer St. *B18* —5E **45**
Harold Rd. *B16* —4D **57**
Harold Rd. *Smeth* —2C **54**
Harpers Bldgs. *B12* —3E **75**
Harpers Rd. *May* —5E **103**
Harpers Rd. *N'fld* —4E **99**
Harrier Rd. *B27* —1B **94**
Harrier Way. *P Barr* —4B **34**
Harringay Rd. *B44* —2E **25**
Harris Ct. *Hock* —4E **45**
Harris Dri. *B42* —4E **23**
Harris Dri. *Smeth* —2F **55**
Harrison Rd. *B23 & B24*
—3D **37**
Harrisons Grn. *B15* —2C **72**
Harrisons Pleck. *B13* —5D **75**
Harrison's Rd. *B15* —2C **72**
Harrowfield Rd. *B33* —1C **62**
Harrow Rd. *B29* —5D **73**
Hart Dri. *S Cold* —4E **27**
Hartfield Cres. *B27* —1E **93**
Hartford Clo. *B17* —1E **71**
Hartington Rd. *B19* —2B **46**
Hartland Rd. *B31* —3C **108**
Hartledon Rd. *B17* —3F **71**
Hartley Gro. *B44* —1F **25**
Hartley Pl. *Edg* —5D **57**
Hartley Rd. *B44* —1F **25**
Hartopp Rd. *B8* —1C **60**
Hartopp Rd. *S Cold* —5D **13**
Hart Rd. *B24* —2E **37**
Hartsbourne Dri. *Hale*
—4B **68**
Harts Green. —3E 71
Harts Grn. Rd. *B17* —3E **71**
Hartshill Rd. *A Grn* —1B **94**
Hartshill Rd. *S End* —4E **51**
Harts Rd. *B8* —5C **48**
Hartswell Dri. *B13* —5D **91**
Hartwell Rd. *B24* —5F **37**
Harvard Rd. *Sol* —4E **79**
Harvest Clo. *B30* —5F **89**
Harvest Rd. *Smeth* —2B **54**
Harvey Ct. *B30* —4C **88**
Harvey Ct. *B33* —2B **64**
Harvey Dri. *S Cold* —4A **14**
Harvey M. *B30* —4C **88**
Harvey Rd. *B26* —1B **78**
Harvington Rd. *B29* —3E **87**
Harvington Rd. *O'bry*
—1E **69**

Harvington Way. *S Cold*
—4E **29**
Hasbury Rd. *B32* —3E **85**
Haseley Rd. *B21* —3C **44**
Haseley Rd. *Sol* —5C **94**
Haselor Rd. *S Cold* —3C **26**
Haselour Rd. *B37* —5D **53**
Haslucks Green. **—4D 105**
Haslucks Grn. Rd. *Shir*
—5C **104**
Hassop Rd. *B42* —5B **24**
Hastings Rd. *B23* —5F **25**
(in two parts)
Hatcham Rd. *B44* —2A **26**
Hatchett St. *B19*
—5C **46** (1F **5**)
Hatchford Av. *Sol* —5A **80**
Hatchford Brook Rd. *Sol*
—5A **80**
Hatchford Ct. *Sol* —5A **80**
Hatchford Wlk. *B37* —4F **65**
Hatfield Clo. *B25* —5B **26**
Hatfield Rd. *B19* —2B **46**
Hathaway Gro. *Tys* —3F **77**
Hathaway Rd. *Shir* —5F **105**
Hathaway Rd. *S Cold* —2E **13**
Hatherden Dri. *S Cold*
—2E **29**
Hathersage Rd. *B42* —5B **24**
Hatherton Gro. *B29* —2D **87**
Hattersley Gro. *B11* —5E **77**
Hatton Gdns. *B42* —5F **23**
Haughton Rd. *B20* —1B **46**
Haunch La. *B13* —5D **91**
Haunchwood Dri. *S Cold*
—5D **29**
Havelock Rd. *Greet* —4C **76**
Havelock Rd. *Hand* —1A **46**
Havelock Rd. *Salt* —5B **48**
Havelock Ter. *Hand* —3C **44**
Haven Cft. *B43* —4B **22**
Haven Dri. *B27* —5F **77**
Haven, The. *B14* —2B **104**
Haverford Dri. *Redn* —3F **107**
Hawcroft Gro. *B34* —4A **52**
Hawfield Gro. *S Cold* —5A **28**
Hawker Dri. *B35* —5D **39**
Hawkesbury Rd. *Shir*
—5D **105**
Hawkes Clo. *B30* —3E **89**
Hawkesford Clo. *B36* —2E **51**
Hawkesford Clo. *S Cold*
—5F **13**
Hawkesford Rd. *B33* —2B **64**
Hawkesley. —1C 110
Hawkesley Cres. *B31* —5D **99**
Hawkesley Dri. *B31* —1D **109**
Hawkesley End. *B38*
—1C **110**
Hawkesley Mill La. *B31*
—4D **91**
Hawkesley Sq. *B38* —2C **110**

Hawkes St. *B10* —5B **60**
Hawkestone Rd. *B29* —4E **87**
Hawkeswell Clo. *Sol* —2C **94**
Hawkeswell La. *Col* —2E **67**
Hawkesyard Rd. *B24* —1C **48**
Hawkhurst Rd. *B14* —4D **103**
Hawkinge Dri. *B35* —4E **39**
Hawkins Clo. *B5* —2C **74**
Hawkmoor Gdns. *B38*
—1E **111**
Hawkswood Gro. *B14*
—3F **103**
Hawnby Gro. *S Cold* —2E **27**
Hawthorn Brook Way. *B23*
—4C **26**
Hawthorn Clo. *B9* —4F **59**
Hawthorn Clo. *B23* —5D **27**
Hawthorn Coppice. *B30*
—2C **100**
Hawthorn Cft. *O'bry* —1B **70**
Hawthornden Ct. *S Cold*
—5B **28**
Hawthorne Rd. *Cas B*
—3C **52**
Hawthorne Rd. *Edg* —1C **72**
Hawthorne Rd. *K Nor*
—2B **100**
Hawthorn Gro. *B19* —2A **46**
Hawthorn Pk. *B20* —4C **32**
Hawthorn Pk. Dri. *B20*
—4D **33**
Hawthorn Rd. *B44* —4D **25**
Hawthorn Rd. *S'tly* —1E **17**
Hawthorn Rd. *W Grn* —3A **28**
Hawthorns Ind. Est. *Hand*
—1F **43**
Haxby Av. *B34* —4E **51**
Haybarn, The. *S Cold* —4E **29**
Haybrook Dri. *B11* —4D **77**
Haycroft Av. *B8* —5C **48**
Haycroft Dri. *S Cold* —2E **13**
Haydock Clo. *B36* —2A **50**
Haydon Cft. *B33* —2B **63**
Hayehouse Gro. *B36* —3C **50**
Hayes Cres. *O'bry* —5B **42**
Hayes Cft. *B38* —2C **110**
Hayes Gro. *B24* —1B **38**
Hayes Mdw. *S Cold* —5B **28**
Hayes Rd. *O'bry* —5B **42**
Hayes, The. *B31* —2A **110**
Hayfield Ct. *B13* —1F **91**
Hayfield Gdns. *B13* —1A **92**
Hayfield Rd. *B13* —1F **91**
Hay Grn. Clo. *B30* —5B **88**
Hay Grn. La. *B30* —1A **100**
Hay Hall Rd. *B11* —3D **77**
Hayland Rd. *B23* —1C **36**
Hayle Clo. *Tes* —
Hayle Ct. *Erd* —1A **38**
Hayley Grn. Rd. *B32* —3F **85**
Hayling Clo. *Redn* —5D **97**
Hay Mills. —2F 77
Hay Pk. *B5* —2B **74**

Haypits Clo. *W Brom* —1C **30**
Hay Rd. *B25* —1E **77**
Hays Kent Moat, The. *B26*
—4E **63**
Haytor Av. *B14* —1B **102**
Hayward Rd. *S Cold* —2A **20**
Haywards Clo. *B23* —2C **36**
Haywards Ind. Est. *Cas V*
—5F **39**
Haywood Dri. *Hale* —1A **68**
Haywood Rd. *B33* —3C **64**
Hazel Av. *S Cold* —3A **26**
Hazelbank. *B38* —4C **100**
Hazelbeach Rd. *B8* —5D **49**
Hazel Cft. *Chel W* —4F **65**
Hazel Cft. *N'fld* —5E **89**
Hazeldene Gro. *Aston*
—2C **46**
Hazeldene Rd. *B33* —1B **80**
Hazeley Clo. *B17* —1D **71**
Hazel Gdns. *B27* —4A **78**
Hazel Gro. *W Brom* —1A **42**
Hazelhurst Rd. *B24* —3F **51**
Hazelhurst Rd. *K Hth* —5C **90**
Hazelmead Ct. *S Cold*
—5E **27**
Hazelmere Rd. *B28* —2D **93**
Hazeloak Rd. *Shir* —5E **105**
Hazel Rd. *Redn* —3D **107**
Hazeltree Cft. *B27* —1F **93**
Hazelville Gro. *B28* —5E **93**
Hazelville Rd. *B28* —5E **93**
Hazelwell Cres. *B30* —5F **89**
Hazelwell Fordrough. *B30*
—4F **89**
Hazelwell La. *B30* —4F **89**
Hazelwell Rd. *B30* —5E **89**
Hazelwell St. *B30* —4E **89**
Hazelwood Rd. *B27* —1F **93**
Hazelwood Rd. *S Cold*
—1B **16**
Hazlemere Dri. *S Cold*
—1E **19**
Hazlitt Gro. *B30* —2B **100**
Headingley Rd. *B21* —5C **32**
Headland Dri. *B8* —5B **48**
Headlands, The. *S Cold*
—3A **12**
Headley Cft. *B38* —1B **110**
Headley Heath. —3F 111
Headley Heath La. *B38*
—2F **111**
Heanor Cft. *B6* —2F **47**
Heartland Parkway. *B7*
—5A **48**
Heartlands Pl. *B8* —1C **60**
Heathcliff Rd. *B11* —4D **77**
Heath Clo. *B30* —1B **100**
Heathcote Rd. *B30* —1E **101**
Heath Cft. *B31* —2E **109**
Heath Cft. Rd. *S Cold*
—5A **14**
Heather Clo. *B36* —2E **53**

Heather Ct. Gdns. *S Cold* —1F **19**
Heather Cft. *B44* —3D **25**
Heather Dale. *B13* —1B **90**
Heather Dri. *Redn* —3D **107**
Heatherleigh Rd. *B36* —2D **53**
Heather Rd. *B10 & Small H* —1D **77**
Heather Rd. *Gt Barr* —4A **22**
Heather Rd. *Smeth* —4C **42**
Heathfield Av. *B20* —2F **45**
Heathfield Ct. *Loz* —3F **45**
Heathfield Rd. *Hand* —2F **45**
Heathfield Rd. *K Hth* —3C **90**
Heathfield Rd. *S Cold* —3D **13**
Heathgreen Clo. *B37* —2B **66**
Heath Grn. Rd. *B18* —1C **56**
Heathland Av. *B34* —3E **51**
Heathlands Cres. *S Cold* —3D **27**
Heathlands Gro. *N'fld* —5E **99**
Heathlands Rd. *S Cold* —2D **27**
Heath La. *W Brom* —1B **30**
Heathleigh Rd. *B38* —1A **110**
Heathmere Av. *B25* —5B **62**
Heathmere Dri. *B37* —3D **65**
Heath Mill La. *B9* —4E **59** (4E **11**)
Heath Ri. *B14* —5E **103**
Heath Rd. *B30* —1A **100**
Heath Rd. S. *B31* —2F **99**
Heathside Dri. *B38* —5F **101**
Heath St. *Smeth & Birm* —5B **44**
Heath St. S. *B18* —1D **57**
Heath Trad. Est. *Smeth* —5B **44**
Heath Way. *B34* —3D **51**
Heathy Farm Clo. *B32* —2F **85**
Heathy Ri. *B32* —1E **85**
Heaton Dri. *B15* —5D **57**
Heaton Dri. *S Cold* —1D **19**
Heaton Rd. *Sol* —5D **95**
Heaton St. *B18* —5F **45** (1B **4**)
Hebden Gro. *B28* —3C **104**
Heddon Pl. *B7* —2E **59** (5F **7**)
Hedgetree Cft. *B37* —1B **66**
Hedgings, The. *B34* —4F **51**
Hedgley Gro. *B33* —1E **63**
Hedingham Gro. *B37* —3B **66**
Hedley Cft. *B35* —3F **39**
Heeley Rd. *B29* —1C **88**
Helena Pl. *Smeth* —3A **42**
Helena St. *B1* —2A **58** (1C **8**)
Hellaby Clo. *S Cold* —5F **19**
Helmswood Dri. *B37* —5A **66**

Helstone Gro. *B11* —5E **77**
Hembs Cres. *B43* —4A **22**
Hemlingford Cft. *B37* —1E **81**
Hemlingford Rd. *B37* —4C **52**
Hemlingford Rd. *S Cold* —5E **29**
Hemyock Rd. *B29* —3F **87**
Henbury Rd. *B27* —5B **78**
Henderson Ct. *O'bry* —1F **69**
Hendon Rd. *B11* —3F **75**
Heneage Pl. *B7* —1E **59** (4E **7**)
Heneage St. *B7* —1E **59** (3E **7**)
Heneage St. W. *B7* —1D **59** (4D **7**)
(in two parts)
Hengham Rd. *B26* —4E **63**
Henley Clo. *S Cold* —4F **27**
Henley Cres. *Sol* —4F **95**
Henley Dri. *S Cold* —3E **13**
Henley St. *B11* —1E **75**
Henlow Rd. *B14* —4D **103**
Hennalls, The. *B36* —3D **51**
Henrietta St. *B19* —1B **58** (4E **5**)
Henry Rd. *B25* —1A **78**
Henshaw Gro. *B25* —1A **78**
Henshaw Rd. *B10* —5B **60**
Henstead St. *B5* —5B **58** (5F **9**)
Henwood Cft. *B29* —1D **87**
Hepburn Edge. *B24* —3F **37**
Herbert Rd. *B10 & Small H* —4A **60**
Herbert Rd. *Hand* —1D **45**
Herbert Rd. *Smeth* —4E **55**
Herbert St. *W Brom* —4B **30**
Hereford Av. *S'brk* —2E **75**
Hereford Clo. *Redn* —4E **97**
Hereford Rd. *O'bry* —1F **69**
Hereford Sq. *Salt* —5B **48**
Hereford Wlk. *B37* —4D **65**
Hereward Ri. *Hale* —3A **68**
Heritage Clo. *O'bry* —1A **54**
Heritage Way. *B33* —2B **64**
Hermes Ct. *S Cold* —3D **13**
Hermes Ho. *B35* —3E **39**
Hermitage Dri. *S Cold* —5E **21**
Hermitage Rd. *Edg* —5A **56**
Hermitage Rd. *Erd* —4B **36**
Hermon Row. *B11* —3B **76**
Hernall Cft. *B26* —1E **79**
Herne Clo. *B18* —1F **57**
Hernefield Rd. *B34* —3E **51**
Hernehurst. *B32* —2F **69**
Heron Ct. *S Cold* —5F **27**
(off Florence Av.)
Herondale Rd. *B26* —2D **79**
Heronfield Dri. *B31* —3D **109**

Herons Way. *B29* —5A **72**
Heronswood Rd. *Redn* —3F **107**
Heron Way. *Redn* —2D **107**
Herrick Rd. *B8* —5C **48**
Herringshaw Cft. *S Cold* —1C **28**
Hertford St. *B12* —3E **75**
Hertford Ter. *B12* —3E **75**
Hervey Gro. *B24* —1B **38**
Hesketh Cres. *B23* —2A **36**
Heskett Av. *O'bry* —4A **54**
Hestia Dri. *B29* —3C **88**
Heston Av. *B42* —4E **23**
Hever Av. *B44* —3E **25**
Hewell Clo. *B31* —2D **109**
Hewitson Gdns. *Smeth* —3D **55**
Hexham Cft. *B36* —2A **50**
Hexton Clo. *Shir* —4B **104**
Heybarnes Cir. *Small H* —1D **77**
Heybarnes Rd. *B10* —1D **77**
Heycott Gro. *B38* —4A **102**
Heyford Way. *B35* —2F **39**
Heynesfield Rd. *B33* —2A **64**
Heythrop Gro. *B13* —3B **92**
Hickman Gdns. *B16* —4D **57**
Hickman Rd. *B11* —2F **75**
Hickmans Clo. *Hale* —2E **69**
Hickory Dri. *B17* —3F **55**
Hidcote Av. *S Cold* —4E **29**
Hidcote Gro. *Kitts G* —5A **64**
Hidcote Gro. *Mars G* —1E **81**
Hidson Rd. *B23* —2A **36**
Higgins La. *B32* —3A **70**
Higgins Wlk. *Smeth* —4F **43**
High Beeches. *B43* —3B **22**
Highbridge Rd. *S Cold* —3E **27**
High Brow. *B17* —1F **71**
Highbury Av. *Hand* —2D **45**
Highbury Rd. *B14* —3B **90**
Highbury Rd. *Smeth* —3B **42**
Highbury Rd. *S Cold* —3A **12**
Highcrest Clo. *B31* —2E **109**
High Cft. *B43* —3A **22**
Highcroft Clo. *Sol* —5A **80**
Highcroft Dri. *S Cold* —3C **12**
Highcroft Rd. *B23* —4C **36**
High Farm Rd. *H Grn* —1D **69**
Highfield Clo. *B28* —1B **104**
Highfield Ct. *S Cold* —3F **27**
Highfield Dri. *S Cold* —5D **27**
Highfield La. *B32* —3F **69**
Highfield Pl. *B14* —1B **104**
Highfield Rd. *B15 & Edg* —5E **57**
Highfield Rd. *Gt Barr* —5A **22**
Highfield Rd. *Mose* —5F **75**
Highfield Rd. *Salt* —1C **60**

Highfield Rd. *Smeth* —5D **43**
Highfield Rd. *Yard W &*
     Hall G —1B **104**
Highfield Ter. *Wash H*
                —5C **48**
Highgate. —1D 75
Highgate Clo. *B12* —1D **75**
Highgate Ho. B5 —5C **58**
(off Southacre Av.)
Highgate Middleway. *B12*
Highgate Pl. *B12* —1E **75**
Highgate Rd. *B12* —2E **75**
Highgate Sq. *B12* —1D **75**
Highgate St. *B12* —1D **75**
Highgate Trad. Est. *B12*
                —1E **75**
High Heath. —1F 21
High Heath Clo. *B30*
                —1B **100**
Highland Ridge. *Hale* —3C **68**
Highland Rd. *Erd* —2D **37**
Highland Rd. *Gt Barr* —1C **22**
High Mdw. Rd. *B38* —4E **101**
Highmore Dri. *B32* —3A **86**
High Pk. Clo. *Smeth* —5F **43**
High Point. *B15* —2C **72**
High St. *B4 & B2*
                —3C **58** (2A **10**)
High St. *Aston* —3C **46**
High St. *Bord*
                —4E **59** (4E **11**)
High St. *Erd* —3D **37**
High St. *Harb* —3A **72**
High St. *K Hth* —2A **90**
High St. *Quin* —2E **69**
High St. *Salt* —5B **48**
High St. *Shir* —4A **149**
High St. *Smeth* —4D **43**
High St. *S Cold* —3A **20**
High St. *W Brom* —3A **30**
High St. Deritend. *Der*
                —4D **59** (4D **11**)
Highters Clo. *B14* —4F **103**
Highter's Heath La. *B14*
                —5E **103**
Highters Rd. *B14* —3E **103**
High Timbers. *Redn* —5D **97**
High Tower. *B7* —5F **47**
Hightree Clo. *B32* —2F **85**
High Trees. *B20* —4D **33**
Highwood Av. *Sol* —2E **95**
Highwood Cft. *B38* —5B **100**
Hiker Gro. *B37* —3B **66**
Hilary Dri. *S Cold* —1E **29**
Hilary Gro. *B31* —2D **99**
Hilden Rd. *B7* —1A **58** (4F **7**)
Hilderstone Rd. *B25* —2A **78**
Hill. —2E 13
Hillaire Clo. *B38* —4A **102**
Hillaries Rd. *B23* —5B **36**
Hill Bank Dri. *B33* —1B **62**
Hill Bank Rd. *B38* —4E **101**

Hillborough Rd. *B27* —1C **94**
Hillbrook Gro. *B33* —2B **63**
Hillbrow Cres. *Hale* —1D **69**
Hill Clo. *B31* —5B **99**
Hillcrest Av. *B43* —2C **22**
Hillcrest Gro. *B44* —5E **25**
Hillcrest Rd. *B43* —2C **22**
Hill Crest Rd. *Mose* —1C **90**
Hillcrest Rd. *S Cold* —4A **28**
Hillcroft Ho. *B14* —4D **103**
Hill Cft. Rd. *K Hth* —5A **90**
Hillcross Wlk. *B36* —2D **51**
Hilldrop Gro. *B17* —5B **72**
Hilleys Cft. *B37* —2D **65**
Hillfield Rd. *B11* —5B **76**
Hillfields. *Smeth* —2B **54**
Hill Gro. *B20* —5A **34**
Hill Hook. —1C 12
Hill Hook Rd. *S Cold* —1C **12**
Hill Ho. La. *B33* —2D **63**
(in two parts)
Hillhurst Gro. *B36* —1B **52**
Hilliards Cft. *B42* —4E **23**
Hillingford Av. *B43* —1A **24**
Hill La. *Bass P* —4F **15**
Hill La. *Gt Barr* —2C **22**
Hillman Gro. *B36* —1D **53**
Hillmeads Rd. *B38* —5E **101**
Hillmorton. *S Cold* —3D **13**
Hill Morton Rd. *S Cold*
                —2D **13**
Hillmount Clo. *B28* —1C **92**
Hillside Clo. *B32* —3E **85**
Hillside Ct. *B43* —2B **22**
Hillside Cft. *Sol* —4C **80**
Hillside Dri. *Gt Barr* —1E **33**
Hillside Dri. *K'hrst* —1D **65**
Hillside Dri. *S Cold* —2D **17**
Hillside Gdns. *K'hrst* —1D **65**
Hillside Ho. *Redn* —1D **107**
Hillside Rd. *Erd* —5B **36**
Hillside Rd. *Gt Barr* —2B **22**
Hillside Rd. *S Cold* —2D **13**
Hillstone Rd. *B34* —5B **52**
Hill St. *B2 & B5*
                —3B **58** (2E **9**)
Hill St. *Smeth* —4E **43**
Hill, The. *B32* —1C **86**
Hill Top Av. *Hale* —1C **68**
Hill Top Clo. *B44* —1C **34**
Hill Top Dri. *B36* —3B **50**
Hill Top Rd. *B31* —3D **99**
Hill Top Rd. *O'bry* —3A **54**
Hillview Rd. *Redn* —1C **106**
Hill Village Rd. *S Cold*
                —1E **13**
Hill Wood. —2A 14
Hillwood Comn. Rd. *S Cold*
                —2F **13**
Hillwood Rd. *B31* —4C **86**
Hillwood Rd. *Hale* —1A **68**
Hillyfields Rd. *B23* —3A **36**
Hilton Av. *B28* —2C **104**

Hilton Dri. *S Cold* —4A **28**
Himley Clo. *B43* —2A **22**
Himley Gro. *Redn* —3F **107**
Hinckley Ct. *O'bry* —1F **69**
Hinckley St. *B5*
                —4B **58** (4F **9**)
Hindhead Rd. *B14* —2A **104**
Hindlow Clo. *B7*
                —1F **59** (4F **7**)
Hindon Gro. *B27* —4A **94**
Hindon Sq. *Edg* —5D **57**
Hindon Wlk. *B32* —1A **86**
Hingeston St. *B18*
                —1F **57** (3A **4**)
Hinstock Clo. *B20* —1D **45**
Hintlesham Av. *B15* —3B **72**
Hiplands Rd. *Hale* —4D **69**
Hipsley Clo. *B36* —1A **52**
Hipsmoor Clo. *B37* —2D **65**
Hitchcock Clo. *Smeth*
                —5B **42**
Hitches La. *B15* —1F **73**
Hive Ind. Est. *B18* —4E **45**
Hobacre Clo. *Redn* —1E **107**
Hobart Ct. *S Cold* —3E **13**
Hobart Cft. *B7* —1E **59** (3F **7**)
Hobhouse Clo. *B42* —5D **23**
Hobmoor Cft. *B25* —1B **78**
Hob Moor Rd. *Small H &*
                Yard —4D **61**
Hob's Mdw. *Sol* —1E **95**
Hobs Moat Rd. *Sol* —1F **95**
Hobson Clo. *B18* —5E **45**
Hobson Rd. *B29* —2F **89**
Hockley. —5F 45 (1B 4)
Hockley Brook Clo. *B18*
                —5E **45**
Hockley Brook Trad. Est.
                B18 —4E **45**
Hockley Cen. *B18*
                —1A **58** (3C **4**)
Hockley Cir. *B19*
                —4F **45** (1B **4**)
Hockley Clo. *B19* —4B **46**
Hockley Flyover.
                —4F **45** (1B **4**)
Hockley Hill. *B18*
                —5A **46** (1B **4**)
Hockley Hill Ind. Est. *B18*
                —5F **45** (2A **4**)
Hockley Ind. Est. *B18*
                —5F **45** (2A **4**)
Hockley Pool Clo. *B18*
                —5F **45** (2A **4**)
Hockley Port Bus. Cen.
                B18 —5F **45** (2A **4**)
Hockley Rd. *B23* —3B **36**
Hockley St. *B18 & B19*
                —1A **58** (3C **4**)
Hodgehill. —4B 50
Hodge Hill Comn. *B36*
                —3C **50**
Hodgehill Ct. *B36* —3C **50**

Hodge Hill Rd. *B34* —4C **50**
Hodgetts Clo. *Smeth* —2B **54**
Hodnell Clo. *B36* —1A **52**
Hodnet Gro. *B5* —5C **58**
Hoff Beck Ct. *B9* —3F **59**
Hogarth Clo. *B43* —4B **16**
Hogg's La. *B31* —2C **98**
Holbeach Rd. *B33* —3F **63**
Holbeche Rd. *S Cold* —4F **21**
Holborn Hill. *B6 & B7*
   —2F **47**
Holbrook Tower. *B36*
   —2A **50**
Holcombe Rd. *B11* —4E **77**
Holden Clo. *B23* —5C **36**
Holdens, The. *B28* —5C **92**
Holder Rd. *S'brk* —2A **76**
Holder Rd. *Yard* —1A **78**
Holders Gdns. *B13* —1A **90**
Holders La. *B13* —1A **90**
Holdford Rd. *B6 & Witt*
   —5D **35**
Holdgate Rd. *B29* —4A **88**
Hole Farm Rd. *B31* —2A **100**
Hole Farm Way. *B38*
   —2D **111**
Hole La. *B31* —5A **88**
Holford Dri. *P Barr & Holf*
   —3C **34**
Holford Way. *Holf* —3D **35**
Holifast Rd. *S Cold* —5F **21**
Holland Av. *O'bry* —1B **54**
Holland Ho. *B19* —2E **5**
Holland Rd. *Gt Barr* —5B **22**
Holland Rd. *S Cold* —1F **27**
Holland Rd. E. *Aston* —4E **47**
Holland Rd. W. *Aston*
   —4D **47**
Holland St. *B3*
   —2A **58** (1C **8**)
Holland St. *S Cold* —5F **19**
Holliars Gro. *B37* —5D **53**
Holliday Pas. *B1*
   —4A **58** (4D **9**)
Holliday Rd. *Erd* —3E **37**
Holliday Rd. *Hand* —3D **45**
Holliday St. *B1*
   —4A **58** (4C **8**)
Holliday Wharf. *B1*
   —4A **58** (4D **9**)
Hollie Lucas Rd. *B13*
   —4D **91**
Hollies Cft. *B5* —3A **74**
Hollies Dri. *Hale* —2B **68**
Hollies, The. *B6* —2F **47**
Hollies, The. *B16* —2D **57**
Hollies, The. *Smeth* —1A **56**
Hollingbury La. *S Cold*
   —1D **29**
Hollington Cres. *B33*
   —1E **63**
Hollister Dri. *B32* —5D **71**
Holloway. *B31* —5C **86**

Holloway Cir. Queensway.
   B1 —4B **58** (4F **9**)
Holloway Head. *B1*
   —4B **58** (5E **9**)
Hollow Cft. *B31* —3F **59**
Hollowmeadow Ho. *B36*
   —2B **50**
Hollow, The. *B13* —4C **74**
Holly Acre. *Erd* —3A **38**
Holly Av. *B12* —3E **75**
Holly Av. *S Oak* —2F **89**
Hollybank Clo. *B13* —5E **91**
Hollybank Rd. *B13* —4E **91**
Hollyberry Cft. *B34* —4A **52**
Hollybrow. *B29* —4E **87**
Hollybush Gro. *B32* —1B **70**
Holly Clo. *S Cold* —2D **29**
Hollycot Gdns. *B12* —2D **75**
Holly Ct. *B23* —2E **37**
Hollycroft Rd. *B21* —1B **44**
Hollydale Rd. *B24* —1A **68**
Holly Dell. *B38* —4F **101**
Holly Dri. *B27* —1F **89**
Hollyfaste Rd. *B33* —4F **63**
Hollyfield Ct. *S Cold* —4C **20**
Hollyfield Cres. *S Cold*
   —5C **21**
Hollyfield Dri. *S Cold* —4C **20**
Hollyfield Rd. *S Cold* —4C **20**
Hollyfield Rd. S. *S Cold*
   —5D **21**
Holly Gro. *B29* —1D **89**
(in two parts)
Holly Gro. *B30* —3D **89**
Holly Gro. *Hand* —2F **45**
Hollyhedge Clo. *B31* —5B **86**
Hollyhedge Rd. *W Brom*
   —1C **30**
Holly Hill. *Redn* —5D **97**
Holly Hill Rd. *Redn* —4E **97**
Holly Hill Shop. Cen. *Redn*
   —5E **97**
Hollyhock Rd. *B27* —2D **93**
Hollyhurst Gro. *B26* —2C **78**
Hollyhurst Gro. *Shir* —5F **105**
Hollyhurst Rd. *S Cold*
   —1F **25**
Holly La. *Erd* —2F **37**
Holly La. *Mars G* —5D **65**
Holly La. *Smeth* —5B **42**
Holly La. *S Cold* —3E **13**
Holly Lodge Wlk. *B37*
   —3D **65**
Hollymoor Way. *B31* —5F **97**
Hollymount. *Hale* —1E **69**
Hollyoak Cft. *N'fld* —1F **109**
Hollyoak Rd. *S Cold* —3D **17**
Hollyoak St. *W Brom* —3B **30**
Holly Pk. Dri. *B24* —4F **37**
Holly Pl. *Aston* —2B **46**
Holly Pl. *S Oak* —1F **89**
Holly Rd. *Edg* —4B **56**
Holly Rd. *Hand* —2D **45**

Holly Rd. *K Nor* —2E **101**
Holly Rd. *O'bry* —5A **54**
Holly St. *Smeth* —5D **43**
Hollywell Rd. *B26* —2F **79**
Hollywood. —5E **103**
Holly Wood. *B43* —3E **23**
Hollywood By-Pass.
   —5C **102**
Hollywood Cft. *B42* —4D **23**
Holmes Clo. *B43* —5C **22**
Holmes Dri. *Redn* —3D **107**
Holmesfield Rd. *B42* —5A **24**
Holmwood Rd. *B10* —4B **60**
Holt Ct. N. *B7* —1D **59** (4D **7**)
Holt Ct. S. *B7* —1D **59** (4D **7**)
Holte Dri. *S Cold* —4B **14**
Holte Rd. *B11* —3B **76**
Holte Rd. *Aston* —1E **47**
Holtes Wlk. *B6* —2F **47**
Holt St. *B7* —1D **59** (3C **6**)
Holyhead Rd. *B21* —1F **43**
Holyhead Way. *B21* —2B **44**
Holyoak Rd. *Aston* —1D **47**
Holyrood Gro. *Aston* —2C **46**
Holy Well Clo. *B16* —3E **57**
Holywell La. *Redn* —3B **106**
Home Clo. *B28* —5D **93**
Homecroft Rd. *B25* —5C **62**
Homedene Rd. *B31* —4C **86**
Homelands. *B42* —5F **23**
Homelea Rd. *B25* —5B **62**
Homemead Gro. *Redn*
   —2D **107**
Homer Rd. *S Cold* —4A **14**
Homer St. *B12* —3D **75**
Homestead Dri. *S Cold*
   —3A **14**
Homestead Rd. *B33* —4F **63**
Home Tower. *B7* —5F **47**
Homewood Clo. *S Cold*
   —1C **28**
Honeswode Clo. *B20* —2E **45**
Honeyborne Rd. *S Cold*
   —2B **20**
Honeybourne Rd. *B33*
   —5A **64**
Honeybourne Rd. *Hale*
   —5A **68**
Honeysuckle Clo. *B32*
   —3F **69**
Honeysuckle Gro. *B27*
   —3A **78**
Honiley Dri. *S Cold* —2A **26**
Honiley Rd. *B33* —3B **63**
Honiton Clo. *B31* —2C **98**
Honiton Cres. *B31* —2C **98**
Honiton Wlk. *Smeth* —5F **43**
Hood Gro. *B30* —2B **100**
Hook Dri. *S Cold* —3D **13**
Hooper St. *B18* —1D **57**
Hoosen Clo. *Hale* —2E **69**
Hopedale Rd. *B32* —3A **70**

Hope Pl. *B29* —1D **89**
Hope St. *B5* —5C **58**
Hope St. *Hale* —1B **68**
Hope St. *W Brom* —5C **30**
　　　　　—1C **30**
Hopkins Dri. *W Brom*
　　　　　—1C **30**
Hopstone Rd. *B29* —2E **87**
Hopton Gro. *B13* —1A **104**
Hopwas Gro. *B37* —5D **53**
Hopwood. —5A 110
Hopwood Dri. *B31* —3C **108**
Horatio Dri. *Mose* —4D **75**
Hornbeam Clo. *B29* —4F **87**
Hornbrook Gro. *Sol* —4A **94**
Hornby Gro. *B14* —2B **104**
Horne Way. *B34* —5C **52**
Hornsey Gro. *B44* —2E **25**
Hornsey Rd. *B44* —2E **25**
Hornton Clo. *S Cold* —1B **12**
Horrell Rd. *B26* —1E **79**
Horrell Rd. *Shir* —4D **105**
Horse Fair. *B5 & B1*
　　　　　—4B **58** (4F **9**)
Horselea Cft. *B8* —1A **62**
Horse Shoes La. *B26*
　　　　　—3F **79**
Horseshoe, The. *O'bry*
　　　　　—3A **54**
Horsfall Rd. *S Cold* —4E **21**
Horsley Rd. *B43* —5B **16**
Horton Sq. *B12* —1C **74**
Horton St. *W Brom* —5A **30**
Hospital Dri. *Edg* —4C **72**
Hospital St. *B19*
　　　　　—5B **46** (2F **5**)
(in two parts)
Hothersall Dri. *S Cold*
　　　　　—4D **27**
Hotspur Rd. *B44* —3D **25**
Hough Rd. *B14* —5B **90**
Houghton Ct. *Hall G* —2B **104**
Houghton St. *W Brom*
　　　　　—2B **42**
Houldey Rd. *B31* —5F **99**
Hove Rd. *B27* —2A **94**
Howard Rd. *Gt Barr* —4A **22**
Howard Rd. *Hand* —5F **33**
Howard Rd. *K Hth* —4B **90**
Howard Rd. *Sol* —5C **78**
Howard Rd. *Yard* —1A **78**
Howard Rd. E. *B13* —4D **91**
Howard St. *B19*
　　　　　—1B **58** (3E **5**)
Howarth Way. *B6* —3E **47**
Howden Pl. *B33* —5E **51**
Howes Cft. *B35* —5E **39**
Howe St. *B4* —2D **59** (5D **7**)
Howford Gro. *B7*
　　　　　—1F **59** (3F **7**)
Howley Av. *B44* —3C **24**
Howley Grange Rd. *Hale*
　　　　　—3D **69**
Hoyland Way. *B30* —3C **88**

Hubert Cft. *B29* —1D **89**
Hubert Rd. *B29* —1D **89**
Hubert St. *B6* —5D **47** (1D **7**)
Huddleston Way. *B29*
　　　　　—2A **88**
Hudson Rd. *B20* —3D **33**
Hudson's Dri. *B30* —2E **101**
Hugh Rd. *B10* —4C **60**
Hugh Rd. *Smeth* —5B **62**
Hullbrook Rd. *B13* —1A **104**
Humber Av. *S Cold* —5E **29**
Humber Gro. *B36* —5D **53**
Humberstone Rd. *B24*
　　　　　—3C **38**
Humber Tower. *B7*
　　　　　—1E **59** (3F **7**)
Hume St. *Smeth* —1F **55**
Humpage Rd. *B9* —2C **60**
Humphrey Middlemore Dri.
　　　　　B17 —4B **72**
Hundred Acre Rd. *S Cold*
　　　　　—2D **17**
Hungerfield Rd. *B36* —1A **52**
Hunnington. —4A 84
Hunnington Clo. *B32* —2E **85**
Hunscote Clo. *Shir* —5D **105**
Hunslet Rd. *B32* —4D **71**
Hunstanton Av. *B17* —1D **71**
Hunter Ct. *B5* —3B **74**
Hunter's Heath. —4E 103
Hunter's Rd. *B19* —3F **45**
Hunter's Va. *B19* —4A **46**
Hunters Wlk. *B23* —4A **26**
Huntly Rd. *B16* —4E **57**
Hunton Ct. B23 —5C **36**
(off Gravelly Hill N.)
Hunton Hill. *B23* —4B **36**
Hunton Rd. *B23* —4C **36**
Hunt's Rd. *B30* —4C **89**
Hurdis Rd. *Shir* —3E **105**
Hurdlow Av. *B18*
　　　　　—5F **45** (1A **4**)
Hurley Clo. *S Cold* —2A **28**
Hurley Gro. *B37* —5D **53**
Hurlingham Rd. *B44* —2E **25**
Hurst Clo. *B36* —3C **52**
Hurstcroft Rd. *B33* —2F **63**
Hurst Grn. Rd. *Min* —1B **40**
Hurst La. *B34* —4B **52**
Hurst La. N. *B36* —3C **52**
Hurst Rd. *Smeth* —2B **54**
Hurst St. *B5* —4C **58** (5A **10**)
(in two parts)
Hurst, The. *Mose* —4A **90**
Hurstway, The. *B23* —4A **26**
Hurstwood Rd. *B23* —4A **26**
Hutton Av. *B8* —5B **48**
Hutton Rd. *Hand* —1F **45**
Hutton Rd. *Salt* —5B **48**
Hyde Rd. *B16* —3D **57**
Hylda Rd. *B20* —1F **45**
Hylton St. *B18*
　　　　　—5A **46** (2B **4**)

Hyperion Rd. *B36* —1C **50**
Hyperion Hall Rd. *B27* —1A **94**
Hyssop Clo. *B7*
　　　　　—5E **47** (2F **7**)
Hytall Rd. *Shir* —4A **104**
Hythe Gro. *B25* —5B **62**

Ibberton Rd. *B14* —3F **103**
Icknield Clo. *S Cold* —1E **17**
Icknield Port Rd. *B16*
　　　　　—1C **56**
Icknield Sq. *B16* —2E **57**
Icknield St. *Hock*
　　　　　—1F **57** (5A **4**)
(in two parts)
Icknield St. *K Nor & A'chu*
　　　　　—1E **111**
Ida Rd. *W Brom* —1B **42**
Idbury Rd. *B44* —5E **25**
Idmiston Cft. *B14* —4D **103**
Ikon Gallery. —3A 58 (3C 8)
Ilford Rd. *B23* —1B **36**
Iliffe Way. *B17* —4B **72**
Ilkley Gro. *B37* —3D **65**
Illey. —3C 84
Illeybrook Sq. *B32* —1B **86**
Illey Clo. *B31* —5F **97**
Illey La. *Hale & B32* —2A **84**
Ilmington Dri. *S Cold* —1A **26**
Ilmington Rd. *B29* —2D **87**
Ilsham Gro. *B31* —3C **108**
Ilsley Rd. *B23* —2C **36**
Imex Bus. Pk. *B9* —3B **60**
Imperial Rd. *B9* —3C **60**
Impsley Clo. *B36* —2F **51**
Inchcape Av. *B20* —4E **33**
Ingestre Dri. *B43* —3B **22**
Inge St. *B5* —4C **58** (5F **9**)
Ingestre Rd. *B28* —4D **93**
Ingham Way. *B17* —5E **55**
Inglefield Rd. *B33* —2D **63**
Inglemere Gro. *B29* —4D **87**
Inglenook Dri. *B20* —5F **33**
Ingleton Rd. *B8* —3A **49**
Inglewood Rd. *B11* —3A **76**
Ingoldsby Rd. *B31* —2A **100**
Ingram Gro. *B27* —1E **93**
Inkerman St. *B7* —2F **59**
(in two parts)
Inland Rd. *B24* —5F **37**
Innage Rd. *B31* —2F **99**
Innsworth Dri. *B35* —3E **39**
Inshaw Clo. *B33* —2C **62**
Institute Rd. *B14* —3D **91**
Insull Av. *B14* —5F **103**
International Convention
Cen. —3A 58 (2C 8)
International Dri. *Birm A*
　　　　　—4A **82**
International Ho. *B37*
　　　　　—3B **82**
Inverclyde Rd. *B20* —4E **33**

Inverness Rd.—Keer Ct.

Inverness Rd. *B31* —3C **98**
Ipsley Gro. *B23* —2E **35**
Ipstones Av. *B33* —1D **63**
Ipswich Cres. *B42* —5F **23**
Ipswich Wlk. *B37* —3F **65**
Ireton Rd. *B20* —3E **33**
Iris Clo. *B29* —3F **87**
Iris Dri. *B14* —2B **102**
Irnham Rd. *S Cold* —4E **13**
Iron La. *B33* —1B **62**
Irving Rd. *Sol* —4C **80**
Irving St. *B1* —4B **58** (5E **9**)
Irwin Av. *Redn* —3A **108**
Isbourne Way. *B9* —3F **59**
Isis Gro. *B36* —2D **53**
Island Rd. *B21* —1A **44**
Islington Row Middleway.
  B15 —4F **57** (5A **8**)
Ismere Rd. *B24* —5F **37**
Ithon Gro. *B38* —1C **110**
Ivanhoe Rd. *B43* —1F **23**
Iverley Rd. *Hale* —4A **68**
Ivor Rd. *B11* —4F **75**
Ivy Av. *B12* —3F **75**
  (Chesterton Rd.)
Ivy Av. *B12* —3F **75**
  (Runcorn Rd.)
Ivybridge Gro. *B42* —4A **34**
Ivydale Av. *B26* —3A **80**
Ivyfield Rd. *B23* —2F **35**
Ivy Gro. *B18* —1C **56**
Ivyhouse Rd. *B38* —1A **110**
Ivy La. *B9* —3E **59** (2F **11**)
Ivy Lodge Clo. *Mars G*
  —1E **83**
Ivy Pl. *B29* —1D **89**
Ivy Rd. *Hand* —3E **45**
Ivy Rd. *Stir* —5E **89**
Ivy Rd. *S Cold* —2D **27**
Izons Rd. *W Brom* —4A **30**

J

Jacey Rd. *B16* —3B **56**
Jacey Rd. *Shir* —2F **105**
Jackdaw Dri. *B36* —2E **53**
Jackson Av. *B8* —1D **61**
Jackson Clo. *O'bry* —5A **42**
Jackson Dri. *Smeth* —5B **42**
Jackson Rd. *B8* —1D **61**
Jackson St. *O'bry* —1A **54**
Jackson Wlk. *B35* —5E **39**
Jackson Way. *B32* —3E **69**
Jacmar Cres. *Smeth* —4C **42**
Jacoby Pl. *B5* —3F **73**
Jaffray Cres. *B24* —4D **37**
Jaffray Rd. *B24* —4D **37**
Jakeman Rd. *B12* —3C **74**
James Brindley Wlk. *B1*
  —3A **58** (2C **8**)
James Clo. *Smeth* —5E **43**
James Eaton Clo. *W Brom*
  —2A **30**
James Ho. *B19* —1C **4**

James Memorial Homes.
  (off Stuart St.) *B7* —3A **48**
Jameson Rd. *B6* —2A **48**
James Rd. *Gt Barr* —5C **22**
James Rd. *Tys* —2D **77**
James St. *B3* —2A **58** (5D **5**)
James Turner St. *B18*
  —4C **44**
James Watt Dri. *B19* —2F **45**
James Watt Ho. *Smeth*
  —5F **43**
James Watt Point. *B6*
  —2F **47**
James Watt Queensway.
  B4 —2C **58** (5B **6**)
James Watt St. *B4*
  —2C **58** (1B **10**)
Janice Gro. *B14* —2F **103**
Jaques Clo. *Wat O* —5F **41**
Jardine Rd. *B6* —1D **47**
Jarvis Rd. *B23* —1D **37**
Jarvis Way. *B24* —2C **48**
Jasmin Cft. *B14* —2C **102**
Jayshaw Av. *B43* —4C **22**
Jenkins St. *B10* —5A **60**
Jennens Rd. *B4 & B7*
  —2D **59** (1C **10**)
Jennifer Wlk. *B25* —5C **62**
Jephcott Gro. *B8* —1E **61**
Jephcott Rd. *B8* —1E **61**
Jephson Dri. *B26* —1D **79**
Jeremy Gro. *Sol* —4F **79**
Jerome Ct. *S Cold* —1D **17**
Jerome Rd. *S Cold* —5B **20**
Jerrard Ct. *S Cold* —4A **20**
Jerrard Dri. *S Cold* —4A **20**
Jerry's La. *B23* —5B **26**
Jersey Cft. *B36* —1B **62**
Jersey Rd. *B8* —1B **60**
Jervis Cres. *S Cold* —3B **12**
Jervoise Dri. *B31* —1F **99**
Jervoise Rd. *B29* —2D **87**
Jesmond Gro. *B24* —3C **38**
Jesson Rd. *S Cold* —4E **21**
Jesson St. *W Brom* —5C **30**
Jevons Rd. *S Cold* —1A **26**
Jewellery Quarter.
  —1A **58** (4C **4**)
Jewellery Quarter
Discovery Cen.
  —5A **46** (2C **4**)
Jiggin's La. *B32* —3A **86**
Jill Av. *B43* —4A **22**
Jillcot Rd. *Sol* —5F **79**
Jinnah Clo. *B12* —5D **59**
Jockey Rd. *S Cold* —2B **26**
John Bright St. *B1*
  —3B **58** (3F **9**)
John Feeney Tower. *B31*
  —4D **87**
John Kempe Way. *B12*
  —1E **75**
John Rd. *Hale* —5D **69**

Johns Gro. *B43* —4A **22**
John Smith Ho. *B1*
  —2A **58** (1C **8**)
Johnson Clo. *S'hll* —3A **76**
Johnson Clo. *W End* —4A **50**
Johnson Dri. *B35* —4D **39**
Johnson Rd. *B23* —2D **37**
Johnsons Bri. Rd. *W Brom*
  —1A **30**
Johnsons Gro. *O'bry* —5A **54**
Johnson St. *B7* —4A **48**
Johnstone St. *B19* —2B **46**
Johnston St. *W Brom*
  —1B **42**
John St. *B19* —3F **45**
John St. *W Brom* —3A **30**
John St. N. *W Brom* —2A **30**
Joinings Bank. *O'bry* —1A **54**
Jones Wood Clo. *S Cold*
  —5D **29**
Jordan Clo. *Smeth* —5F **43**
Jordan Clo. *S Cold* —5F **13**
Jordan Ho. *B36* —2C **50**
Jordan Rd. *S Cold* —5F **13**
Josiah Rd. *B31* —4B **98**
Jubilee Rd. *Redn* —4C **96**
Julia Av. *B24* —3D **39**
Juliet Rd. *Hale* —5D **69**
Junction Rd. *B21* —2A **44**
June Cft. *B26* —3B **80**
Juniper Clo. *B27* —3F **77**
Juniper Clo. *S Cold* —1D **29**
Juniper Dri. *S Cold* —5E **29**
Juniper Dri. *Wals* —1A **22**
Juniper Ho. *B20* —4D **33**
Juniper Rd. *B36* —3D **51**
Jutland Rd. *B13* —4F **91**

K

Katherine Rd. *Smeth*
  —3D **55**
Kathleen Rd. *B25* —1A **78**
Kathleen Rd. *S Cold* —5A **20**
Katie Rd. *B29* —2C **88**
Keanscott Dri. *O'bry* —1A **54**
Keating Gdns. *S Cold* —1E **13**
Keatley Av. *B33* —3C **64**
Keats Av. *B10* —1B **76**
Keats Gro. *B27* —2F **93**
Keats Ho. *O'bry* —1A **54**
Keble Gro. *B26* —2F **79**
Keble Ho. *B37* —3E **65**
Kedleston Ct. *B28* —2D **105**
Kedleston Rd. *B28* —5D **93**
Keel Dri. *B13* —2B **92**
Keele Ho. *B37* —1F **65**
Keeley St. *B9* —3F **59** (4F **11**)
Keen St. *Smeth* —1B **56**
Keepers Clo. *Col* —1D **67**
Keepers Ga. Clo. *S Cold*
  —2A **20**
Keepers Rd. *S Cold* —1A **12**
Keer Ct. *B9* —3F **59**

Kegworth Rd. *B23* —5A **36**
Kelby Clo. *B31* —2C **98**
Kelby Rd. *B31* —2D **99**
Kelfield Av. *B17* —4F **71**
Kelham Pl. *Sol* —2F **95**
Kellett Rd. *B7* —1E **59** (3E **7**)
Kellington Clo. *B8* —1D **61**
Kelmscott Rd. *B17* —1F **71**
Kelsall Cft. *B1* —2F **57** (1A **8**)
Kelsey Clo. *B7* —1F **59** (3F **7**)
Kelsull Cft. *B37* —3E **65**
Kelton Ct. *B15* —1E **73**
Kelverdale Gro. *B14*
—2A **102**
Kelvin Rd. *B31* —5E **99**
Kelvin Way. *W Brom* —1A **42**
Kelvin Way Ind. Est.
W Brom —2A **42**
Kelway Av. *B43* —1F **23**
Kelynmead Rd. *B33* —3E **63**
Kemberton Rd. *B29* —1E **87**
Kemble Cft. *B5* —1C **74**
Kemble Dri. *B35* —4E **39**
Kemble Tower. *B35* —4E **39**
Kempe Rd. *B33* —1E **63**
Kempsey Clo. *Sol* —5E **79**
Kempsey Covert. *B38*
—2C **110**
Kempsey Ho. *B32* —3E **85**
Kempson Av. *S Cold* —3A **28**
Kempson Rd. *B36* —2C **50**
Kempton Pk. Rd. *B36*
—2B **50**
Kemshead Av. *B31* —1C **108**
Kemsley Rd. *B14* —4D **103**
Kenchester Ho. *B16* —3A **8**
Kendal Av. *Redn* —2F **107**
Kendal Ct. *B23* —4F **35**
Kendal Ri. *O'bry* —2A **54**
Kendal Ri. Rd. *Redn* —2F **107**
Kendal Rd. *B11* —1F **75**
Kendal Tower. *B17* —3B **72**
Kendrick Av. *B34* —5C **52**
Kendrick Rd. *S Cold* —2D **39**
Keneggy M. *B29* —1D **89**
Kenelm Rd. *B10* —5C **60**
Kenelm Rd. *Sol* —5F **19**
Kenilworth Clo. *S Cold*
—1E **19**
Kenilworth Ct. *B16* —5D **57**
Kenilworth Ct. *B24* —5C **36**
Kenilworth Rd. *B20* —1C **46**
Kenilworth Rd. *Col* —4E **67**
Kenilworth Rd. *O'bry* —5B **54**
Kenley Gro. *B30* —3F **101**
Kenmure Rd. *B33* —1A **80**
Kennedy Clo. *S Cold* —5A **20**
Kennedy Cft. *B26* —1E **79**
Kennedy Gro. *B30* —5F **89**
Kennedy Ho. *O'bry* —1F **69**
Kennedy Tower. *B4* —5F **5**
Kennerley Rd. *B25* —2B **78**

Kennet Gro. *B36* —2D **53**
Kenneth Gro. *B23* —2E **35**
Kenrick Cft. *B35* —5E **39**
Kenrick Ho. *W Brom* —1C **42**
Kenrick Way. *W Brom*
(B70) —2B **42**
Kenrick Way. *W Brom*
(B71) —1D **43**
Kensington Av. *B12* —4E **75**
Kensington Dri. *S Cold*
—1D **13**
Kensington Rd. *B29* —1E **89**
Kensington St. *B19* —4B **46**
Kenstone Cft. *B12* —1D **75**
Kent Clo. *W Brom* —1A **30**
Kentish Rd. *B21 & Midd I*
—2A **44**
Kentmere Tower. *B23*
—1F **37**
Kenton Wlk. *B29* —1D **89**
Kent Rd. *Hale* —2C **68**
Kent Rd. *Redn* —5D **97**
Kents Clo. *Sol* —5D **79**
Kent St. *B5* —5C **58** (5A **10**)
Kent St. N. *B18* —5D **45**
Kenward Cft. *B17* —1D **71**
Kenwick Rd. *B17* —4F **71**
Kenwood Rd. *B9* —2F **61**
Kenyon St. *B18*
—1A **58** (4D **5**)
Kerby Rd. *B23* —3A **36**
Keresley Clo. *B29* —1D **87**
Kernthorpe Rd. *B14*
—2B **102**
Kerria Ct. *B15*
—5B **58** (5E **9**)
Kerry Clo. *B31* —5D **87**
Kesterton Rd. *S Cold*
—1C **12**
Kesterton Tower. *B23*
—2F **35**
Kesteven Clo. *B15* —2F **73**
Kesteven Rd. *W Brom*
—1A **30**
Keston Rd. *B44* —5D **17**
Kestrel Av. *B25* —5F **61**
Kestrel Clo. *B23* —1B **36**
Kestrel Dri. *S Cold* —1D **13**
Kestrel Gro. *B30* —3B **88**
Keswick Rd. *Sol* —4D **79**
Ketley Cft. *B12* —1D **75**
Kettlehouse Rd. *B44*
—1D **25**
Kettles Wood Dri. *B32*
—1F **85**
Kettlewell Way. *B37* —3D **65**
Ketton Gro. *B33* —1B **80**
Kew Clo. *B37* —2D **65**
Kew Gdns. *B33* —4B **62**
Kewstoke Cft. *B31* —5C **86**
Key Hill. *B18* —5F **45** (1B **4**)
Key Hill Dri. *B18*
—5F **45** (2B **4**)

Keynell Covert. *B30* —3A **102**
Keys Cres. *W Brom* —1A **30**
Keyse Rd. *S Cold* —2D **21**
Kielder Clo. *Wals* —1A **22**
Kilburn Gro. *B44* —1D **25**
Kilburn Rd. *B44* —1D **25**
Kilby Av. *B16* —3E **57** (2A **8**)
(in two parts)
Kilbys Gro. *B20* —5D **19**
Kilcote Rd. *Shir* —4A **104**
Kilmet Wlk. *Smeth* —5E **43**
Kilmore Cft. *B36* —1C **50**
Kilmorie Rd. *B27* —3A **78**
Kiln La. *B25* —2F **77**
Kimberley Av. *B8* —5C **48**
Kimberley Rd. *Smeth* —3E **43**
Kimberley Rd. *Sol* —1E **95**
Kimberley Wlk. *Min* —1B **40**
Kimble Gro. *B24* —4B **38**
Kimpton Clo. *B14* —4C **102**
Kimsan Cft. *S Cold* —2E **17**
Kineton Cft. *B32* —3B **86**
Kineton Grn. Rd. *Sol* —3B **94**
Kineton Rd. *Redn* —2C **106**
Kineton Rd. *S Cold* —3C **26**
King Alfreds Pl. *B1*
—3A **58** (2C **8**)
King Charles Ct. *K'sdng*
—2F **25**
King Charles Rd. *Hale*
—4D **69**
King Edward Rd. *B13*
—5D **75**
King Edwards Clo. *B20*
—2F **45**
King Edwards Gdns. *B20*
—3F **45**
King Edwards Rd. *B1*
(Edward St.) —3F **57** (2B **8**)
King Edwards Rd. *B1*
—2E **57** (5A **4**)
(Ladywood Middleway)
King Edwards Sq. *S Cold*
—3A **20**
Kingfield Rd. *Shir* —4A **104**
Kingfisher Clo. *B26* —2E **79**
Kingfisher Dri. *B36* —2E **53**
Kingfisher Vw. *B34* —5E **51**
Kingfisher Way. *B30* —3B **88**
Kingham Covert. *B14*
—4B **102**
Kingsbridge Rd. *B32* —2B **86**
Kingsbridge Wlk. *Smeth*
—5F **43**
Kingsbury Av. *B24* —4B **38**
Kingsbury Clo. *Min* —2B **40**
Kingsbury Ind. Pk. *Min*
—1C **40**
Kingsbury Rd. *B24 & Erd*
—5C **36**
Kingsbury Rd. *Cas V*
—4D **39**
Kingsbury Rd. *Min* —2A **40**

Kings Bus. Pk.—Lamb Clo.

Kings Bus. Pk. *Gt Barr*
—1C **24**
Kingscliff Rd. *B10* —5E **61**
King's Clo. *B14* —5A **90**
Kingscote Rd. *B15* —2B **72**
Kingscote Ho. *B26* —3E **79**
Kings Ct. *S Cold* —3F **13**
Kings Cft. *Cas B* —3D **53**
Kingscroft Clo. *S Cold*
—2E **17**
Kingscroft Rd. *S Cold*
—1E **17**
Kingsdown Av. *B42* —1D **33**
Kingsdown Rd. *B31* —2D **87**
Kingsfield Rd. *B14* —3C **90**
Kingsford Clo. *B36* —1B **52**
Kings Gdns. *B30* —2C **100**
Kingsgate Ho. *B37* —3E **65**
Kings Grn. Av. *B38* —4D **101**
King's Heath. —4E 91
Kingshill Dri. *B38* —4D **101**
Kingshurst. —5E 53
Kingshurst Ho. *B37* —5D **53**
Kingshurst Rd. *B31* —3E **99**
Kingshurst Rd. *Shir* —5D **105**
Kingshurst Way. *B37* —1D **65**
Kingsland Rd. *B44* —5C **16**
Kingsleigh Dri. *B36* —2E **51**
Kingsleigh Rd. *B20* —5F **33**
Kingsley Ct. *Yard* —5C **62**
Kingsley Rd. *Bal H* —2E **75**
Kingsley Rd. *K Nor* —2B **102**
Kingsmere Clo. *B24* —5C **36**
King's Norton. —3C 100
King's Norton Bus. Cen.
B30 —2E **101**
Kings Pde. *B4* —2B **10**
Kingspiece Ho. *B36* —2C **50**
King's Rd. *K Hth* —5A **90**
King's Rd. *Stock G* —3A **36**
King's Rd. *S Cold* —2A **26**
Kings Rd. *Tys & Yard*
—3E **77**
Kings Sq. *W Brom* —4B **30**
Kingstanding. —5D 17
Kingstanding Cen., The.
B44 —1D **25**
Kingstanding Rd. *B44 &*
Gt Barr —1D **35**
King's Ter. *K Hth* —5B **90**
Kingsthorpe Rd. *B14*
—3E **103**
Kingston Ct. *S Cold* —2F **19**
Kingston Rd. *B9*
—4F **59** (4F **11**)
Kingston Row. *B1*
—3A **58** (2C **8**)
King St. *B11* —1E **75**
King St. *Smeth* —3F **43**
Kingsway. *O'bry* —1E **69**
Kingsway Dri. *B38* —4D **101**
King's Wood. —5C 102
Kingswood Cft. *B7* —3A **48**

Kingswood Dri. *S Cold*
—5D **17**
Kingswood Ho. *B14* —4C **102**
Kingswood Rd. *Mose*
—4E **75**
Kingswood Rd. *N'fld*
—3D **109**
Kington Gdns. *B37* —4D **65**
Kington Way. *B33* —3B **62**
Kiniths Cres. *W Brom*
—2C **30**
Kiniths Way. *W Brom*
—3C **30**
Kinlet Gro. *B31* —4A **100**
Kinnerton Cres. *B29* —1D **87**
Kinross Cres. *B43* —1F **23**
Kinsey Gro. *B14* —2D **103**
Kintore Cft. *B32* —4F **85**
Kintyre Clo. *Redn* —5C **96**
Kinver Cft. *B12* —1C **74**
Kinver Cft. *S Cold* —4E **29**
Kinver Rd. *B31* —4B **100**
Kinwarton Clo. *B25* —2B **78**
Kipling Rd. *B30* —2A **100**
Kirby Rd. *B18* —4C **44**
Kirkby Grn. *S Cold* —1F **27**
Kirkham Gro. *B33* —1D **63**
Kirkstone Cres. *B43* —1D **23**
Kirkwall Rd. *B32* —3A **86**
Kirkwood Av. *B23* —5D **27**
Kirton Gro. *B33* —1E **63**
Kitchener Rd. *B29* —2F **89**
Kitchener St. *Smeth* —4B **44**
Kitsland Rd. *B34* —4C **52**
Kitswell Gdns. *B32* —3E **85**
Kittoe Rd. *S Cold* —3D **13**
Kitt's Green. —2F 63
Kitts Grn. *B33* —2F **63**
Kitts Grn. Rd. *B33 &*
Kitts G —1E **63**
Kitwell La. *B32* —3E **85**
(in two parts)
Knebworth Clo. *B44* —4C **24**
Knight Ct. *S Cold* —4F **21**
Knightlow Rd. *B17* —5E **55**
Knighton Clo. *S Cold* —3D **13**
Knighton Dri. *S Cold* —4D **13**
Knighton Rd. *B31* —2A **100**
Knighton Rd. *S Cold* —1B **12**
Knightsbridge Clo. *S Cold*
—2D **13**
Knightsbridge Rd. *Sol*
—2D **95**
Knights Clo. *B23* —5C **36**
Knight's Rd. *B11* —4E **77**
Knightstowe Av. *B18*
—1E **57** (3A **4**)
Knightswood Clo. *S Cold*
—2B **20**
Knightwick Cres. *B23*
—2A **36**
Knipersley Rd. *S Cold*
—1E **37**

Knollcroft. *B16*
—3E **57** (2A **8**)
Knoll, The. *B32* —2A **86**
Knottsall La. *O'bry* —2A **68**
Knowle Clo. *Redn* —2B **108**
Knowle Rd. *B11* —5B **76**
Knowles Dri. *S Cold* —2E **19**
Knowle Rd. *B11* —5B **76**
Knutsford St. *B12* —2D **75**
Knutswood Clo. *B13* —4B **92**
Kyles Way. *B32* —4F **85**
Kyngsford Rd. *B33* —2B **64**
Kyotts Lake Rd. *B11* —1E **75**
Kyrwicks La. *B11 & B12*
—2E **75**

Kyter La. *B36* —2F **51**

L

Laburnum Av. *B12* —3E **75**
Laburnum Av. *B37* —4D **53**
Laburnum Av. *Smeth* —1C **54**
Laburnum Clo. *B37* —4D **53**
Laburnum Cotts. *Hand*
—2C **44**
Laburnum Dri. *S Cold*
—1E **29**
Laburnum Gro. *B13* —5D **75**
Laburnum Ho. *B30* —4D **89**
Laburnum Rd. *B30* —3D **89**
Laburnum Vs. *S'hll* —3A **76**
Laburnum Way. *B31* —5E **99**
Laceby Gro. *B13* —2B **92**
Ladbroke Dri. *S Cold* —2D **29**
Ladbroke Gro. *B27* —3A **94**
Ladeler Gro. *B33* —3C **64**
Lady Bank. *B32* —4F **85**
Lady Bracknell M. *N'fld*
—2A **100**
Ladycroft. *B16*
—3E **57** (3A **8**)
Ladypool Av. *B11* —2F **75**
Ladypool Clo. *Hale* —4A **68**
Ladypool Rd. *B12 & B11*
—4E **75**
Ladywell Wlk. *B5*
—4C **58** (4A **10**)
Ladywood. —3F 57 (2A 8)
Ladywood Middleway.
B16 & B1 —2E **57** (5A **4**)
Ladywood Rd. *B16* —4E **57**
Ladywood Rd. *S Cold*
—2E **19**
Lakedown Clo. *B14* —5C **102**
Lakefield Clo. *B28* —3F **93**
Lakehouse Ct. *B23* —4C **26**
Lakehouse Gro. *B38*
—3B **100**
Lakehouse Rd. *S Cold*
—4C **26**
Lakeside. *S Cold* —1A **12**
Lakeside Wlk. *B23* —4F **35**
Lakes Rd. *B23* —2E **35**
Lakey La. *B28* —3E **93**
Lamb Clo. *B34* —5C **52**

Lambert Clo. *B23* —1B **36**
Lambeth Clo. *B37* —1F **65**
Lambeth Rd. *B44* —1C **24**
Lambourne Gro. *B37* —3C **64**
Lambourn Rd. *B23* —3B **36**
Lambscote Clo. *Shir*
　　　　　　—4A **104**
Lammas Rd. *Sol* —2F **95**
Lammermoor Av. *B43*
　　　　　　—2D **23**
Lamont Av. *B32* —5D **71**
Lanark Cft. *B35* —4D **39**
Lancaster Av. *Redn* —1E **107**
Lancaster Cen. *B36* —1C **52**
Lancaster Cir. Queensway.
　　B4 —1C **58** (4B **6**)
Lancaster Clo. *B30* —5E **89**
Lancaster Dri. *B35* —5F **39**
Lancaster St. *B4*
　　　　—1C **58** (3B **6**)
Lancelot Clo. *B8* —2C **60**
Lanchester Rd. *B38* —5E **101**
Lanchester Way. *B36* —1C **52**
Lander Clo. *Redn* —3E **107**
Landgate Rd. *B21* —5A **32**
Land La. *B37* —1E **81**
Landor St. *B8*
　　　　　—2F **59** (1F **11**)
Landrail Wlk. *B36* —2E **53**
　(in two parts)
Landseer Gro. *B43* —5B **16**
Landswood Clo. *B44* —3E **25**
Landswood Rd. *O'bry*
　　　　　　—1A **54**
Lane Cft. *S Cold* —4E **29**
Laneside Av. *S Cold* —2D **17**
Lanes Shop. Cen., The.
　　S Cold —5F **27**
Langcomb Rd. *Shir* —5E **105**
Langdale Cft. *B21* —3C **44**
Langdale Rd. *B43* —5D **23**
Langdon St. *B9*
　　　　　—3F **59** (2F **11**)
Langdon Wlk. *B26* —4C **78**
Langford Av. *B43* —4C **62**
Langford Gro. *B17* —5A **72**
Langham Clo. *B26* —1E **79**
Langham Grn. *S Cold*
　　　　　　—1D **17**
Langholme Dri. *B44* —3B **26**
Langley Dri. *B35* —1E **51**
Langley Green. —1A 54
Langley Gro. *B10* —5B **60**
Langley Hall Dri. *S Cold*
　　　　　　—4F **21**
Langley Hall Rd. *Sol* —4A **94**
Langley Hall Rd. *S Cold*
　　　　　　—4F **21**
Langley Heath Dri. *S Cold*
　　　　　　—1D **29**
Langley Ri. *Sol* —5D **80**
Langley Rd. *B10* —5B **60**
Langleys Rd. *B29* —2C **88**

Langstone Rd. *B14* —4F **103**
Langton Clo. *B36* —4F **53**
Langton Rd. *B8* —1C **60**
Langwood Ct. *B36* —2F **51**
Langworth Av. *B27* —3A **78**
Lannacombe Rd. *B31*
　　　　　　—3C **108**
Lansdowne Ho. *B15*
　　　　　—5B **58** (5E **9**)
Lansdowne Rd. *Erd* —4D **37**
Lansdowne Rd. *Hand* —3E **45**
Lansdowne St. *B18* —1D **57**
　(in two parts)
Lansdown Pl. *B18* —5D **45**
Lapal. —5D 69
Lapal La. *B32* —1E **85**
Lapal La. N. *Hale* —5C **68**
Lapal La. S. *Hale* —5C **68**
Lapworth Dri. *S Cold* —1A **26**
Lapworth Gro. *B12* —2D **75**
Lapworth Mus. —5D 73
Lara Clo. *Harb* —5F **55**
Larch Av. *B21* —3C **44**
Larch Cft. *B37* —3F **65**
Larches Pas. *B12* —2E **75**
Larches St. *B11* —2E **75**
Larchfield Clo. *B20* —4F **33**
Larch Ho. *B20* —4D **33**
Larch Ho. *B36* —2D **51**
Larchmere Dri. *B28* —3D **93**
Larch Wlk. *B25* —5F **61**
Larchwood Cres. *S Cold*
　　　　　　—1C **16**
Lark Clo. *B14* —4E **103**
Larkfield Av. *B36* —2F **51**
Larkhill Wlk. *B14* —5B **102**
Lark Mdw. Dri. *B37* —2C **64**
Larkspur Cft. *B36* —2B **50**
Larne Rd. *B26* —1E **79**
Lashbrooke Ho. *Redn*
　　　　　　—2D **107**
Latelow Rd. *B33* —3E **63**
Latham Av. *B43* —5C **22**
Lath La. *Smeth* —2B **42**
Lathom Gro. *B33* —5D **51**
Latimer Gdns. *B15* —1B **74**
Latimer Pl. *B18* —4C **44**
Latymer Clo. *S Cold* —5E **29**
Launde, The. *B28* —3C **104**
Laundry Rd. *Smeth* —2A **56**
Laureates Wlk. *S Cold*
　　　　　　—5E **13**

Laurel Av. *B12* —3E **75**
Laurel Ct. *Mose* —1D **91**
Laurel Dri. *Smeth* —2E **43**
Laurel Dri. *S Cold* —1C **16**
Laurel Gdns. *B21* —1C **44**
Laurel Gdns. *A Grn* —3A **78**
Laurel Gro. *B30* —5G **88**
Laurel Rd. *Hand* —1C **44**
Laurel Rd. *K Nor* —2E **101**
Laurels, The. *B16* —2D **57**
　(off Marroway St.)

Laurels, The. *B26* —3A **80**
Laurels, The. *Smeth* —1A **56**
Laurel Ter. *Aston* —1D **47**
Laurence Ct. *B31* —1F **99**
Lavender Ct. *W Brom*
　(off Sussex Av.) —1A **30**
Lavendon Rd. *B42* —2F **33**
Lavinia Rd. *Hale* —5C **68**
Law Cliff Rd. *B42* —1F **33**
Lawden Rd. *B10*
　　　　　—5F **59** (5F **11**)
Lawford Clo. *B7*
　　　　　—2E **59** (5F **7**)
Lawford Gro. *B5* —5C **58**
Lawford Gro. *Shir* —4B **104**
Lawley Middleway. *B4*
　　　　　—1E **59** (4E **7**)
Lawnsfield Gro. *B23* —1B **36**
Lawnswood *S Cold* —4E **29**
Lawnswood Gro. *B21*
　　　　　　—1A **44**
Lawrence Dri. *Min* —1B **40**
Lawrence Tower. *B4* —5B **6**
Lawrence Wlk. *B43* —5B **16**
Lawson St. *B4*
　　　　—1C **58** (4B **6**)
Law St. *W Brom* —2A **30**
Lawton Av. *B29* —1F **89**
Laxey Rd. *B16* —2B **56**
Laxford Clo. *B12* —2C **74**
Laxton Gro. *B25* —4B **62**
Lazy Hill. *B38* —4F **101**
Leabon Gro. *B17* —4A **72**
Leabrook. *B26* —5D **63**
Leach Grn. La. *Redn*
　　　　　　—2E **107**
Leach Heath La. *Redn*
　　　　　　—2D **107**
Lea Dri. *B26* —2E **79**
Lea End La. *A'chu & B38*
　　　　　　—5A **110**
Leafield Cres. *B33* —5E **51**
Leafield Gdns. *Hale* —1B **68**
Leafield Rd. *Sol* —2F **95**
Lea Ford Rd. *B33* —1A **64**
Lea Hall Rd. *B33* —2E **63**
Leahill Cft. *B37* —3D **65**
Lea Hill Rd. *B20* —5A **34**
Lea Ho. Rd. *B30* —4E **89**
Leahurst Cres. *B17* —4A **72**
Leam Cres. *Sol* —2F **95**
Leamington Rd. *Bal H*
　　　　　　—3F **75**
Leamount Dri. *B44* —2A **26**
Leander Gdns. *B14*
　　　　　　—1D **103**
Leandor Dri. *S Cold* —2E **17**
Lea Rd. *B11* —4B **76**
Leasow Dri. *B17 & B15*
　　　　　　—5B **72**
Leasowe Rd. *Redn* —1D **107**
Leasowes Country Pk.,
The. —4B 68

Leasowes La. *Hale* —3B **68**
(in two parts)
Leasowes Rd. *B14* —2D **91**
Lea, The. *B33* —3E **63**
Leatherhead Clo. *B6* —4D **47**
Leavesden Gro. *B26* —3E **79**
Lea Wlk. *Redn* —1D **107**
Lea Yield Clo. *B30* —4E **89**
Lechlade Rd. *B43* —4C **22**
Ledbury Clo. *B16* —3E **57**
Ledbury Ho. *B33* —3C **64**
Ledbury Way. *S Cold* —4E **29**
Ledsam Gro. *B32* —2D **71**
Ledsam St. *B16*
—3E **57** (3A **8**)
Lee Bank. —5A **58** (5D **9**)
Lee Bank Middleway. *B15*
—5A **58** (5C **8**)
Lee Cres. *B15* —5A **58**
Lee Gdns. *Smeth* —5C **42**
Leeson Wlk. *B17* —4B **72**
Lees St. *B18* —5D **45**
Legge La. *B1* —2F **57** (5B **4**)
Legge St. *B4* —1D **59** (3C **6**)
Legge St. *W Brom* —4B **30**
Legion Rd. *Redn* —2C **106**
Leicester Clo. *Smeth* —4C **54**
Leicester Pl. *W Brom* —1A **30**
Leigham Dri. *B17* —1E **71**
Leigh Rd. *B8* —4C **48**
Leigh Rd. *S Cold* —3F **21**
Leighton Clo. *B43* —1A **24**
Leighton Rd. *B13* —1D **91**
Leith Gro. *B38* —1C **110**
Lelant Gro. *B17* —3E **71**
Le More. *S Cold* —4E **13**
Lench Clo. *B13* —1D **91**
Lenchs Grn. *B5* —1C **74**
Lench St. *B4* —1C **58** (4B **6**)
Lenchs Trust. *B32* —2B **70**
Lench's Trust Houses. *B12*
(Conybere St.) —1D **75**
Lench's Trust Houses. *B12*
(Ravenhurst St.) —5E **59**
Lennard Gdns. *Smeth*
—4B **44**
Lennox Gro. *S Cold* —5E **27**
Lennox St. *B19* —4B **46**
Lenton Cft. *B26* —4E **78**
Lenwade Rd. *O'bry* —5B **54**
Leominster Ho. *B33* —3C **64**
Leominster Rd. *B11* —5C **76**
Leominster Wlk. *Redn*
—1D **107**
Leonard Av. *B19* —2B **46**
Leonard Gro. *B19* —2B **46**
Leonard Rd. *B19* —2A **46**
Leopold Av. *B20* —2C **32**
Leopold St. *B12* —5D **59**
Lepid Gro. *B29* —1B **88**
Leslie Bentley Ho. *B1* —1C **8**
Leslie Rd. *Edg* —3D **57**
Leslie Rd. *Hand* —5B **34**

Levante Gdns. *B33* —3B **62**
Leven Cft. *S Cold* —5E **29**
Leverretts, The. *B21* —5A **32**
Lewisham Ind. Est. *Smeth*
—3F **43**
Lewisham Rd. *Smeth*
—3E **43**
Lewisham St. *W Brom*
—3B **30**
Lewis Rd. *B30* —4A **90**
Lewis Rd. *O'bry* —1F **69**
Leybourne Gro. *B25* —2F **77**
Leybrook Rd. *Redn* —1F **107**
Leyburn Rd. *B16* —4E **57**
Leycester Clo. *B31* —2E **109**
Leycroft Av. *B33* —1B **64**
Leydon Cft. *B38* —4F **101**
Ley Hill. —5E **13**
Ley Hill Farm Rd. *B31*
—1C **98**
Ley Hill Ho. *B31* —5C **86**
Ley Hill Rd. *S Cold* —5A **14**
Leylan Cft. *B13* —4A **92**
Leyman Clo. *B14* —2A **104**
Leysdown Gro. *B27* —3A **94**
Leysdown Rd. *B27* —3A **94**
Leys, The. *B31* —1F **99**
Leys, The. *Redn* —1F **107**
Leys Wood Cft. *B26* —2E **79**
Leyton Gro. *B44* —3E **25**
Leyton Rd. *B21* —2D **45**
Library Way. *Redn* —2D **107**
Lichen Gdns. *B38* —2C **110**
Lichfield Ct. *Shir* —4B **104**
Lichfield Rd. *B6 & Aston*
—4E **47**
Lichfield Rd. *S Cold* —1D **13**
Lickey. —5E **107**
Lickey Coppice. *Redn*
—5A **108**
Lickey Hills Country Pk.
—5E 107
Lickey Hills Country Pk.
***Vis. Cen.* —5F 107**
Lickey Rd. *Redn* —4A **108**
Liddon Gro. *B27* —3A **94**
Liddon Rd. *B27* —3A **94**
Lifford. —1F **101**
Lifford Clo. *B14* —1F **101**
Lifford La. *B30* —1E **101**
Lighthorne Av. *B16*
—3E **57** (2A **8**)
Lighthorne Rd. *Sol* —5F **95**
Lightning Way. *B31* —2F **109**
Lightwoods Hill. *Smeth*
—5C **54**
Lightwoods Rd. *Smeth*
—3E **55**
Lilac Av. *B12* —3E **75**
Lilac Av. *P Barr* —5C **24**
Lilac Av. *S Cold* —1C **16**
Lilac Way. *Hale* —1D **69**
Lilleshall Rd. *B26* —1F **79**

Lilley La. *B31* —1F **109**
Lillington Clo. *S Cold* —5E **21**
Lillington Gro. *B34* —5B **52**
Lillington Rd. *Shir* —5F **105**
Lillycroft La. *B38* —2E **111**
Lily Cres. *B9* —3E **59** (2F **11**)
Lily Rd. *B26* —2B **78**
Lily St. *W Brom* —2A **30**
Limberlost Clo. *B20* —4E **33**
Limbrick Clo. *Shir* —4D **105**
Lime Av. *B29* —1D **89**
Lime Ct. *B11* —4A **76**
Lime Gro. *Bal H* —3D **75**
Lime Gro. *Chel W* —4F **65**
Lime Gro. *Loz* —2A **46**
Lime Gro. *Smeth* —2A **56**
(Florence Rd.)
Lime Gro. *Smeth* —1F **55**
(Windmill La.)
Lime Gro. *S Cold* —5F **27**
Lime Kiln Clo. *B38* —2B **110**
Limekiln La. *B14* —2E **103**
Limes, The. *B11* —2A **76**
Limes, The. *Erd* —2D **57**
Limes, The. *Erd* —4D **37**
Lime Ter. *Aston* —1D **47**
Lime Tree Gro. *B31* —4F **99**
Lime Tree Rd. *B8* —4D **49**
Lime Tree Rd. *A Grn* —3A **78**
Limetree Rd. *S Cold* —1B **16**
Lime Wlk. *B38* —1C **110**
Linacre Ho. *B37* —3D **65**
Linchmere Rd. *B21* —5A **32**
Lincoln Clo. *B27* —5C **78**
Lincoln Gro. *B37* —4C **66**
Lincoln Rd. *B27* —1B **94**
Lincoln Rd. *Smeth* —3C **54**
Lincoln Rd. N. *B27* —5C **78**
Lincoln St. *B12* —3C **74**
Lincoln Tower. *B16*
—4E **57** (4A **8**)
Lindale Av. *B36* —4A **50**
Linden Av. *B43* —4B **22**
(in two parts)
Linden Av. *Hale* —1C **68**
Linden Rd. *B30* —3C **88**
Linden Rd. *Smeth* —3E **55**
Lindens Dri. *S Cold* —4D **17**
Lindens, The. *B32* —1C **70**
Linden Ter. *Bal H* —3F **75**
Lindenwood. *S Cold* —3E **17**
Lindford Way. *B38* —4F **101**
Lindridge Dri. *Min* —1A **62**
Lindridge Rd. *B23* —3F **35**
Lindridge Rd. *Shir* —5D **105**
Lindridge Rd. *S Cold* —2D **21**
Lindsay Rd. *B42* —3F **23**
Lindsey Av. *B31* —2A **100**
Lindsey Rd. *W Brom* —1A **30**
Lindsworth App. *B30*
—3A **102**
Lindsworth Ct. *B30* —3A **102**

Lindsworth Rd. *B30*
—3F **101**
Linford Gro. *B25* —4B **62**
Linforth Dri. *S Cold* —2E **17**
Lingard Clo. *B7* —5F **47**
Lingard Ho. *S Cold* —4D **21**
Lingard Rd. *S Cold* —4D **21**
Lingfield Av. *B44* —3C **24**
Lingfield Ct. *B43* —5B **22**
Lingfield Gdns. *B34* —4F **51**
Link Rd. *B16* —2C **56**
Links Cres. *O'bry* —1F **69**
Links Dri. *Redn* —4E **107**
Links Dri. *Sol* —5F **95**
Links Rd. *B14* —5E **103**
Links Vw. *Hale* —4B **68**
Links Vw. *S Cold* —1E **17**
Linkswood Clo. *B13* —2F **91**
Link, The. *B27* —2E **93**
Linley Gro. *B14* —5A **90**
Linnet Clo. *B30* —3C **88**
Linnet Gro. *B23* —1F **35**
Linpole Wlk. *B14* —4A **102**
Linsey Rd. *Sol* —5A **80**
Linton Rd. *Gt Barr* —5A **16**
Linton Rd. *Tys* —4E **77**
Linton Wlk. *B23* —4F **35**
Linwood Rd. *B21* —2C **44**
Lionel St. *B3* —2A **58** (1D **9**)
Lismore Clo. *Redn* —5C **96**
Lismore Dri. *B17* —5E **71**
Lisson Gro. *B44* —5D **17**
Listelow Clo. *B36* —2F **51**
Lister St. *B7* —1D **59** (4C **6**)
Listowel Rd. *B14* —5B **90**
Lisures Dri. *S Cold* —5B **20**
Lit. Ann St. *B5*
—3D **59** (3D **11**)
Little Aston. —1A 12
Lit. Aston La. *S Cold* —1A **12**
Lit. Barr St. *B9*
—3E **59** (2F **11**)
Little Bromwich. —3D 61
Lit. Bromwich Rd. *B9* —4F **61**
Lit. Broom St. *B12* —5E **59**
Lit. Clover Clo. *B7* —4A **48**
Lit. Cornbow. *Hale* —5A **68**
Littlecote Cft. *B14* —3E **103**
Littlecote Dri. *B23* —5D **27**
Little Cft. *B43* —3A **22**
Lit. Edward St. *B9*
—3E **59** (3F **11**)
Lit. Francis Gro. *B7*
—5F **47** (2F **7**)
Lit. Green La. *B9* —4A **60**
Lit. Green Lanes. *S Cold*
—5F **27**
Lit. Hall Rd. *B7* —1F **59**
Lit. Heath Cft. *B34* —3F **51**
Lit. Hill Gro. *B38* —5E **101**
Lit. Hill Way. *B32* —1B **86**
Lit. Johnsons La. *Wals*
—1A **16**

Little La. *W Brom* —2B **30**
Littlemead Av. *B31* —5A **100**
Lit. Meadow Cft. *B31* —1D **99**
Lit. Meadow Wlk. *B33*
—2C **62**
Lit. Moor Hill. *Smeth* —5D **43**
Lit. Oaks Rd. *B6* —2C **46**
Littleover Av. *B28* —5D **93**
Little Pk. *B32* —4F **69**
Lit. Pitts Clo. *B24* —2B **38**
Lit. Shadwell St. *B4*
—1C **58** (4A **6**)
Little Sutton. —4B 14
Lit. Sutton La. *S Cold*
—2A **20**
Lit. Sutton Rd. *S Cold*
—4A **14**
Littleton Clo. *S Cold* —2E **29**
Littleworth Gro. *S Cold*
—5D **21**
Liverpool Cft. *B37* —5D **65**
Liverpool St. *B9*
—3E **59** (3E **11**)
Livery St. *B3* —1B **58** (3D **5**)
(in two parts)
Livingstone Rd. *Hand*
—1A **46**
Livingstone Rd. *K Hth*
—5C **90**
Livingstone Rd. *W Brom*
—1A **42**
Lizafield Ct. *Smeth* —3C **42**
Lloyd Ho. *B19* —1C **4**
Lloyd Rd. *B20* —3E **33**
Lloyds Rd. *Hale* —1A **68**
Lloyds Sq. *B15* —5C **56**
Lloyd St. *B10* —5B **60**
Lloyd St. *W Brom* —3C **30**
Lochranza Cft. *B43* —2C **22**
Lock Dri. *B33* —2B **62**
Locke Pl. *B7* —2E **59** (1F **11**)
Lockhart Dri. *S Cold* —5A **14**
Locking Cft. *B35* —4F **39**
Lockington Cft. *Hale* —2D **69**
Lockton Rd. *B30* —3A **90**
Lockwood Rd. *B31* —2D **99**
Lode La. *Sol* —2F **95**
Lode Mill Ct. *Sol* —3F **95**
Lodge Clo. *Hale* —5C **68**
Lodge Cft. *B31* —5C **86**
Lodge Dri. *B26* —5D **63**
Lodge Farm Clo. *S Cold*
—1D **29**
Lodgefield Rd. *Hale* —1A **68**
Lodge Hill. —1F 87
Lodge Hill Rd. *B29* —2B **88**
Lodge Pool Clo. *B44* —1C **34**
Lodge Rd. *Aston* —2C **46**
Lodge Rd. *Hock*
—4C **44** (1A **4**)
(in three parts)
Lodge Rd. *Smeth* —3C **42**
Lodge Rd. *W Brom* —4A **30**

Lodge Ter. *Harb* —3A **72**
Loeless Rd. *B33* —2E **63**
Lofthouse Cres. *B31* —3D **99**
Lofthouse Gro. *B31* —3D **99**
Lofthouse Rd. *B20* —4C **32**
Loftus Clo. *B29* —3D **87**
Lomaine Dri. *B30* —2C **100**
Lomas Dri. *B31* —3C **98**
Lombard St. *B12*
—5D **59** (5D **11**)
Lombard St. *W Brom*
—4A **30**
Lombard St. W. *W Brom*
—4A **30**
Lombardy Cft. *Hale* —2E **69**
Lomond Clo. *B34* —4C **52**
Londonderry. —1B 54
Londonderry Gro. *Smeth*
—5D **43**
Londonderry La. *Smeth*
—1B **54**
Londonderry Rd. *O'bry*
—1B **54**
London Rd. *B20* —5C **34**
London Rd. *Lich & Can*
—1D **15**
London St. *Smeth* —5A **44**
London St. Ind. Est.
Smeth —5B **44**
Lones Rd. *W Brom* —2F **43**
Long Acre. *B7* —4F **47**
Long Acre Ind. Est. *B7*
(in two parts) —3F **47**
Longacres. *S Cold* —2A **12**
Longbow Rd. *B29* —4D **87**
Longbridge. —1C 108
Longbridge La. *B31* —1C **108**
Long Clo. Wlk. *B35* —4F **39**
Longcroft Clo. *B35* —5D **39**
Longdales Rd. *B38* —2B **110**
Longdon Dri. *S Cold* —2C **12**
Longfellow Rd. *B30* —2B **100**
Longfield Clo. *B28* —5D **93**
Longfield Dri. *S Cold* —2B **12**
Longfield Rd. *B31* —3C **86**
Longford Clo. *B32* —4E **85**
Longford Gro. *B44* —1E **25**
Longford Rd. *B44* —1E **25**
Longham Cft. *B32* —4D **71**
Longhurst Cft. *B31* —2F **109**
Long Hyde Rd. *Smeth*
—4D **55**
Longlands Clo. *B38* —1A **110**
Longlands Rd. *Hale* —1C **68**
Long La. *Row R & Hale*
—1B **68**
Long Leasow. *B29* —4F **87**
Longleat. *B43* —2A **22**
Longleat Tower. *B15*
—4A **58** (5C **8**)
Longley Av. *Min* —1B **40**
Longley Cres. *B26* —4C **78**
Long Leys Ct. *Wat O* —4F **41**

Long Leys Cft. *Wat O*
—5F **41**
Longley Wlk. *B37*—3A **66**
Longmeadow Clo. *S Cold*
—4D **21**
Longmeadow Cres. *B34*
—4C **52**
Longmeadow Gro. *B31*
—3E **109**
Longmoor Rd. *S Cold*
—1F **25**
Longmore Rd. *Shir*—4F **105**
Longmore St. *B12*—1C **74**
Long Mynd Rd. *B31*—5C **86**
Long Nuke Rd. *B31*—4C **86**
Longshaw Gro. *B34*—4B **52**
Longstone Rd. *B42*—5A **24**
Long St. *B11*—2E **75**
Long Wood. *B30*—1C **100**
Longwood Pathway. *B34*
—5A **52**
Longwood Rd. *Redn*
—2E **107**
Lonsdale Clo. *B33*—3B **62**
Lonsdale Rd. *B17*—2F **71**
Lonsdale Rd. *Smeth*—3B **42**
Lord St. *B7*—1D **59** (3D **7**)
Lordswood Rd. *B17*—5E **55**
Lordswood Sq. *B17*—1F **71**
Lorimer Way. *B43*—4B **16**
Lottie Rd. *B29*—2C **88**
Lotus Ct. *B16*—4C **56**
Lotus Cft. *Smeth*—1D **55**
Lotus Wlk. *B36*—1D **53**
Louisa Pl. *B18*—5E **45**
Louisa St. *B1*—2A **58** (1C **8**)
Louis Ct. *Smeth*—5D **43**
Louise Cft. *B14*—4C **102**
Louise Lorne Rd. *B13*
—4D **75**
Louise Rd. *B21*—3D **45**
Lount Wlk. *B19*
—5C **46** (1A **6**)
Loveday Ho. *W Brom*
—4B **30**
Loveday St. *B4*
—1C **58** (4A **6**)
(in two parts)
Lovell Clo. *B29*—5E **87**
Lovers Wlk. *Aston*—2F **47**
Low Av. *B43*—2D **28**
Lowden Cft. *B26*—4C **78**
Lowe Dri. *S Cold*—1B **26**
Lwr. Beeches Rd. *B31*
—4A **98**
Lowercroft Way. *S Cold*
—1C **52**
Lwr. Dartmouth St. *B9*
—3F **59** (2F **11**)
Lwr. Darwin St. *B12*—5D **59**
Lwr. Essex St. *B5*
—4C **58** (5A **10**)

Lwr. Ground Clo. *B6* —1D **47**
(off Emscote Rd.)
Lwr. Higley Clo. *B32*—4C **70**
Lwr. Loveday St. *B19 & B4*
—1B **58** (3F **5**)
Lower Moor. *B30*—3C **88**
Lower Pde. *S Cold*—4A **20**
Lwr. Queen St. *S Cold*
—5A **20**
Lwr. Reddicroft. *S Cold*
—4A **20**
Lwr. Severn St. *B1*
—3B **58** (3F **9**)
Lowerstack Cft. *B37*—2D **65**
Lowe St. *B12*—5E **59**
Lowfield Clo. *Hale*—5E **69**
Lowhill La. *Redn*—3A **108**
Lowlands Av. *S Cold*—1B **16**
Lowry Clo. *Smeth*—4D **43**
Low Thatch. *B38*—2C **110**
Low Wood Rd. *B23*—2B **36**
Loxley Av. *B14*—3A **104**
Loxley Av. *Shir*—5D **105**
Loxley Clo. *B31*—3C **86**
Loxley Rd. *Smeth*—4D **55**
Loxley Rd. *S Cold*—2B **14**
Loxton Clo. *Lit A*—1B **12**
Loynells Rd. *Redn*—2F **107**
Loyns Clo. *B37*—2D **65**

Lozells. —3F 45
Lozells Rd. *B19*—3F **45**
Lozells St. *B19*—3A **46**
Lozells Wood Clo. *B19*
—3F **45**
Luce Clo. *B35*—3F **39**
Lucerne Ct. *B23*—1B **36**
Ludford Clo. *S Cold*—2C **20**
Ludford Rd. *B32*—2E **85**
Ludgate Clo. *Wat O*—4E **41**
Ludgate St. *Wat O*—4E **41**
Ludgate Hill. *B3*
—2B **58** (5E **5**)
Ludlow Clo. *B37*—3A **66**
Ludlow Rd. *B8*—2D **61**
Ludmer Way. *B20*—5A **34**
Ludstone Rd. *B29*—2D **87**
Lulworth Rd. *B28*—3E **93**
Lumley Gro. *B37*—3B **66**
Lundy Vw. *B36*—5F **53**
Lunt Gro. *B32*—3B **70**
Lupin Gro. *B9*—2D **61**
Lutley Gro. *B32*—2F **85**
Luton Rd. *B29*—5D **73**
Luttrell Rd. *S Cold*—1D **19**
Lyall Gdns. *Redn*—5C **96**

Lyall Gro. *B27*—1E **93**
Lydate Rd. *Hale*—4D **69**
Lydbrook Covert. *B38*
—1C **110**
Lydbury Gro. *B33*—1E **63**
Lydd Cft. *B35*—3F **39**
Lydford Gro. *B24*—5E **37**
Lydget Gro. *B23*—5B **26**
Lydham Clo. *B44*—1E **35**
Lydia Cft. *S Cold*—1C **12**
Lydiate Ash. —5A 106
Lydiate Ash Rd. *L Ash*
—5A **106**
Lydiate Av. *B31*—5B **98**
Lydney Gro. *B31*—3D **99**
Lye Av. *B32*—1E **85**
Lye Clo. *B32*—1D **85**
Lye Clo. La. *Hale & B32*
—1D **85**
Lyecroft Av. *B37*—3B **66**
Lygon Ct. *Hale*—2A **68**
Lygon Gro. *B32*—4C **70**
Lymedene Rd. *B42*—2F **33**
Lyme Grn. Rd. *B33*—1D **63**
Lyncourt Gro. *B32*—2F **69**
Lyncroft Rd. *B11*—1D **93**
Lyndhurst Rd. *B24*—5D **37**

Lyndon. —3B 30
Lyndon. *W Brom*—2B **30**
Lyndon Clo. *Cas B*—2A **52**
Lyndon Clo. *Hand*—5A **34**
Lyndon Cft. *B37*—1F **81**
Lyndon Green. —1E 79
Lyndon Gro. *W Brom*
—3B **30**
Lyndon Ho. *W Brom*—2B **30**
Lyndon Rd. *Redn*—2C **106**
Lyndon Rd. *Sol*—1D **95**
Lyndon Rd. *Stech*—2C **62**
Lyndon Rd. *S Cold*—4F **19**
Lyndworth Rd. *B30*—4A **90**
Lyneham Gdns. *Min*—1E **39**
Lyneham Way. *B35*—4D **39**
Lynfield Clo. *B38*—2D **111**
Lyng La. *W Brom*—4A **30**
(in two parts)
Lynn Gro. *B29*—5A **72**
Lynton Av. *Smeth*—4E **43**
Lynton Rd. *Aston*—3E **47**
Lynwood Wlk. *B17*—4B **72**
Lyon Ct. *S Cold*—4A **20**
(off Midland Dri.)
Lyons Gro. *B11*—5A **76**
Lysander Rd. *Redn*—4E **97**
Lytham Clo. *Min*—1F **39**
Lytham Cft. *B15*
—5B **58** (5E **9**)
Lyttelton Rd. *Edg*—4B **56**
Lyttleton Av. *Hale*—1C **68**
Lyttleton Av. *W Brom*
—5A **30**
Lyttleton Rd. *Stech*—3B **62**
Lyttleton St. *W Brom*—5A **30**

Lytton Gro. *B27* —2F **93**
Lytton La. *B32* —5D **71**

Maas Rd. *B31* —3E **99**
Macaulay Ho. *W Brom*
　　　　　　—1B **42**
Macdonald St. *B5* —5C **58**
McGregor Clo. *B6* —1D **47**
Machin Rd. *B23* —3D **37**
Mackadown La. *B33* —3B **64**
McKen Ct. *W Brom* —5A **30**
Mackenzie Ct. *B31* —3C **86**
Mackenzie Rd. *B11* —1A **92**
Maddocks Hill. *S Cold*
　　　　　　—2A **28**
Madehurst Rd. *B23* —1C **36**
Madeley Rd. *B11* —3A **76**
Madison Av. *B36* —4B **50**
Madley Clo. *Redn* —1C **106**
Mafeking Rd. *Smeth* —3E **43**
Magdala St. *B18* —5C **44**
Magnet Wlk. *B23* —4A **36**
Magnolia Clo. *B29* —4E **87**
Magnum Clo. *S Cold*
　　　　　　—2D **17**
Maidstone Rd. *B20* —1C **46**
Main Av. *Birm A* —4A **82**
Main Rd. *Birm A* —5D **81**
Mainstream 47 Ind. Pk. *B7*
　　　　　　—5A **48**
Mainstream Way. *B7* —1A **60**
Main St. *B11* —1E **75**
Main Ter. *B11* —1E **75**
Mainwaring Dri. *S Cold*
　　　　　　—4C **14**
Maitland Ho. *B34* —4C **52**
Maitland Rd. *B8* —1D **61**
Majuba Rd. *B16* —1A **56**
Malcolm Av. *B24* —2A **38**
Malcolm Ct. *Sheld* —3E **79**
Malcolm Gro. *Redn* —2E **107**
Malcolm Rd. *Shir* —5F **105**
Malcolmson Clo. *B15*
　　　　　　—5D **57**
Malfield Dri. *B27* —5C **78**
Malins Rd. *B17* —3B **72**
Mallaby Clo. *Shir* —5E **105**
Mallard Clo. *B27* —5A **78**
Mallard Dri. *B23* —4F **35**
Mallards Reach. *Sol* —3C **94**
Mallin St. *Smeth* —3B **42**
Mallory Ri. *B13* —2A **92**
Malmesbury Pk. *B15 & Edg* —1C **72**
Malmesbury Rd. *B10*
　　　　　　—2C **76**
Malpas Dri. *B32* —3A **86**
Malt Clo. *B17* —2B **72**
Malthouse. *Smeth* —3C **42**
Malthouse Cft. *B6* —2C **46**
Malthouse Gdns. *B19*
　　　　　　—3B **46**

Malthouse Gro. *B25* —4C **62**
Malthouse La. *Chad* —4A **106**
(in three parts)
Malthouse La. *Gt Barr*
　　　　　　—4B **24**
Malthouse La. *Wash H*
　　　　　　—4C **48**
Malt Ho. Row. *Mars G*
　　　　　　—5E **65**
Malton Gro. *B13* —4F **91**
Malvern Clo. *Edg* —5A **56**
Malvern Clo. *W Brom*
　　　　　　—2B **30**
Malvern Ct. *A Grn* —4A **78**
Malvern Dri. *S Cold* —4E **29**
Malvern Hill Rd. *B7* —3A **48**
Malvern Rd. *A Grn* —4A **78**
Malvern Rd. *Hand* —1A **44**
Malvern St. *S'brk* —3E **75**
Manby Rd. *B35* —3E **39**
Manchester St. *B6*
　　　　　—5C **46** (2A **6**)
Manderville Ho. *B31*
　　　　　　—1D **109**
Maney. —5A 20
Maney Corner. *S Cold*
　　　　　　—5F **19**
Maney Hill Rd. *S Cold*
　　　　　　—1F **27**
Manilla Rd. *B29* —2F **89**
Manitoba Cft. *B38* —1D **111**
Manningford Ct. *B14*
　　　　　　—4D **103**
Manningford Rd. *B14*
　　　　　　—4C **102**
Mnr. Abbey Rd. *Hale* —5C **68**
Manor Dri. *S Cold* —5F **19**
Mnr. Farm Rd. *B11* —4C **76**
Manor Gdns. *B33* —3B **62**
Manor Hill. *S Cold* —5F **19**
Manor Ho. Clo. *B29* —2D **87**
Manor Ho. Dri. *B31* —4F **87**
Manor Ho. La. *B26* —2D **79**
Manor Ho. La. *Wat O* —4F **41**
Manor La. *Chad* —4A **106**
Manor La. *Hale* —5B **68**
Manor Pk. Rd. *B31* —5A **98**
Mnr. Park Rd. *B36* —3B **52**
Manor Rd. *Aston* —1D **47**
Manor Rd. *Edg* —4B **56**
Manor Rd. *Smeth* —5B **42**
Manor Rd. *Sol* —5F **95**
Manor Rd. *Stech* —2C **62**
Manor Rd. *S'tly* —1E **17**
Manor Rd. *S Cold* —4F **19**
Manor Rd. N. *B16* —4B **56**
Manor Way. *S Cold* —5F **19**
Manor Way. *S Cold* —5F **19**
Mansel Rd. *B10* —1C **76**
Mansfield Ho. *B37* —2A **66**
Mansfield Rd. *Aston* —2B **46**
Mansfield Rd. *Yard* —3A **78**

Mansion Cres. *Smeth*
　　　　　　—1C **54**
Manston Rd. *B26* —1F **79**
Manway Clo. *B20* —2D **33**
Manwoods Clo. *Hand* —5F **33**
Maple Bus. Pk. *B7* —4F **47**
Maple Clo. *B21* —1C **44**
Maple Ct. *Smeth* —2B **42**
Maple Cft. *B13* —5D **91**
Mapledene Rd. *B26* —2B **80**
Maple Dri. *B44* —4F **25**
Maple Gro. *B19* —2A **46**
Maple Gro. *W Brom* —4D **53**
Maple Leaf Dri. *B37* —5F **65**
Maple Ri. *O'bry* —3A **54**
Maple Rd. *B30* —3C **88**
Maple Rd. *Hale* —1B **68**
Maple Rd. *Redn* —3D **107**
Maple Rd. *S Cold* —1A **28**
Mapleton Gro. *B28* —4F **93**
Mapleton Rd. *B28* —4F **93**
Maple Wlk. *B37* —3F **65**
Maple Way. *B31* —5D **99**
Maplewood. *S Cold* —4E **29**
Mapperley Gdns. *B13*
　　　　　　—5A **74**
Mappleborough Rd. *Shir*
　　　　　　—5C **104**
Marans Cft. *B38* —2B **110**
Marbury Clo. *B38* —4B **100**
Marchmont Rd. *B9* —3E **61**
Marchmount Rd. *S Cold*
　　　　　　—4A **28**
Marcliff Cres. *Shir* —4A **104**
Marcos Dri. *B36* —1D **53**
Marcot Rd. *Sol* —3D **79**
Marden Gro. *B31* —2E **109**
Marden Wlk. *B23* —4F **35**
Mardon Rd. *B26* —3F **79**
Marfield Clo. *Min* —1E **39**
Margaret Gdns. *Smeth*
　　　　　　—5C **42**
Margaret Gro. *B17* —1A **72**
Margaret Rd. *B17* —3A **72**
Margaret Rd. *S Cold* —3B **26**
Margarets Ho. *S Cold*
　　　　　　—1D **29**
Margaret St. *B3*
　　　　　—2B **58** (1E **9**)
Margaret St. *W Brom*
　　　　　　—5A **30**
Marian Cft. *B26* —3B **80**
Maria St. *W Brom* —2C **42**
Marie Dri. *B27* —2F **93**
Marine Dri. *B44* —1C **34**
Mariner Av. *B16* —4C **56**
Marion Rd. *Smeth* —4B **42**
Marion Way. *B28* —4C **92**
Marjoram Clo. *B38* —1D **111**
Marjorie Av. *B30* —3F **101**
Markby Rd. *B18* —4C **44**
Markfield Rd. *B26* —5F **63**
Markford Wlk. *B19* —4B **46**

Markham Rd. *S Cold* —1A **26**
Mark Ho. *B13* —1E **91**
Marlborough Clo. *S Cold*
　　　　—1C **12**
Marlborough Gro. *B25*
　　　　—4B **62**
Marlborough Rd. *B10*
　　　　—4C **60**
Marlborough Rd. *Cas B*
　　　　—2A **52**
Marlborough Rd. *Smeth*
　　　　—2E **55**
Marlbrook Clo. *Sol* —4A **80**
Marlcliff Gro. *B13* —5E **91**
Marldon Rd. *B14* —5C **90**
Marlene Cft. *B37* —4A **66**
Marlow Rd. *B23* —2B **36**
Marlpit La. *S Cold* —3B **14**
Marl Top. *B38* —4D **101**
Marmion Dri. *B43* —2D **23**
Marriott Rd. *Smeth* —3B **42**
Marroway St. *B16* —2D **57**
Marrowfat La. *B21* —3D **45**
Marsden Clo. *Sol* —2C **94**
Marshall Gro. *B44* —5D **25**
Marshall Rd. *O'bry* —4A **54**
Marshall St. *B1*
　　　　—4B **58** (4E **9**)
Marshall St. *Smeth* —3B **42**
Marsham Ct. Rd. *Sol* —4D **95**
Marsham Rd. *B14* —3D **103**
Marshbrook Rd. *B24* —3B **38**
Marsh End. *B38* —1E **111**
Marshfield Gdns. *B24*
　　　　—5C **36**
Marsh Hill. *B23* —3F **35**
Marsh La. *B23* —2B **36**
Marsh La. *Wat O* —4F **41**
Marshmont Way. *B23*
　　　　—4B **26**
Marshwood Cft. *Hale* —5E **69**
Marsland Clo. *B17* —4A **56**
Marsland Rd. *Sol* —4C **94**
Marston Cft. *B37* —1D **81**
Marston Dri. *B37* —5E **53**
Marston Green. —5E **65**
Marston Gro. *B43* —4A **22**
Marston Rd. *B29* —3D **87**
Marston Rd. *S Cold* —5E **27**
Martin Clo. *B25* —2B **78**
Martineau Sq. *B2*
　　　　—3C **58** (2A **10**)
Martineau Tower. *B19* —1E **5**
Martineau Way. *B2*
　　　　—3C **58** (2A **10**)
Martin Ri. *B37* —5D **65**
Martlesham Sq. *B35* —3E **39**
Martley Cft. *B32* —4C **70**
Marton Clo. *B7* —4F **47**
Mary Ann St. *B3*
　　　　—1B **58** (4E **5**)
Maryland Av. *B34* —5C **50**
Maryland Dri. *B31* —1F **99**

Mary Rd. *Hand* —3C **44**
Mary Rd. *Stech* —2B **62**
Mary Rd. *W Brom* —1B **42**
Mary St. *B3* —1A **58** (4D **5**)
Mary St. *Bal H* —3C **74**
Mary Va. Rd. *B30* —5C **88**
Marywell Clo. *B32* —4F **85**
Masefield Ri. *Hale* —5B **68**
Masefield Sq. *B31* —2A **100**
Masham Clo. *B33* —3C **62**
Mashie Gdns. *B38* —5B **100**
Mason Ho. *Shir* —5C **104**
Masonleys Rd. *B31* —3B **98**
Mason Rd. *B24* —3E **37**
Masons Cotts. *B24* —2F **37**
Masons Way. *Sol* —1C **94**
Masshouse Cir. Queensway.
　　　　B4 —2C **58** (1B **10**)
Masshouse La. *B5*
　　　　—2D **59** (1C **10**)
Masshouse La. *K Nor*
　　　　—5D **101**
Matchlock Clo. *S Cold*
　　　　—2C **16**
Matfen Av. *S Cold* —2D **27**
Math Mdw. *B32* —3D **71**
Matlock Rd. *B11* —5D **77**
Matthew Dri. *Hand* —4C **44**
Matty Rd. *O'bry* —1A **54**
Maud Rd. *W Brom* —1A **42**
Maurice Rd. *B14* —1C **102**
Maurice Rd. *Smeth* —3C **54**
Mavis Gdns. *O'bry* —5A **54**
Mavis Rd. *B31* —5C **98**
Maxholm Rd. *S Cold* —1C **16**
Max Rd. *B32* —3B **70**
Maxstoke Clo. *B32* —4E **85**
Maxstoke Clo. *S Cold* —2C **26**
Maxstoke Ct. *Col* —1E **67**
Maxstoke Rd. *S Cold* —2C **26**
Maxstoke St. *B9* —3F **59**
Maxted Rd. *B23* —4A **26**
Maxwell Av. *B20* —1F **45**
Mayall Dri. *S Cold* —2A **14**
May Av. *B12* —3E **75**
Maybank. *B9* —2D **61**
Maybank Pl. *B44* —1C **34**
Mayberry Clo. *B14* —4F **103**
Maybrook Rd. *Min* —2E **39**
Maydene Cft. *B12* —2D **75**
Mayers Green. —3C **30**
Mayfair Clo. *B44* —5F **25**
Mayfair Pde. *B44* —5F **25**
Mayfield Av. *B29* —1F **89**
Mayfield Rd. *B11 & A Grn*
　　　　—4E **77**
Mayfield Rd. *A Grn* —5E **77**
Mayfield Rd. *Hand* —2A **46**
Mayfield Rd. *Mose* —1E **91**
Mayfield Rd. *Stir* —5E **89**
Mayfield Rd. *S'tly* —1D **17**
Mayfield Rd. *W Grn* —2E **27**
Mayflower Clo. *B19* —4B **46**

Mayford Gro. *B13* —5F **91**
Mayland Dri. *S Cold* —4D **17**
Mayland Rd. *B16* —3A **56**
May La. *B14* —1D **103**
Maypole Gro. *B14* —4F **103**
Maypole La. *B14* —4D **103**
Mayswood Dri. *B32* —4B **70**
Mayswood Rd. *Sol* —5A **80**
Maythorn Av. *S Cold* —1E **39**
Maytree Clo. *B37* —3E **65**
May Tree Gro. *B20* —4D **33**
Meaburn Dri. *B29* —4E **87**
Mead Cres. *B9* —2F **61**
Meadfoot Av. *B14* —3D **103**
Mdw. Brook Rd. *B31* —1D **99**
Meadow Clo. *B17* —4F **55**
Meadowfield Rd. *Redn*
　　　　—2E **107**
Meadow Gro. *Sol* —2B **94**
Mdw. Hill Rd. *S Cold* —4D **100**
Meadow Ri. *B30* —4B **88**
Meadow Rd. *Hale* —1A **68**
Meadow Rd. *Harb* —4F **55**
Meadow Rd. *Quin* —2E **69**
Meadow Rd. *Smeth* —1E **55**
Meadowside *B43*
　　　　—3C **22**
Meadowside Rd. *S Cold*
　　　　—2D **13**
Meadowsweet Av. *B38*
　　　　—5D **101**
Meadow Vw. *B13* —3A **92**
Meadow Wlk. *B14* —5C **102**
Mead Ri. *B15* —2D **73**
Meadthorpe Rd. *B44* —4B **24**
Meadvale Rd. *Redn* —3F **107**
Meadway. *B33* —3D **63**
Mears Clo. *B23* —4B **26**
Mears Dri. *B33* —1B **62**
Mearse Clo. *B18* —5B **46**
Mease Cft. *B9* —3F **59**
Measham Gro. *B26* —3C **78**
Meaton Gro. *B32* —3F **85**
Medcroft Av. *B20* —3C **32**
Medina Rd. *B11* —4C **76**
Medley Rd. *B11* —3B **76**
Medlicott Rd. *B11* —2A **76**
Medway Cft. *B36* —3D **53**
Medway Gro. *B38* —1C **110**
Medway Tower. *B7*
　　　　—5F **47** (1F **7**)
Medwin Gro. *B23* —5B **14**
Meer End. *B38* —2C **110**
Meetinghouse La. *B31*
　　　　—2E **99**
Mega Bowl Bowling Alley.
　　　　—4C **58**
Melbourne Av. *B19* —4A **46**
Melbourne Av. *Smeth* —3F **43**
Melbourne Ho. *B34* —4C **52**
Melbourne Rd. *Smeth*
　　　　—3E **43**
Melbury Gro. *B14* —1C **102**

Melchett Rd. *B30* —3D **101**
Melcote Gro. *B44* —4C **24**
Melford Hall Rd. *Sol* —4D **95**
Melfort Gro. *B14* —3E **103**
Melksham Sq. *B35* —4E **39**
Mellis Gro. *B23* —2E **35**
Mellor Dri. *S Cold* —3C **12**
Mellors Clo. *B17* —5F **71**
Melrose Av. *B11* —2F **75**
(in two parts)
Melrose Av. *S'brk* —2E **75**
Melrose Av. *S Cold* —2C **26**
Melrose Clo. *B38* —5D **101**
Melrose Gro. *Loz* —3F **45**
Melrose Pl. *Smeth* —2B **42**
Melrose Rd. *B20* —1C **46**
Melstock Rd. *B14* —4B **90**
Melton Av. *Sol* —4E **79**
Melton Dri. *B15* —1A **74**
Melton Rd. *B14* —3D **91**
Melverley Gro. *B44* —4D **25**
Melville Hall. *Edg* —4B **56**
Melville Rd. *B16* —4A **56**
Melvina Rd. *B7* —1F **59**
Membury Rd. *B8* —4B **48**
Menai Wlk. *B37* —1F **65**
Mendip Av. *B8* —5C **48**
Mendip Rd. *B8* —5C **48**
Menin Cres. *B13* —4F **91**
Menin Pas. *B13* —3F **91**
Menin Rd. *B13* —3F **91**
Mentone Ct. *B20* —4C **32**
Meon Gro. *B33* —5F **63**
Mercer Av. *Wat O* —4E **41**
Mere Av. *B35* —4E **39**
Merecote Rd. *Sol* —4B **94**
Meredith Pool Clo. *B18*
—4D **45**
Mere Dri. *S Cold* —4F **13**
Mere Green. —3F 13
Mere Grn. Clo. *S Cold*
—4A **14**
Mere Grn. Rd. *S Cold* —4F **13**
Mere Pool Rd. *S Cold*
—4B **14**
Mere Rd. *B23* —4A **36**
Mereside Way. *Sol* —3C **94**
Merevale Rd. *Sol* —1F **95**
Meriden Clo. *B25* —1F **77**
Meriden Dri. *B37* —4E **53**
Meriden Ri. *Sol* —5B **80**
Meriden St. *B5*
—3D **59** (4C **10**)
Merino Av. *B31* —1E **109**
Merlin Gro. *B26* —3F **79**
Merrishaw Rd. *B31* —1E **109**
Merritts Brook Clo. *B29*
—1E **99**
Merritt's Brook La. *B31*
—2C **98**
Merritt's Hill. *B31 & N'fld*
—5B **86**
Merrivale Rd. *Smeth* —3E **55**

Merryfield Gro. *B17* —4A **72**
Merry Hill Ct. *Smeth* —4B **44**
Merryhill Dri. *B18* —4B **44**
Mersey Gro. *B38* —1C **110**
Merstowe Clo. *B27* —5F **77**
Merton Ho. *B37* —3D **65**
Merton Rd. *B13* —5F **75**
Mervyn Rd. *B21* —1C **44**
Messenger La. *W Brom*
—4B **30**
Messenger Rd. *Smeth*
—4F **43**
Metchley Ct. *B17* —4B **72**
Metchley Dri. *B17* —3A **72**
Metchley Ho. *B17* —3B **72**
Metchley La. *B17* —4B **72**
Metchley Pk. Rd. *B15*
—4B **72**
Meteor Ho. *B35* —3E **39**
Metfield Cft. *B17* —4B **72**
Metlin Gro. *B33* —2C **64**
Metric Wlk. *Smeth* —5E **43**
Metro Triangle. *B7* —3B **48**
Metro Way. *Smeth* —3A **44**
Mews, The. *B44* —5F **25**
Mews, The. *A Grn* —5A **78**
Meynell Ho. *B20* —4D **33**
Meyrick Wlk. *B16* —4D **57**
Miall Pk. Rd. *Sol* —5C **94**
Miall Rd. *B28* —5E **92**
Michael Dri. *B15* —1A **74**
Michael Rd. *Smeth* —4G **42**
Micklehill Dri. *Shir* —5F **105**
Mickle Mdw. *Wat O* —4F **41**
Mickleover Rd. *B8* —5A **50**
Mickleton Av. *B33* —5A **64**
Mickleton Rd. *Sol* —3B **94**
Middle Acre Rd. *B32* —1C **86**
Middle Bickenhill La. *H Ard*
—3E **83**
Middle Dri. *Redn* —5B **108**
Middle Fld. Rd. *B31* —4A **100**
Middlefield Ri. *B32* —1B **86**
Middle Leaford. *B34* —5E **51**
Middle Leasowe. *B32*
—4A **70**
Middle Mdw. Av. *B32* —3A **70**
Middlemist Gro. *B43* —1D **33**
Middlemore Ind. Est. *Hand*
—2F **43**
Middlemore Rd. *N'fld* —4F **99**
Middlemore Rd. *Smeth &*
Hand —3F **43**
Middle Pk. Clo. *B29* —3F **87**
Middle Pk. Rd. *B29* —3F **87**
Middle Roundhay. *B33*
—2E **63**
Middleton Gdns. *B30*
—2B **100**
Middleton Grange. *B31*
—2A **100**
Middleton Hall Rd. *B30*
—2B **100**

Middleton Rd. *B14* —4C **90**
Middleton Rd. *Shir* —4E **105**
Middleton Rd. *S Cold* —1E **17**
Middleway Vw. *B18*
—2E **57** (5A **4**)
Midford Gro. *B15*
—5A **58** (5D **9**)
Midgley Dri. *S Cold* —4E **13**
Midhurst Rd. *B30* —3F **101**
Midland Clo. *B21* —3E **45**
Midland Ct. *B3* —4E **5**
Midland Cft. *B33* —2B **64**
Midland Dri. *S Cold* —4A **14**
Midland Rd. *B30* —1D **101**
Midland Rd. *S Cold* —1C **19**
Midland St. *B8 & B9* —2A **60**
Midpoint Boulevd. *Min*
—2A **40**
Midvale Dri. *B14* —4B **102**
Milburn Rd. *B44* —1E **25**
Milcote Dri. *S Cold* —1A **26**
Milcote Rd. *B29* —3E **87**
Milcote Rd. *Smeth* —3D **55**
Mildenhall Rd. *B42* —3E **23**
Milebrook Gro. *B32* —3F **85**
Mile Oak Ct. *Smeth* —4F **43**
Milesbush Av. *B36* —1B **52**
Milestone La. *Hand* —2B **44**
Milford Av. *B12* —2E **75**
Milford Cft. *B19*
—5E **46** (2E **5**)
Milford Pl. *K Hth* —3C **90**
Milford Rd. *B17* —3F **71**
Milk St. *B5* —4D **59** (4D **11**)
Millbank Gro. *B23* —1F **35**
(in two parts)
Mill Brook Dri. *B31* —1C **108**
Millbrook Rd. *B14* —5A **90**
Mill Burn Way. *B9* —3F **59**
Millcroft Clo. *B32* —1C **86**
Millcroft Rd. *S Cold* —1E **17**
Mill Dri. *Smeth* —5F **43**
Millennium Point.
—2D 59 (1D 11)
Millers Ct. *Smeth* —5F **43**
(off Corbett St.)
Miller St. *B6* —5C **46** (1A **6**)
Mill Farm Rd. *B17* —5A **72**
Millfield. *N'fld* —2E **99**
Millfield Rd. *B20* —2C **32**
Millfields. *B33* —2B **64**
(in two parts)
Millford Clo. *B28* —1E **105**
Mill Gdns. *B14* —1B **104**
Mill Gdns. *Smeth* —2D **55**
Millhaven Av. *B30* —5F **89**
Mill Hill. *Smeth* —2D **55**
Millhouse Rd. *B25* —5F **61**
Millicent Pl. *B12* —2E **75**
Millington Rd. *B36* —2C **50**
Mill La. *B5* —4D **59** (4C **10**)
Mill La. *Hale* —4A **68**
Mill La. *N'fld* —5D **99**

Mill La. *Quin* —1B **86**
Millmead Lodge. *B13* —3B **92**
Millmead Rd. *B32* —1C **86**
Millpool Gdns. *B14* —3D **103**
Millpool Hill. *B14* —2D **103**
Millpool Way. *Smeth* —1E **55**
Mill Rd. *Yard* —2D **77**
Mills Av. *S Cold* —5C **20**
Millside. *B28* —3C **104**
Mill St. *B6* —5D **47** (2C **6**)
Mill St. *S Cold* —4A **20**
Mill St. *W Brom* —3A **30**
Millthorpe Clo. *B8* —5D **49**
Mill Vw. *B33* —1A **64**
Millward St. *B9* —4A **60**
Milner Rd. *B29* —2E **89**
Milner Way. *B13* —3B **92**
Milnes Walker Ct. *B44*
—3C **24**
Milsom Gro. *B34* —4B **52**
Milstead Rd. *B26* —4E **63**
Milston Clo. *B14* —5C **102**
Milton Av. *B12* —2E **75**
Milton Ct. *Smeth* —4E **55**
Milton Cres. *B25* —1B **78**
Milton Gro. *S Oak* —5D **73**
Milton Rd. *Smeth* —5B **42**
Milton St. *B19* —4C **46**
Milton St. *W Brom* —2A **30**
Milverton Clo. *S Cold*
—5D **29**
Milverton Rd. *B23* —3C **36**
Mimosa Clo. *B29* —3F **87**
Mindelsohn Way. *Edg*
—4B **72**
Minden Gro. *B29* —2F **87**
Miniva Dri. *S Cold* —3E **29**
Minivet Dri. *B12* —2C **74**
Minley Av. *B17* —1D **71**
Minories. *B4* —2C **58** (1A **10**)
Minstead Rd. *B24* —1B **48**
Minster Ct. *Mose* —4E **75**
Minster Dri. *B10* —1B **76**
Mintern Rd. *B25* —5A **62**
Minton Rd. *B32* —4D **71**
Minworth. —2B 40
Minworth Ind. Est. *Min*
—1E **39**
Minworth Ind. Pk. *Min*
—1A **40**
Minworth Rd. *Wat O* —4E **41**
Miranda Clo. *Redn* —3E **97**
Mirfield Rd. *B33* —3F **63**
Mirfield Rd. *Sol* —5E **95**
Mitcham Gro. *B44* —3F **25**
Mitcheldean Covert. *B14*
—4B **102**
Mitre Clo. *S Cold* —3A **20**
Mitten Av. *Redn* —5D **97**
Mitton Rd. *B20* —5C **32**
Moat Coppice. *W'gte* —2F **85**
Moat Cft. *B37* —3E **65**

Moat Cft. *S Cold* —5F **29**
Moat Farm Dri. *B32* —2E **85**
Moat Ho. Rd. *B8* —1E **61**
Moat La. *B5* —4C **58** (4B **10**)
Moat La. *Yard* —1C **78**
Moat Meadows. *B32* —4C **70**
Moatmead Wlk. *B36* —2C **50**
Moat Rd. *O'bry* —1A **54**
Moatway, The. *B38* —2C **110**
Modbury Av. *B32* —2B **86**
Moilliett Ct. *Smeth* —4A **44**
Moilliett St. *B18* —1B **56**
Moira Cres. *B14* —2A **104**
Moland St. *B4* —1C **58** (3B **6**)
Mole St. *B12 & B11* —2F **75**
Monaco Ho. *B5*
—5B **58** (5F **9**)
Mona Rd. *Erd* —2D **37**
Monastery Dri. *Sol* —5B **94**
Monckton Rd. *O'bry* —1E **69**
Monica Rd. *B10* —1D **77**
Monk St. *B8* —5F **49**
Monkseaton Rd. *S Cold*
—2F **27**
Monksfield Av. *B43* —3B **22**
Monkshood M. *Erd* —5F **25**
Monkshood Retreat. *B38*
—1D **111**
Monks Kirby Rd. *S Cold*
—5D **21**
Monkspath. *S Cold* —3D **29**
Monksway. *B38* —5F **101**
Monkswell Clo. *B10* —1B **76**
Monkswood Rd. *B31*
—4A **100**
Monkton Rd. *B29* —5E **71**
Monmouth Dri. *S Cold*
—1A **26**
Monmouth Ho. *B33* —3C **64**
Monmouth Rd. *B32* —3B **86**
Monmouth Rd. *Smeth*
—5C **54**
Monsal Rd. *B42* —5A **24**
Montague Rd. *Edg* —4C **56**
Montague Rd. *Erd* —1E **49**
Montague Rd. *Hand* —2D **45**
Montague Rd. *Smeth*
—2F **55**
Montague St. *Aston* —2F **47**
Montague St. *Bord*
—3E **59** (3F **11**)
Montana Av. *B42* —2E **23**
Montfort Wlk. *B32* —1E **85**
Montgomery Cft. *B11*
—1A **76**
Montgomery St. *B11* —1F **75**
Montgomery Wlk. *W Brom*
—3B **30**
Montgomery Way. *B8*
—1E **61**
Montpelier Rd. *B24* —1E **49**
Montpellier St. *B12* —2E **75**
Montrose Dri. *B35* —4E **39**

Monument La. *Redn*
—5D **107**
Monument Rd. *B16* —4D **57**
(in two parts)
Monyhull Hall Rd. *B30*
—4F **101**
Moodyscroft Rd. *B33*
—2A **64**
Moorcroft Pl. *B7*
—1E **59** (4E **7**)
Moorcroft Rd. *B13* —5C **74**
Moordown Av. *Sol* —1E **95**
Moore Clo. *S Cold* —1D **13**
Moore Cres. *O'bry* —2A **54**
Moorend La. *B24* —3E **37**
Moore's Row. *B5*
—4D **59** (4D **11**)
Moorfield Dri. *S Cold* —4D **27**
Moorfield Rd. *B34* —4E **51**
Moor Green. —1A 90
Moor Grn. La. *B13* —2A **90**
Moor Hall Dri. *S Cold*
—1A **20**
Moorhills Cft. *Shir* —5F **105**
Moorland Rd. *B16* —4B **56**
Moorlands, The. *S Cold*
—5D **13**
Moor La. *B44 & B6* —1D **35**
Moor La. Ind. Est. *B6*
—2D **35**
Moor Leasow. *B31* —4A **100**
Moor Mdw. Rd. *S Cold*
—2B **20**
Moorpark Rd. *B31* —5E **99**
Moorpool Ter. *B17* —2A **72**
Moors Cft. *B32* —2F **85**
Moorside Rd. *B14* —2A **104**
Moor's La. *B31* —3C **86**
Moorsom St. *B6*
—5C **46** (1A **6**)
Moors, The. *B36* —2D **51**
Moor Street. —1E 85
Moor St. *B5* —3B **10**
Moor St. *W Brom* —5A **30**
Moor St. Queensway. *B4*
—3C **58** (2B **10**)
Moor, The. *S Cold* —4E **29**
Moorville Wlk. *B11* —1E **75**
Morar Clo. *B35* —3A **40**
Morcom Rd. *B11* —3C **76**
Mordaunt Dri. *S Cold* —4C **14**
Morden Rd. *B33* —2B **62**
Moreland Cft. *Min* —1F **39**
Morelands, The. *B31* —5F **99**
Morestead Av. *B26* —3A **80**
Moreton Av. *B43* —2A **24**
Moreton Clo. *B32* —3D **71**
(in two parts)
Moreton Rd. *Shir* —4F **105**
Moreton St. *B1*
—1F **57** (4A **4**)

Morgan Gro. *B36* —1D **53**
Morjon Dri. *B43* —2D **23**
Morland Rd. *B43* —5A **16**
Morley Rd. *B8* —4F **49**
Morningside. *S Cold* —3F **19**
Mornington Rd. *Smeth*
　　　　　　　—3F **43**
Morris Clo. *B27* —4B **78**
Morris Cft. *B36* —1D **53**
Morris Fld. Cft. *B28* —2C **104**
Morris Rd. *B8* —4F **49**
Morris St. *W Brom* —1A **42**
Mortimers Clo. *B14* —5F **103**
Morven Rd. *S Cold* —1E **27**
Morville St. *B16*
　　　　　　—4E **57** (4A **8**)
(in two parts)
Mosborough Cres. *B19*
　　　　—5A **46** (1D **5**)
Moseley. —5E **75**
Moseley Dri. *B37* —5D **65**
Moseley Hall Dovecote.
　　　　　　　—5C **74**
Moseley Rd. *B12*
　　　　　—3D **75** (5E **11**)
(in two parts)
Moseley St. *B5 & B12*
　　　　　—4D **59** (5C **10**)
Moss Dri. *S Cold* —1A **28**
Mossfield Rd. *B14* —4C **90**
Moss Gro. *B14* —5B **90**
Moss Ho. Clo. *B15*
　　　　　—4F **57** (5B **8**)
Mossvale Gro. *B8* —5D **49**
Moss Way. *S Cold* —2D **17**
Mostyn Pl. *Aston* —1C **46**
Mostyn Rd. *Edg* —3D **57**
Mostyn Rd. *Hand* —2D **45**
Motorway Trad. Est. *B6*
　　　　　—5D **47** (2C **6**)
Mottrams Clo. *S Cold*
　　　　　　　—2A **28**
Mott St. *B19* —1B **58** (3D **5**)
Mott St. Ind. Est. *B19*
　　　　　—1B **58** (3D **5**)
Moundsley Gro. *B14*
　　　　　　　—3E **103**
Moundsley Ho. *B14* —4D **103**
Mounds, The. *B38* —1C **110**
Mountbatten Clo. *W Brom*
　　　　　　　—5D **31**
Mount Clo. *Mose* —4D **75**
Mountfield Clo. *B14* —4E **103**
Mountford Dri. *S Cold*
　　　　　　　—1F **19**
Mountford Rd. *Shir* —5B **104**
Mountford St. *B11* —3B **76**
Mountjoy Cres. *Sol* —5A **80**
Mount Pleasant. *B10* —4F **59**
Mount Pleasant. *K Hth*
　　　　　　　—2D **91**
Mt. Pleasant Av. *B21*
　　　　　　　—1C **44**

Mt. Pleasant St. *W Brom*
　　　　　　　—5A **30**
Mount Rd. *B21* —3B **44**
Mount St. *B7 & Nech*
　　　　　　　—4A **48**
Mount St. Ind. Est. *B7*
　　　　　　　—3B **48**
Mounts Way. *B7* —3A **48**
Mount, The. *B23* —1B **48**
Mount, The. *Curd* —1F **41**
Mount, The. *S Cold* —5C **20**
Mount Vw. *S Cold* —5C **20**
Mowbray Clo. *Redn* —4E **97**
Mowbray St. *B5* —5C **58**
Mowe Cft. *B37* —1E **81**
Moxhull Dri. *S Cold* —4C **28**
Moxhull Rd. *B37* —5E **53**
Moyses Cft. *Smeth* —2E **43**
Mucklow Hill. *Hale* —4A **68**
Mucklow Hill Trad. Est.
　　　　　Hale —3A **68**
Muirfield Gdns. *B38*
　　　　　　　—5B **110**
Muirhead Ho. *B5* —2A **74**
Mulberry Dri. *B13* —2F **91**
Mulberry Rd. *B30* —1A **100**
Mulberry Wlk. *S Cold*
　　　　　　　—1C **16**
Mull Clo. *Redn* —5C **96**
Mull Cft. *B36* —3E **53**
Mullens Gro. Rd. *B37*
　　　　　　　—5E **53**
Mulliners Clo. *B37* —1B **80**
Mullion Cft. *B38* —5C **100**
Mulroy Rd. *S Cold* —3F **19**
Mulwych Rd. *B33* —3C **64**
Munslow Gro. *B31*
　　　　　　　—1D **109**
Muntz St. *B10* —5B **60**
Murdock Gro. *B21* —1B **44**
Murdock Pl. *Smeth* —1F **55**
(off Corbett St.)
Murdock Point. *B6* —2F **47**
Murdock Rd. *B21* —2C **44**
Murdock Rd. *Smeth* —4B **44**
Murray Ct. *S Cold* —1E **27**
Murrell Clo. *B5* —1B **74**
Musborough Clo. *B36*
　　　　　　　—1A **52**
Muscott Gro. *B17* —3F **71**
Muscovy Rd. *B23* —4A **36**
Musgrave Clo. *S Cold*
　　　　　　　—1C **28**
Musgrave Rd. *B18* —4D **45**
Mushroom Hall Rd. *O'bry*
　　　　　　　—5A **42**
Myddleton St. *B18* —1E **57**
Myring Dri. *S Cold* —3D **21**
Myrtle Av. *B12* —3E **75**
Myrtle Av. *K Hth* —4D **103**
Myrtle Gro. *B19* —2A **46**
Myrtle Pl. *S Oak* —1F **89**
Myton Dri. *Shir* —4B **104**

Mytton Rd. *B30* —1A **100**
Mytton Rd. *Wat O* —4E **41**

Naden Rd. *B19* —4F **45**
Nadin Rd. *S Cold* —4E **27**
Nafford Gro. *B14* —4D **103**
Nailers Clo. *B32* —1D **85**
Nailstone Cres. *B27* —3A **94**
Nairn Clo. *B28* —1D **105**
Nansen Rd. *Salt* —5C **48**
Nansen Rd. *S'hll* —5A **76**
Nantmel Gro. *B32* —3A **86**
Napton Gro. *B29* —1D **87**
Narrow La. *Hale* —1C **68**
Naseby Rd. *B8* —5D **49**
Naseby Rd. *Sol* —5F **95**
Nash Ho. *B15* —5B **58**
Nash Sq. *B42* —3B **34**
Nash Wlk. Smeth —5A **44**
(off Poplar St.)
Nately Gro. *B29* —1A **88**
Nathan Clo. *S Cold* —1F **19**
National Exhibiton Cen.
　　　　　　　—4B **82**
National Indoor Arena.
　　　　　—3F **57** (2B **8**)
National Motorcycle Mus.
　　　　　　　—5D **83**
National Sea Life Cen.
　　　　　—3F **57** (2B **8**)
Naunton Clo. *B29* —4E **87**
Navenby Clo. *Shir* —3A **104**
Navigation St. *B2 & B5*
　　　　　—3B **58** (3E **9**)
Nayland Cft. *B28* —1E **105**
Neachley Gro. *B33* —1D **63**
Neale Ho. *W Brom* —1B **42**
Nearhill Rd. *B38* —1A **110**
Near Lands Clo. *B32* —4F **69**
Nearmoor Rd. *B34* —4B **52**
Neasden Gro. *B44* —4F **25**
Nechells. —3B **48**
Nechells Green.
　　　　　—1F **59** (3F **7**)
Nechells Pk. Rd. *B7* —4F **47**
Nechell's Parkway. *B7*
　　　　　—1E **59** (4E **7**)
Nechells Pl. *B7* —4F **47**
NEC Ho. *B37* —3B **82**
(in two parts)
Needham St. *B7* —3A **48**
Needless All. *B2*
　　　　　—3B **58** (2F **9**)
Nelson Building. *B4* —4C **6**
Nelson Rd. *B6* —1D **47**
Nelson St. *B1* —2F **57** (1B **8**)
Nelson St. *W Brom* —2A **30**
Nene Way. *B36* —2D **53**
Nesbit Gro. *B9* —2F **61**
Nesfield Clo. *B38* —5A **100**
Nesscliffe Gro. *B23* —5B **26**
Neston Gro. *B33* —3A **62**

Netheravon Clo. *B14*
—4B **102**
Nethercote Gdns. *Shir*
—3C **104**
Netherdale Clo. *S Cold*
—5A **28**
Netherdale Rd. *B14* —5E **103**
Netherfield Gdns. *B27*
—5F **77**
Netherstone Gro. *S Cold*
—1D **13**
Netherton Gro. *B33* —2B **64**
Netherwood Clo. *Sol* —5C **94**
Netley Gro. *B11* —5D **77**
Nevada Way. *B37* —4A **66**
Neville Rd. *Cas B* —1C **52**
Neville Rd. *Erd* —4A **36**
Neville Rd. *Shir* —5D **105**
Neville Wlk. *B35* —5E **39**
Nevin Gro. *B42* —2A **34**
Nevison Gro. *B43* —5A **16**
Newark Cft. *B26* —2F **79**
New Bank Gro. *B9* —2E **61**
New Bartholomew St. *B5*
—3D **59** (2C 10)
Newbold Cft. *B7* —5F **47**
New Bond St. *B9*
—4F **59** (4F 11)
Newborough Gro. *B28*
—2D **105**
Newborough Rd. *Hall G &*
Shir —2D **105**
Newbridge Rd. *B9* —5F **61**
Newburn Cft. *B32* —3F **69**
Newbury Clo. *Hale* —5B **68**
Newbury Rd. *B19* —3C **46**
Newby Gro. *B37* —5F **53**
New Canal St. *B5*
—3D **59** (3C 10)
New Cannon Pas. *B2*
—3C **58** (2A 10)
Newcastle Cft. *B35* —4A **40**
Newchurch Gdns. *B24*
—5C **36**
New Chu. Rd. *S Cold* —4E **27**
New Cole Hall La. *B34*
—5F **51**
Newcombe Rd. *B21* —5B **32**
New Coventry Rd. *B26*
—3D **79**
New Cft. *B19* —3C **46**
Newcroft Gro. *B26* —1C **78**
Newdigate Rd. *S Cold*
—4E **21**
Newells Rd. *B26* —5E **63**
New England. *Hale* —1C **68**
New Enterprise Workshops.
B7 —4A **48**
Newent Rd. *B31* —2A **100**
Newey Clo. *Redn* —3E **107**
Newey Gro. *B28* —5D **93**
New Hall Dri. *S Cold* —5B **20**
(in two parts)

Newhall Farm Clo. *S Cold*
—5B **20**
Newhall Hill. *B1*
—2A **58** (5C 4)
Newhall Pl. *B1*
—2A **58** (5C 4)
Newhall St. *B3*
—2A **58** (5D 5)
Newhall St. *W Brom* —5A **30**
Newhall Wlk. *S Cold* —5A **20**
Newhaven Clo. *B7*
—1E **59** (2E 7)
Newhay Cft. *B19* —3A **46**
Newhope Clo. *B15* —5B **58**
New Hope Rd. *Smeth*
—1A **56**
Newhouse Farm Clo.
S Cold —1D **29**
Newick Av. *S Cold* —3A **12**
Newick Gro. *B14* —1A **102**
Newington Rd. *B37* —5F **65**
New Inn Rd. *B19* —1B **46**
New Inns Clo. *B21* —2B **44**
New Inns La. *Redn* —5C **96**
New John St. *B6*
—5C **46** (2B 6)
New John St. W. *B19*
—4C **46** (1B 4)
Newland Ct. *B23* —5A **36**
Newland Rd. *B9* —4D **61**
Newlands Dri. *Hale* —1C **68**
Newlands Grn. *Smeth*
—1E **55**
Newlands La. *B37* —2E **81**
Newlands Rd. *B30* —4F **89**
Newlands, The. *B34* —3A **52**
Newlands Wlk. O'bry —1A 54
(off Jackson St.)
New Leasow. *S Cold* —5E **29**
Newlyn Rd. *B31* —3D **99**
Newman College Clo. *B32*
—3A **86**
Newman Ct. *Hand* —1C **44**
Newman Rd. *B23 & B24*
—3D **37**
Newmans Clo. *Smeth*
—1A **56**
Newman Way. *Redn*
—2E **107**
New Mkt. St. *B3*
—2B **58** (1E 9)
Newmarket Way. *B36* —2F **49**
Newmarsh Rd. *Min* —1E **39**
New Mdw. Clo. *B31* —4F **99**
New Meeting St. *B3*
—3C **58** (2B 10)
New Moseley Rd. *B12*
—5E **59**
Newnham Gro. *B23* —1C **36**
Newnham Ho. *B36* —5F **53**
Newnham Rd. *B16* —3A **56**
New Oscott. —3A 26
Newport Rd. *B36* —2D **51**

Newport Rd. *Bal H* —4E **75**
New Rd. *H'wd* —5D **103**
New Rd. *Redn* —2D **107**
New Rd. *Wat O* —4F **41**
New Spring St. *B18*
—1E **57** (3A 4)
New Spring St. N. *B18*
—5E **45**
Newstead Rd. *B44* —1F **25**
New St. *B2* —3B **58** (2E 9)
New St. *Cas B* —2F **51**
New St. *Erd* —2D **37**
New St. *Redn* —4D **97**
New St. *Smeth* —4E **43**
New St. *W Brom* —4B **30**
(in two parts)
New St. N. *W Brom* —4B **30**
New Summer St. *B19*
—5B **58** (3F 5)
Newton. —4A 22
Newton Clo. *B43* —3A **22**
Newton Gdns. *B43* —4A **22**
Newton Gro. *B29* —1D **89**
Newton Mnr. Clo. *B43*
—4B **22**
Newton Pl. *B18* —3D **45**
Newton Rd. *S'hll* —3F **75**
Newton Rd. *W Brom &*
Gt Barr —1C **30**
Newton Sq. *B43* —3C **22**
Newton St. *B4*
—2C **58** (5B 6)
Newton St. *W Brom* —1C **30**
Newtown. —4B 46 (1E 5)
Newtown Dri. *B19*
—4A **46** (1C 4)
Newtown La. *Rom* —5A **96**
Newtown Middleway. *B6*
—5C **46** (1B 6)
New Town Row.
—4C **46** (1C 6)
New Town Row. *B6*
—4C **46** (1A 6)
Newtown Shop. Cen. *B19*
—4C **46**
Niall Clo. *B15* —5C **56**
Nicholas Rd. *S Cold* —1C **16**
Nicholls St. *W Brom* —5C **30**
Nigel Av. *B31* —1E **99**
Nigel Rd. *B8* —4C **48**
Nightingale Av. *B36* —2E **53**
Nightingale Wlk. *B15* —1A **74**
Nightjar Gro. *B23* —1A **36**
Nighwood Dri. *S Cold*
—2D **13**
Nijon Clo. *B21* —1A **44**
Nimmings Clo. *B31* —3D **109**
Nineacres Dri. *B37* —3E **65**
Nine Leasowes. *Smeth*
—3C **42**
Nine Pails Wlk. *W Brom*
—1B **42**
Nineveh Av. *B21* —3D **45**

Nineveh Rd. *B21* —3C **44**
Ninfield Rd. *B27* —5E **77**
Noel Av. *B12* —2E **75**
Noel Rd. *B16* —4D **57**
Nolton Clo. *B43* —4B **22**
Nooklands Cft. *B33* —3E **63**
Nora Rd. *B11* —5A **76**
Norbiton Rd. *B44* —4E **25**
Norbreck Clo. *B43* —3C **22**
Norbury Gro. *Sol* —5E **79**
Norbury Rd. *B44* —1D **25**
Norfolk Av. *W Brom* —1B **30**
Norfolk Clo. *B30* —5F **89**
Norfolk Gdns. *S Cold* —1F **19**
Norfolk Rd. *Edg* —1B **72**
Norfolk Rd. *Erd* —2D **37**
Norfolk Rd. *O'bry* —1F **69**
Norfolk Rd. *Redn* —4D **97**
Norfolk Rd. *S Cold* —2F **19**
Norfolk Tower. *Hock*
　　　　　—5F **45** (1A **4**)
Norgrave Rd. *Sol* —1F **95**
Norlan Dri. *B14* —3D **103**
Norland Rd. *B27* —2A **94**
Norley Gro. *B13* —4A **92**
Norley Trad. Est. *B33* —5A **64**
Norman Av. *B32* —1C **70**
Normandy Rd. *B20* —1C **46**
Norman Rd. *N'fld* —3F **99**
Norman Rd. *Smeth* —4B **54**
Norman St. *B18* —5C **44**
Normanton Av. *B26* —3B **80**
Normanton Tower. *B23*
　　　　　—1E **37**
Norrington Gro. *B31* —3A **98**
Norrington Rd. *B31* —3A **98**
Norris Dri. *B33* —2D **63**
Norris Rd. *B6* —1D **47**
Norris Way. *S Cold* —4B **20**
Northampton St. *B18*
　　　　　—1A **58** (3C **4**)
Northanger Rd. *B27* —1F **93**
North Av. *B40* —3C **82**
Northbrook Ct. *Shir* —5A **94**
Northbrook Rd. *Shir* —5A **94**
Northbrook St. *B16* —1D **57**
Northcote Rd. *B33* —1B **62**
North Dri. *B5* —3A **74**
North Dri. *Hand* —2F **45**
North Dri. *S Cold* —3A **20**
Northfield —3E **99**
Northfield Rd. *B30 &*
　　　　　K Nor —2B **100**
Northfield Rd. *Harb* —5E **71**
Northfleet Tower. *B31*
　　　　　—4A **98**
North Ga. *B17* —1A **72**
North Holme. *B9* —3A **60**
Northlands Rd. *B13* —2E **91**
Northleach Av. *B14* —4B **102**
Northleigh Rd. *B8* —4E **49**
Northmead. *B33* —3E **63**
Northolt Dri. *B35* —4E **39**

Northolt Gro. *B42* —3D **23**
N. Park Rd. *B23* —4F **35**
North Pathway. *B17* —1F **71**
North Rd. *Hand* —5C **34**
North Rd. *Harb* —2B **72**
North Rd. *S Oak* —5D **73**
North Roundhay. *B33*
　　　　　—1E **63**
Northside Dri. *S Cold*
　　　　　—1D **17**
North St. *Smeth* —5D **43**
Northumberland St. *B7*
　　　　　—2E **59** (5F **7**)
North Wlk. *B31* —5A **100**
N. Warwick St. *B9* —4B **60**
Northway. *B37* —2D **83**
N. Western Arc. *B2*
　　　　　—2C **58** (1A **10**)
N. Western Rd. *Smeth*
　　　　　—4D **43**
N. Western Ter. *B18* —3D **45**
Northwood St. *B3*
　　　　　—1A **58** (5D **5**)
Norton Clo. *B31* —3E **99**
Norton Clo. *Smeth* —5A **44**
Norton Cres. *B9* —2F **61**
Norton St. *B18* —5E **45**
Norton Tower. *B1* —2C **8**
Norton Vw. *B14* —4B **90**
Norton Wlk. *B23* —4A **36**
Nortune Clo. *B38* —4B **100**
Norwich Cft. *B37* —4D **65**
Norwich Dri. *B17* —5D **55**
Norwood Gro. *B19* —3F **45**
Norwood Rd. *B9* —3C **60**
Nova Ct. *B43* —3F **23**
Nova Scotia St. *B4*
　　　　　—5B (1C **10**)
Novotel Way. *Birm A* —4A **82**
Nuffield Ho. *B36* —2E **83**
Nugent Clo. *B6* —3C **46**
Nursery Av. *B12* —3D **75**
Nursery Clo. *B30* —1D **101**
Nursery Dri. *B30* —1D **101**
Nursery Rd. *Edg* —2B **72**
Nursery Rd. *Hock* —4F **45**
Nutbush Dri. *B31* —5B **86**
Nutfield Wlk. *B32* —3D **71**
Nutgrove Clo. *B14* —4D **91**
Nuthurst. *S Cold* —5F **21**
Nurthurst Gro. *B14* —4D **103**
Nurthurst Rd. *B31* —3D **109**
Nuttall Gro. *B21* —3A **44**

Oak Av. *B12* —3E **75**
Oak Av. *W Brom* —4A **30**
Oak Bank. *B18* —4E **45**
Oak Barn Rd. *Hale* —1C **68**
Oak Clo. *B17* —2E **71**
Oak Cotts. *B7* —2F **59**
Oak Ct. *Smeth* —2A **42**
Oak Cft. *B37* —2D **65**

Oakcroft Rd. *B13* —4F **91**
Oakdale Rd. *B36* —2C **50**
Oak Dri. *B23* —5A **26**
Oakenhayes Cres. *Min*
　　　　　—2A **40**
Oak Farm Clo. *S Cold* —5E **29**
Oak Farm Rd. *B30* —1B **100**
Oakfield Av. *B11* —2A **76**
Oakfield Av. *B12* —2E **75**
Oakfield Av. *Hand* —3B **44**
Oakfield Clo. *Smeth* —4A **44**
Oakfield Dri. *Redn* —5B **108**
Oakfield Rd. *Bal H* —3C **74**
Oakfield Rd. *Erd* —4D **37**
Oakfield Rd. *S Oak* —5E **73**
Oakfield Rd. *Smeth* —4A **44**
Oak Gro. *B31* —5D **99**
Oakham Av. *B17* —1F **71**
Oakham Way. *Sol* —2E **95**
Oakhill Cres. *B27* —3F **93**
Oak Hill Dri. *B15* —1C **72**
Oak House Mus. —5A **30**
Oakhurst Rd. *B27* —2F **93**
Oakington Ho. *B35* —4E **39**
Oakland Rd. *Hand* —2C **44**
(in two parts)
Oakland Rd. *Mose* —5E **76**
Oaklands. *Curd* —1F **41**
Oaklands. *Hale* —4E **69**
Oaklands Av. *B17* —3F **71**
Oaklands Cft. *S Cold* —5F **29**
Oaklands Dri. *B20* —5D **33**
Oaklands Dri. *S Cold* —1D **17**
Oaklands Rd. *S Cold* —1F **19**
Oaklands, The. *B37* —1E **81**
Oaklands Way. *B31* —5F **97**
Oak La. *W Brom* —4A **30**
Oakleaf Clo. *B32* —1B **86**
Oak Leaf Dri. *Mose* —5E **75**
Oak Leasow. *B32* —4F **69**
Oakleigh. *B31* —4A **100**
Oakley Rd. *B10 & Small H*
(in two parts)　　—1A **76**
Oakley Rd. *K Nor* —1F **101**
Oakmeadow Clo. *B33*
　　　　　—3B **64**
Oakmeadow Clo. *Yard*
　　　　　—3B **78**
Oakmeadow Way. *Erd*
　　　　　—4B **38**
Oak Mt. Rd. *S Cold* —2E **17**
Oak Rd. *O'bry* —1A **70**
Oak Rd. *W Brom* —5A **30**
Oaks, The. *B17* —5F **55**
Oaks, The. *B34* —3F **51**
Oaks, The. *K Nor* —3D **111**
Oaks, The. *Smeth* —5D **43**
Oaks, The. *S Cold* —1E **29**
Oakthorpe Dri. *B37* —5D **53**
Oaktree Cres. *Hale* —2D **69**
Oak Tree La. *S Oak & B'ville*
　　　　　—2C **88**

Oak Wlk., The. *B31* —5E **99**
Oak Way. *S Cold* —2D **29**
Oakwood Dri. *B14* —2B **102**
Oakwood Dri. *S Cold* —1C **16**
Oakwood Rd. *Smeth* —1D **55**
Oakwood Rd. *S'hll* —5A **76**
Oakwood Rd. *Sol* —2C **26**
Oaston Rd. *B36* —2B **52**
Oatlands Wlk. *B14* —4A **102**
Oban Rd. *Sol* —2D **95**
Oberon Clo. *Redn* —4E **97**
Oberon Dri. *Shir* —5E **105**
Ockam Cft. *B31* —4A **100**
Oddingley Ct. *B23* —5F **35**
Oddingley Rd. *B31* —4A **100**
Odell Pl. *B5* —3A **74**
Odensil Grn. *Sol* —1F **95**
Odeon Cinema. —*3C 58*
Offenham Covert. *B38*
—1C **110**
Offini Clo. *W Brom* —5D **51**
Offmoor Rd. *B32* —3F **85**
Ogbury Clo. *B14* —4A **102**
Ogley Dri. *S Cold* —4D **21**
O'Keefe Clo. *B11* —2F **75**
Old Abbey Gdns. *B17*
—4B **72**
Oldacre Clo. *B18* —1B **38**
Old Acre Dri. *Hand* —3C **44**
Oldacre Rd. *O'bry* —1E **69**
Old Bank Pl. *S Cold* —4A **20**
Old Bank Top. *B31* —4F **99**
Old Barn Rd. *B30* —5B **88**
Old Beeches. *B23* —4A **26**
Old Bell Rd. *B23* —1F **37**
Old Bri. St. *B19*
—4A **46** (1B **4**)
Old Bromford La. *B8* —3F **49**
Oldbury Ho. *O'bry* —3A **54**
Oldbury Rd. *Smeth* —3A **42**
Oldbury Rd. Ind. Est.
Smeth —3B **42**
Old Camp Hill. *B11*
—5E **59** (5F **11**)
Old Chapel Rd. *Smeth*
—2D **55**
Old Chu. Av. *Harb* —3A **72**
Old Chu. Grn. *B33* —3C **62**
Old Chu. Rd. *B17 & Harb*
—3F **71**
Old Chu. Rd. *Wat O* —4F **41**
Old Ct. Cft. *B9* —4A **60**
Old Cft. La. *B36 & B34*
—3A **52**
Old Cross. *B4* —5C **6**
Old Cross St. *B4*
—2D **59** (5C **6**)
Old Crown Clo. *B32* —2F **85**
Old Damson La. *Sol* —5E **81**
Old Farm Gro. *B14* —1B **104**
Old Farm Rd. *B33* —1C **62**
Oldfield Rd. *B12* —2E **75**

Old Fire Sta., The. *B17*
—2B **72**
Old Fordrove. *S Cold* —1B **28**
Old Forest Way. *B34* —4F **51**
Old Grange Rd. *B11* —4A **76**
Old Hall La. *A'rdge* —4A **16**
Old Horns Cres. *B43* —2A **24**
Oldhouse Farm Clo. *B28*
—5D **93**
Old Ho. La. *Rom* —5A **96**
Old Kingsbury Rd. *Min*
—2A **40**
Oldknow Rd. *B10* —2C **76**
Old Lime Gdns. *B38*
—1C **110**
Old Lindens Clo. *S Cold*
—2C **16**
Old Lode La. *Sol* —4F **79**
Old Mdw. Rd. *B31* —2A **110**
Old Mill Gdns. *B33* —3C **62**
Old Mill Gro. *B20* —5A **34**
Old Moat Dri. *B31* —3F **99**
Old Moat Way. *B8* —4F **49**
Old Oak Rd. *B38* —4E **101**
Old Oscott. —*3C 24*
Old Oscott Hill. *B44* —3D **25**
Old Oscott La. *B44* —4C **24**
Old Pk. *B31 & B29* —1E **99**
Old Pk. Clo. *Aston* —3C **46**
Old Pk. Wlk. *Aston* —3C **46**
Old Portway. *B38* —2C **110**
Old Postway. *B19* —3B **46**
(in two parts)
Old Quarry Clo. *Redn*
—1D **107**
Old Repertory Theatre.
—*3F 9*
Old Scott Clo. *B33* —3A **64**
Old Smithy Pl. *B18* —5E **45**
Old Snow Hill. *B4*
—1B **58** (4F **5**)
Old Sq. *B4* —2C **58** (1B **10**)
Old Stables Wlk. *B7* —3A **48**
Old Sta. Rd. *B33* —1B **62**
Old Sta. Rd. *H Ard* —5D **83**
Old Stone Clo. *Redn* —5D **97**
Old Tokengate. *B17* —3C **72**
Old Town Clo. *B38* —4D **101**
Old Walsall Rd. *B42 &*
Hamp I —2D **33**
Old Warwick Ct. *Sol* —2C **94**
Old Warwick Rd. *Sol*
—2C **94**
Olive Hill Rd. *Hale* —1B **68**
Olive La. *Hale* —1A **68**
Olive Pl. *B14* —4D **91**
Oliver Rd. *Erd* —1D **37**
Oliver Rd. *Lady* —3D **57**
Oliver Rd. *Smeth* —2A **56**
Oliver St. *B7* —5E **47** (1F **7**)
Ollerton Rd. *B26* —1D **79**
Olliver Clo. *Hale* —5E **69**

Olorenshaw Rd. *B26* —3B **80**
Olton. —*2B 94*
Olton Boulevd. E. *B27*
—1E **93**
Olton Boulevd. W. *B11*
—5D **77**
Olton Cft. *B27* —5B **78**
Olton Mere. *Sol* —2C **94**
Olton Rd. *Shir* —2F **105**
Olton Wharf. *Sol* —1C **94**
Ombersley Ho. *B31* —4B **100**
Ombersley Rd. *B12* —2E **75**
One Stop Shop. Cen.
P Barr —4B **34**
Onibury Rd. *B21* —1B **44**
Onslow Cres. *Sol* —2E **95**
Onslow Rd. *B11* —4E **77**
Ontario Clo. *B38* —1E **111**
Oozells Pl. *B1* —3C **8**
Oozells Sq. *B1* —3C **8**
Oozells St. *B1* —3A **58** (3C **8**)
Oozells St. N. *B1*
—3A **58** (3C **8**)
Open Fld. Clo. *B31* —4F **99**
Openfield Cft. *Wat O* —5F **41**
Orchard Clo. *Curd* —1F **41**
Orchard Clo. *Hand* —5D **33**
Orchard Clo. *S Cold* —4E **27**
Orchard Ct. *Erd* —3F **35**
Orchard Dri. *B31* —2D **109**
Orchard Gro. *S Cold* —3D **13**
Orchard Mdw. Wlk. *B35*
—4F **39**
Orchard Ri. *B26* —1D **79**
Orchard Rd. *B24* —2E **37**
Orchard Rd. *Bal H* —2D **75**
Orchards, The. *Four O*
—1E **19**
Orchards Way. *B12* —2C **74**
Orchard, The. *B37* —5D **65**
Orchard, The. *O'bry* —1A **54**
Orchard Tower. *B31* —4D **87**
Orchard Way. *B27* —4F **77**
Orchard Way. *Gt Barr*
—3D **23**
Orchard Way. *H'wd* —5E **103**
Orcheston Wlk. *B14*
—5B **102**
Orchid Clo. *Smeth* —3B **42**
Orchid Dri. *Hock* —4B **46**
Orford Gro. *B21* —2A **44**
Oriel Ho. *B37* —2E **65**
Orion Clo. *B8* —1F **61**
Orkney Av. *B34* —4D **51**
Orkney Cft. *B36* —3F **53**
Ormond Rd. *Redn* —5C **96**
Ormsby Ct. *B15* —1D **73**
Ormsby Gro. *B27* —5F **93**
Ormscliffe Rd. *Redn* —3F **107**
Orphanage Rd. *B24 & Erd*
—2E **37**
Orphanage Rd. *S Cold*
—1A **38**

Orpington Rd. *B44* —1C **24**
Orpwood Rd. *B33* —3E **63**
Orton Av. *S Cold* —1D **39**
Orton Clo. *Wat O* —4E **41**
Orton Way. *B35* —1E **51**
Orwell Dri. *B38* —1F **109**
Orwell Dri. *W Brom* —1B **30**
Orwell Pas. *B5*
—3C **58** (3B **10**)
Osborne Gro. *B19* —3A **46**
Osborne Rd. *Erd* —2D **37**
Osborne Rd. *Hand* —2D **45**
Osborne Rd. *W Brom*
—4A **30**
Osborne Rd. S. *B23* —3D **37**
Osborn Rd. *B11* —2A **76**
Osbourne Clo. *B6* —3E **47**
Oscott Ct. *B23* —4C **26**
Oscott Gdns. *P Barr* —4C **34**
Oscott Rd. *P Barr & Holf*
—4C **34**
Oscott School La. *B44*
—2C **24**
Osier Gro. *B23* —1F **35**
Osler St. *B16* —3D **57**
Osmaston Rd. *B17* —5E **71**
Osprey Rd. *B27* —1B **94**
Osprey Rd. *Erd* —1A **36**
Other Rd. *Redn* —4A **108**
Otley Gro. *B9* —2A **62**
Otter Cft. *B34* —5B **52**
Oughton Rd. *B12* —1E **75**
Oundle Rd. *B44* —5D **25**
Outmore Rd. *B33* —4F **63**
Oval Rd. *B24* —1C **48**
Oval, The. *Smeth* —2B **54**
Over Brunton Clo. *B31*
—4F **99**
Overbury Clo. *B31* —3A **100**
Overbury Clo. *Hale* —1A **84**
Overbury Rd. *B31* —2A **100**
Overdale Av. *S Cold* —2D **59**
Overdale Rd. *B32* —4C **70**
Overend St. *W Brom* —4B **30**
Overfield Rd. *B32* —2C **86**
Over Grn. Dri. *B37* —4D **53**
Overlea Av. *B27* —5F **77**
Over Mill Dri. *B29* —1F **89**
Over Moor Clo. *B19* —3A **46**
Over Pool Rd. *B8* —4E **49**
Oversley Rd. *Min* —1E **39**
Overton Clo. *B28* —5E **93**
Overton Dri. *Wat O* —4F **41**
Overton Gro. *B27* —3A **94**
Overton Pl. *B7*
—2E **59** (4F **7**)
Overton Pl. *W Brom* —1B **30**
Overton Rd. *B27* —3F **93**
Over Wood Cft. *B8* —2C **60**
Owens Cft. *B38* —5E **101**
Ownall Rd. *B34* —4A **52**
Oxford Clo. *B8* —5F **49**
Oxford Dri. *B27* —4B **78**

Oxford Rd. *A Grn* —5A **78**
Oxford Rd. *Erd* —3D **37**
Oxford Rd. *Mose* —1D **91**
Oxford Rd. *Smeth* —2E **43**
(in two parts)
Oxford Rd. *W Brom* —4A **30**
Oxford St. *B5*
—4D **59** (4C **10**)
Oxford St. *Stir* —4E **89**
Oxhill Rd. *B21* —5A **32**
Oxhill Rd. *Shir* —4A **104**
Ox Leasow. *B32* —1A **86**
Oxley Gro. *B29* —3E **87**
Ox Leys Rd. *S Cold & Wis*
—5F **21**
Oxpiece Dri. *B36* —2B **50**
Oxstall Clo. *Min* —1B **40**
Oxted Cft. *B23* —4C **36**
Oxwood La. *Rom & Quin*
—2B **96**
Oxygen St. *B7*
—1D **59** (3C **6**)

P

Packington Av. *B34* —5A **52**
Packington Ct. *S Cold*
—2C **12**
Packington La. *Col & Mer*
—1E **67**
Packwood Clo. *B20* —5D **33**
Packwood Dri. *B43* —3B **22**
Packwood Ho. *B15* —5D **9**
Packwood Rd. *B26* —5B **62**
Paddington Rd. *B21* —1A **44**
Paddock Dri. *B26* —5A **62**
Paddocks Grn. *B18* —5E **45**
Paddocks, The. *Edg* —5F **57**
Paddock, The. *B31* —2A **100**
Padgate Clo. *B35* —4F **39**
Padstow Rd. *B24* —3B **38**
Paganal Dri. *W Brom* —1C **42**
Paganel Rd. *B29* —1E **87**
Pages Clo. *S Cold* —4A **20**
Pages Ct. *B43* —3C **22**
Pages La. *B43* —3C **22**
Paget M. *S Cold* —2D **29**
Paget Rd. *B24* —3B **38**
Pagnell Gro. *B13* —5A **92**
Paignton Rd. *B16* —2B **56**
Pailton Rd. *B29* —2F **87**
Pailton Rd. *Shir* —1F **105**
Painswick Rd. *B28* —4C **92**
Painters Corner. *Smeth*
(off Grove La.) —5A **44**
Pakefield Rd. *B30* —3A **102**
Pakenham Clo. *S Cold*
—4D **29**
Pakenham Rd. *B15 & Edg*
—1A **74**
Pakfield Wlk. *B6* —2D **47**
Palace Dri. *Smeth* —2B **42**
Palace Rd. *B9* —3C **60**
Pale La. *B17* —5D **55**

Pallasades Shop. Cen., The.
B2 —3B **58** (3F **8**)
Palmcourt Av. *B28* —4C **92**
Palmers Clo. *Shir* —1F **105**
Palmers Gro. *B36* —2C **50**
Palmerston Rd. *B11* —2F **75**
Palmer St. *B9*
—3E **59** (3F **11**)
Palm Ho. *B20* —4D **33**
Palmvale Cft. *B26* —2E **79**
Palomino Pl. *B16* —3D **57**
Pamela Rd. *B31* —4E **99**
Pan Cft. *B36* —3A **50**
Pannel Cft. *B19*
—4B **46** (1F **5**)
Panther Cft. *B34* —5B **52**
Paper Mill End. *B44* —1B **34**
Paper Mill End Ind. Est.
B44 —1B **34**
Papyrus Way. *B36* —1D **51**
Parade. *B1* —2A **58** (1C **8**)
Parade. *S Cold* —4A **20**
Parade, The. *K'hrst* —4E **53**
Paradise Cir. Queensway.
B1 —3A **58** (1D **9**)
Paradise La. *B28* —5C **92**
Paradise Pl. *B3*
—3B **58** (2E **9**)
Paradise St. *B1*
—3B **58** (2E **9**)
Paradise St. *W Brom* —4A **30**
(in two parts)
Pargeter Rd. *Smeth* —3D **55**
Par Grn. *B38* —5B **100**
Park App. *B23* —5A **36**
Park Av. *Bal H* —3D **75**
Park Av. *Hock* —3E **45**
Park Av. *K Nor* —1E **101**
Park Av. *O'bry* —2A **54**
Park Av. *Smeth* —1D **55**
Park Cir. *Aston* —3D **47**
(in two parts)
Park Clo. *B24* —2B **38**
Park Clo. *Sol* —5B **80**
Park Ct. *S Cold* —3D **27**
Park Cres. *W Brom* —3B **30**
Parkdale Clo. *B24* —5D **37**
Parkdale Dri. *B31* —2E **109**
Parkdale Rd. *B26* —3A **80**
Park Dri. *Four O* —4E **13**
Park Dri. *Lit A* —2A **12**
Park Edge. *B17* —1A **72**
Park End. *B32* —2B **86**
Parker St. *B16* —4D **57**
Parkes St. *Smeth* —1D **55**
Parkeston Cres. *B44* —3A **26**
Park Farm Rd. *B44* —1F **23**
Parkfield. *B32* —1D **85**
Parkfield Clo. *B15* —1A **74**
Parkfield Clo. *Hale* —3E **69**
Parkfield Dri. *B36* —1A **52**
Parkfield Rd. *B8* —2C **60**
Park Gro. *B10* —5B **60**

Park Hall Cres. *B36* —2F **51**
Parkhall Cft. *B34* —3A **52**
Park Hill. *B13* —4C **74**
Park Hill Dri. *B20* —3D **33**
Park Hill Rd. *B17* —2A **72**
Parkhill Rd. *Smeth* —5D **43**
Parkhill Rd. *S Cold* —1D **39**
Park Ho. *Smeth* —5A **44**
Parkhouse Dri. *B23* —2E **35**
Parklands. *Redn* —1E **107**
Parklands Dri. *S Cold*
—1D **19**
Parklands, The. *B23* —1B **36**
Park La. *Aston* —3C **46**
Park La. *Birm A* —4A **82**
Park La. *Cas V & Min* —3F **39**
Park La. *Hand* —2F **31**
Park La. *Min* —3A **40**
Park La. Ind. Est. *W Brom*
—1F **43**
Park M. *B29* —2F **87**
Park Mill Wlk. *B7* —3A **48**
Park Pl. *B7* —3A **48**
Park Retreat. *Smeth* —1F **55**
Park Ridge. *S Cold* —2E **19**
Park Rd. *Aston* —3E **47**
Park Rd. *Erd* —5A **36**
Park Rd. *Hock*
—4D **45** (1A **4**)
Park Rd. *Mose* —4D **75**
Park Rd. *Smeth* —3D **55**
Park Rd. *S'hll* —5A **76**
Park Rd. *S Cold* —4F **19**
Park Rd. N. *B6* —3E **47**
Park Rd. S. *B18*
—5F **45** (1A **4**)
Parkrose Ind. Est. *Smeth*
—2F **43**
Parkside. *B32* —1A **86**
Parkside. *Birm P* —1B **82**
Parkside Rd. *B20* —1C **32**
Parkside Way. *B31* —5A **98**
Parkside Way. *S Cold* —1E **19**
Park Sq. *Birm P* —5B **66**
Park St. *B5* —5C **58** (3B **10**)
Park St. *Aston* —3E **47**
(in two parts)
Park St. *W Brom* —4B **30**
Park Ter. *Hand* —2C **44**
Park Vw. *B10* —1B **76**
Park Vw. *B18* —1C **56**
Park Vw. *S Cold* —3B **12**
Parkview Dri. *B8* —4E **49**
Pk. View Rd. *B31* —3C **98**
Pk. View Rd. *S Cold* —3B **12**
Park Vw. Trad. Est. *B30*
—3D **101**
Park Vs. *B9* —3F **59**
Parkville Av. *B17* —4F **71**
Parkway. *B8* —5E **49**
Park Way. *Redn* —5F **97**
Parkway Ind. Cen. *B7*
—1E **59** (3E **7**)

Park Wood Ct. *S Cold*
—4D **13**
Parkwood Cft. *B43* —3F **23**
Parkwood Dri. *S Cold*
—2A **26**
Parliament St. *Aston* —1F **61**
Parliament St. *Small H*
—5A **60**
Parliament St. *W Brom*
—1B **42**
Parlows End. *B38* —2B **110**
Parsonage Dri. *Redn*
—5B **108**
Parsonage St. *W Brom*
—1B **30**
Parson's Hill. *B30* —4E **101**
Parsons Hill. *O'bry* —4A **54**
Partons Rd. *B14* —5B **90**
Partridge Clo. *B37* —2A **66**
Partridge Rd. *B26* —4E **63**
Passey Rd. *B13* —1B **92**
Passfield Rd. *B33* —2E **63**
Pastures Wlk. *B38* —2B **110**
Paternoster Row. *B5*
—3C **58** (2B **10**)
Pathlow Cres. *Shir* —5D **105**
Pathway, The. *B14* —1F **101**
Paton Gro. *B13* —1D **91**
Patricia Av. *B14* —2A **104**
Patrick Collection, The.
—3E **101**
Patrick Rd. *B26* —1C **78**
Patshull Clo. *B43* —3B **22**
Patshull Pl. *B19* —3A **46**
Patterdale Rd. *B23* —3B **36**
Patterton Dri. *S Cold* —4E **29**
Pattison Gdns. *B23* —5B **36**
Paul Byrne Ct. *B20* —1F **45**
Pavenham Dri. *B5* —4A **74**
Pavilion Av. *Smeth* —2B **54**
Pavilion Rd. *Witt* —4D **35**
Pavilions, The. *B4*
—3C **58** (2B **10**)
Paxford Way. *B31* —5D **87**
Paxton Rd. *B18* —5E **45**
Paynton Wlk. *B15* —5B **58**
Payton Rd. *B21* —2B **44**
Peace Wlk. *B37* —4F **65**
Peach Ley Rd. *B29* —4D **87**
Peacock Rd. *B13* —5D **91**
Peak Cft. *B36* —2B **50**
Peak Ho. Rd. *B43* —1C **22**
Peakman Clo. *Redn* —3E **107**
Pearl Gro. *B18* —1C **56**
Pearl Gro. *B27* —5F **77**
Pearman Rd. *Redn* —5B **96**
Pearman Rd. *Smeth* —2E **55**
Pear Tree Clo. *B43* —3A **22**
Peartree Clo. *Shir* —4B **104**
Pear Tree Clo. *Stech* —3B **62**
Pear Tree Ct. *B43* —4A **22**
Peartree Cres. *Shir* —3A **104**
Pear Tree Dri. *B43* —4A **22**

Peartree Gro. *Shir* —4A **104**
Peartree Ho. *O'bry* —5A **42**
Pear Tree Rd. *Gt Barr*
—3A **22**
Pear Tree Rd. *S End* —4A **52**
Pear Tree Rd. *Smeth* —1C **54**
Peasefield Clo. *B21* —2A **44**
Pebble Mill Rd. *B5* —4A **74**
Pebworth Clo. *S Oak* —1F **89**
Pebworth Gro. *B33* —5A **64**
Peckham Rd. *B44* —2E **25**
Peddimore La. *Min* —1F **39**
(in two parts)
Pedmore Gro. *B44* —2D **25**
Peel St. *B18* —5C **44**
Peel St. *W Brom* —2A **54**
Peel Wlk. *B17* —1D **71**
Pegasus Wlk. *B29* —2B **88**
Pegleg Wlk. *B14* —4A **102**
Pelham Rd. *B8* —1F **61**
Pemberley Rd. *B27* —1E **93**
Pemberton Clo. *Smeth*
—2F **55**
Pemberton St. *B18*
—1F **57** (3B **4**)
Pembridge Clo. *B32* —4E **85**
Pembroke Cft. *B28* —1E **105**
Pembroke Rd. *B12* —4E **75**
Pembroke Way. *B28*
—1E **105**
Pembroke Way. *Salt* —5A **48**
Pembroke Way. *W Brom*
—1A **30**
Pembury Clo. *S Cold* —3D **17**
Pembury Cft. *B44* —3E **25**
Pencroft Rd. *B34* —3F **51**
Penda Ct. *Hand* —2E **45**
Pendeen Rd. *B14* —2F **103**
Pendennis Clo. *B30* —1B **100**
Pendigo Way. *B40* —4C **82**
Pendleton Gro. *B27* —3F **93**
Pendragon Rd. *B42* —3A **34**
Pendrell Clo. *B37* —2E **65**
Penge Gro. *B44* —1C **25**
Penkridge Gro. *B33* —1D **63**
Penley Gro. *B8* —4F **49**
Pennant Gro. *B29* —1E **87**
Pennard Gro. *B32* —4D **71**
Penn Gro. *B29* —1F **87**
Pennine Way. *Salt* —5B **48**
Pennis Ct. *S Cold* —5D **29**
Penns Lake Rd. *S Cold*
—4C **28**
Penns La. *S Cold* —5A **28**
Penn St. *B4* —2E **59** (5E **7**)
Penns Wood Dri. *S Cold*
—5D **29**
Pennyacre Rd. *B14* —4B **102**
Pennycroft Ho. *B33* —2C **62**
Pennyfield Cft. *B33* —2C **62**
Penrith Cft. *B32* —3B **86**
Penrith Gro. *B37* —3A **66**
Pensby Clo. *B13* —3B **92**

Pensford Rd. *B31* —3A **100**
Penshaw Gro. *B13* —2B **92**
Penshurst Av. *B20* —1B **46**
Pentland Cft. *B12* —1D **75**
Pentos Dri. *B11* —4B **76**
Pentridge Clo. *S Cold*
—2D **39**
Peony Wlk. *B23* —3F **35**
Peplins Way. *B30* —3F **101**
Peplow Rd. *B33* —1E **63**
Peppercorn Pl. *W Brom*
—3A **30**
Pepys Ct. *B43* —5C **22**
Perch Av. *B37* —2E **65**
Percival Rd. *B16* —4A **56**
Percy Rd. *B11* —5B **76**
Percy Ter. *B11* —4B **76**
Pereira Rd. *B17* —1A **72**
Perimeter Rd. *B40* —4B **82**
(in two parts)
Perott Dri. *S Cold* —4B **14**
Perrins Gro. *B8* —4E **49**
Perrott's Folly. —4D 57
Perrott St. *B18* —4B **44**
Perry. —1C 34
Perry Av. *B42* —2A **34**
Perry Barr. —2F 33
Perry Beeches. —5E 23
Perry Common. —4B 26
Perry Comn. Rd. *B23* —5F **25**
Perry Hill Cres. *O'bry* —1F **69**
Perry Hill Ho. *O'bry* —5A **54**
Perry Hill La. *O'bry* —1F **69**
Perry Hill Rd. *O'bry* —1F **69**
Perry Pk. Cres. *B42* —1A **34**
Perry St. *Smeth* —3D **43**
Perry Villa Dri. *B42* —2B **34**
Perry Wlk. *B23* —1F **35**
Perrywell Rd. *B6* —2D **35**
Perry Wood Rd. *B42* —4E **23**
Pershore Av. *B29* —1F **89**
Pershore Rd. *B30 & B29*
—2E **101**
Pershore Rd. S. *B30*
—2D **101**
Pershore St. *B5*
—4C **58** (4A **10**)
Pershore Tower. *B31* —4A **98**
Perton Gro. *B29* —2E **87**
Peterbrook. *Shir* —5A **104**
Peterbrook Ri. *Shir* —5B **104**
Peterbrook Rd. *Shir* —4A **104**
Peters Av. *B31* —4D **99**
Petersfield Ct. *Hall G* —3D **93**
Petersfield Rd. *B28* —4C **92**
Petersham Pl. *B15* —2C **72**
Petersham Rd. *B44* —3A **26**
Petershouse Dri. *S Cold*
—1D **13**
Pettitt Clo. *B14* —4C **102**
Pettyfield Clo. *B26* —2F **79**
Petworth Gro. *B26* —2C **78**
Peverell Dri. *B28* —4D **93**

Peveril Gro. *S Cold* —5C **20**
Peveril Way. *B43* —2D **23**
Pheasant Cft. *B36* —2E **53**
Pheasant Rd. *Smeth* —3B **54**
Pheasey. —5B 16
Philip Ct. *S Cold* —1D **29**
Philip Sidney Rd. *B11*
—5A **76**
Philip Victor Rd. *B20* —1D **45**
Phillimore Rd. *B8* —5B **48**
Phillips St. *B6* —4C **46** (1C **6**)
Phillips St. Ind. Est. *B6*
—4D **47** (1C **6**)
Phipson Rd. *B11* —5F **75**
Phoenix Grn. *B15* —1C **72**
Phoenix Pk. *B7*
—4E **47** (1F **7**)
Phoenix Ri. *B23* —5F **25**
Piccadilly Arc. *B2* —2F **9**
Piccadilly Clo. *B37* —4A **66**
Pickenham Rd. *B14* —5E **103**
Pickford Dri. *B5*
—3D **59** (3D **11**)
Pickwick Gro. *B13* —1A **92**
Picton Cft. *B37* —3B **66**
Picton Gro. *B13* —1F **103**
Piddock Rd. *Smeth* —5E **43**
Pierce Av. *Sol* —5C **78**
Piers Rd. *B21* —3E **45**
(in two parts)
Piggotts Cft. *B37* —2D **65**
Pike Clo. *Hand* —1D **45**
Pike Dri. *B37* —2A **66**
Pikehorne Cft. *B36* —5B **40**
Pikes, The. *Redn* —1D **107**
Pikewater Rd. *B9* —3C **60**
Pilkington Av. *S Cold* —1F **27**
Pilson Clo. *B36* —2D **51**
Pinbury Cft. *B37* —5F **65**
Pineapple Gro. *B30* —3A **90**
Pineapple Rd. *B30* —4A **90**
Pine Av. *Smeth* —3C **42**
Pine Gro. *K Hth* —1E **103**
Pine Ho. *B36* —2D **51**
Pinehurst Dri. *B38* —3D **101**
Pine Leigh. *S Cold* —5F **13**
Pine Sq. *B37* —3F **65**
Pines, The. *Redn* —5E **97**
Pinetree Dri. *S Cold* —1B **16**
Pineview. *B31* —4D **99**
Pine Wlk. *B31* —3F **99**
Pinewall Av. *B38* —5E **101**
Pineways. *S Cold* —3A **12**
Pinewood Clo. *Gt Barr*
—5C **24**
Pinewood Clo. *Redn*
—1B **106**
Pinewood Dri. *B32* —2E **85**
Pinewoods. *Bart G* —1E **85**
Pinewoods. *Hale* —1E **85**
Pinewoods. *N'fld* —3D **87**
Pinfold La. *Wals* —4A **16**

Pinfold St. *B2* —3B **58** (2E **9**)
Pinkney Pl. *O'bry* —2A **54**
Pink Pas. *Smeth* —1F **55**
Pinley Gro. *B43* —1F **23**
Pinner Gro. *B32* —4C **70**
Pintail Dri. *B23* —5A **36**
Pinto Clo. *B16* —3D **57**
Pinza Cft. *B36* —2B **50**
Pipers Grn. *B28* —1D **105**
Pitcairn Clo. *B30* —5F **89**
Pitcairn Dri. *Hale* —3A **68**
Pitcairn Rd. *Smeth* —5B **54**
Pitclose Rd. *B31* —5F **99**
Pitfield Rd. *B33* —4B **64**
Pitfields Clo. *O'bry* —1E **69**
Pitfields Rd. *O'bry* —1E **69**
Pithall Rd. *B34* —5B **52**
Pit Leasow Clo. *B30* —3F **89**
Pitman Rd. *B32* —3A **70**
Pitmaston Ct. *B13* —5B **74**
Pitmaston Rd. *B28* —5E **93**
Pitney St. *B7* —1F **59**
Pitsford St. *B18*
—5E **45** (2A **4**)
Pitts Farm Rd. *B24* —2A **38**
Pitt St. *B4* —2E **59** (5E **7**)
Pixall Dri. *Edg* —1F **73**
Pixhall Wlk. *B35* —4F **39**
Plaistow Av. *B36* —3A **50**
Plane Gro. *B37* —4F **65**
Plane Tree Rd. *S Cold*
—1B **16**
Plane Tree Rd. *Wals* —1A **22**
Plank La. *Wat O* —5E **41**
Plants Brook Nature
Reserve. —2E 39
Plants Brook Rd. *S Cold*
—1D **39**
Plant's Clo. *S Cold* —3B **26**
Plants Gro. *B24* —2A **38**
Playdon Gro. *B14* —3E **103**
Pleasant St. *Lyng* —5A **30**
Pleck, The. *Hock* —3D **45**
Pleck Wlk. *B38* —5E **101**
Plestowes Clo. *Shir* —1F **105**
Plimsoll Gro. *B32* —3A **70**
Plough & Harrow Rd. *B16*
—4D **57**
Plough Av. *B32* —1A **86**
Plowden Rd. *B33* —1D **63**
Plume St. *B6* —2A **48**
Plumstead Rd. *B44* —4E **25**
Plymouth Clo. *B31* —2E **109**
Plymouth Rd. *K Nor* —4F **89**
Pocklington Pl. *B31* —5A **88**
Poets Corner. *Small H*
—1B **76**
Polesworth Gro. *B34* —4F **51**
Pollard Rd. *B27* —2A **94**
Pollards, The. *B23* —4C **26**
Pomeroy Rd. *Bart G* —2A **86**
Pomeroy Rd. *Gt Barr* —5B **16**
Poole Cres. *B17* —5A **72**

Poole Ho. Rd. *B43* —1C **22**
Pool Farm Rd. *B27* —2F **93**
Pool Fld. Av. *B31* —5C **86**
Poolmeadow. *S Cold*
　　　　　　　　—4E **29**
Pool Mdw. Clo. *B13* —2B **92**
Pool Rd. *Smeth* —5F **43**
Pool St. *B6* —4D **47**
Pooltail Wlk. *B31* —5B **98**
Pool Way. *B26 & B33*
　　　　　　　　—4E **63**
Popes La. *B30 & B38*
　　　　　　　　—2B **100**
Pope's La. *O'bry* —3A **42**
Pope St. *B1* —2F **57** (4A **4**)
Pope St. *Smeth* —3F **43**
Poplar Av. *B11* —2F **75**
Poplar Av. *B12* —4E **75**
Poplar Av. *B19* —2A **46**
Poplar Av. *Chel W* —5A **66**
Poplar Av. *Edg* —4E **55**
Poplar Av. *Erd* —3D **37**
Poplar Av. *K Hth* —3D **91**
Poplar Av. *S Cold* —2D **21**
Poplar Av. *W Brom* —5C **30**
Poplar Dri. *Witt* —2D **35**
Poplar Gro. *B19* —2A **46**
Poplar Gro. *Smeth* —2F **55**
Poplar Gro. *W Brom* —1C **42**
Poplar Ri. *S Cold* —1B **12**
Poplar Rd. *K Hth* —3C **90**
Poplar Rd. *Smeth* —4E **55**
Poplar Rd. *S'hll* —3F **75**
Poplars Dri. *B36* —2F **51**
Poplars Ind. Est., The. *B6*
　　　　　　　　—2D **35**
Poplars, The. *B11* —2A **76**
Poplars, The. *B16* —1D **57**
Poplars, The. *Smeth* —1A **56**
Poplar St. *Smeth* —5A **44**
Poplarwoods. *B32* —1F **85**
Poppy Gro. *Salt* —1D **61**
Poppy La. *B24* —2A **38**
Poppymead. *Erd* —4F **25**
Porchester Dri. *B19* —4B **46**
Porchester St. *B19* —4B **46**
Porlock Cres. *B31* —3B **98**
Porter Clo. *S Cold* —5F **27**
Porters Cft. *B17* —5E **55**
Portersdhill Dri. *Shir* —5F **105**
Porters Way. *B9* —3C **60**
Portfield Gro. *B23* —1E **37**
Port Hope Rd. *B11* —1E **75**
Portia Av. *Shir* —4F **105**
Portland Dri. *B17 & B16*
　　　　　　　　—2F **55**
Portland St. *B6* —3E **47**
Portman Rd. *B13* —4D **91**
Portrush Av. *B38* —5B **100**
Posey Clo. *B21* —4B **32**
Poston Cft. *B14* —2B **102**
Potter Clo. *B23* —4B **26**
Potters La. *Aston* —4C **46**

Potterton Way. *Smeth*
　　　　　　　　—2D **43**
Pottery Rd. *O'bry* —4A **54**
Pottery Rd. *Smeth* —3E **43**
Poulton Clo. *B13* —1E **91**
Pound Grn. *B8* —4D **49**
Pound La. *Col* —1E **67**
Pound La. *Fran* —3D **97**
Poundley Clo. *B36* —2A **52**
Pound Rd. *B14* —5C **102**
Pound Rd. *O'bry* —3A **54**
(in two parts)
Powell Av. *B32* —2E **69**
Powell St. *B1* —2F **57** (5B **4**)
Power Cres. *B16* —3E **57**
Powick Pl. *B19* —3A **46**
Powick Rd. *B23* —1B **48**
Premier Ct. *B30* —3A **102**
Premier St. *B7* —2B **48**
Premier Trad. Est. *B7*
　　　　　　　　—5D **47** (2C **6**)
Premier Way. *S Cold* —2B **26**
Prescott St. *Hock*
　　　　　　　　—1F **57** (3A **4**)
Presidential Pk. *S Cold*
　　　　　　　　—1D **19**
Prestbury Rd. *B6* —2C **46**
Presthope Rd. *B29* —4F **87**
Preston Av. *S Cold* —1C **28**
Preston Rd. *Hock* —4C **44**
Preston Rd. *Yard* —2B **78**
Prestwick Clo. *S Cold*
　　　　　　　　—1A **20**
Prestwick Rd. *B35* —3F **39**
Prestwood Rd. *B29* —3F **87**
Pretoria Rd. *B9* —2C **60**
Price St. *B4* —1C **58** (4A **6**)
Price St. *Smeth* —5F **43**
Price St. *W Brom* —4A **30**
Priestfield Clo. *B44* —2A **24**
Priestland Rd. *B34* —3F **51**
Priestley Clo. *B20* —1E **45**
Priestley Point. *B6* —2F **47**
Priestley Rd. *B11* —1E **75**
Primley Av. *B36* —3B **50**
Primrose Av. *S'hll* —2A **76**
Primrose Cres. *B28* —1D **105**
Primrose Gdns. *B38*
　　　　　　　　—1D **101**
Primrose Hill. *B38* —5D **101**
(in two parts)
Primrose La. *B28* —1D **105**
Primrose Woods. *B32*
　　　　　　　　—1F **85**
Prince Albert St. *B9* —4B **60**
(in two parts)
Prince Andrew Cres. *Redn*
　　　　　　　　—4C **96**
Prince Charles Clo. *Redn*
　　　　　　　　—4C **96**
Prince Edward Dri. *Redn*
　　　　　　　　—4C **96**

Prince of Wales La. *B14*
　　　　　　　　—4A **104**
Prince of Wales Way.
　　　　　　　Smeth —5A **44**
Princep Clo. *B43* —5B **16**
Prince Philip Clo. *Redn*
　　　　　　　　—4C **96**
Prince Rd. *B30* —3E **101**
Princess Alice Dri. *S Cold*
　　　　　　　　—2B **26**
Princess Anne Dri. *Redn*
　　　　　　　　—4C **96**
Princess Diana Way. *Redn*
　　　　　　　　—4C **96**
Princess Pde. *W Brom*
　　　　　　　　—4B **30**
Princess Rd. *B5* —2C **74**
Princess Rd. *O'bry* —3B **54**
Princethorpe Clo. *B34*
　　　　　　　　—3B **52**
Princethorpe Clo. *Shir*
　　　　　　　　—4E **105**
Princethorpe Rd. *B29*
　　　　　　　　—2E **87**
Prince William Clo. *B23*
　　　　　　　　—5B **36**
Princip St. *B4* —1C **58** (4A **6**)
Printing Ho. St. *B4*
　　　　　　　　—2C **58** (5A **6**)
Priors Way. *B23* —4B **26**
Priory Av. *Hand* —1C **44**
Priory Av. *S Oak* —1F **89**
Priory Clo. *Smeth* —1A **56**
Priory Clo. *W Brom* —5D **31**
Priory Dri. *O'bry* —5A **42**
Priory Fields Nature
Reserve. —3B **104**
Priory Ga. Way. *B9* —3C **60**
Priory Ho. Ind. Est. *B18*
　　　　　　　　—5E **45** (2A **4**)
Priory New Way Ind. Est.
　　　　　　　B6 —5D **47** (1B **6**)
Priory Queensway, The.
　　　　　　　B4 —2C **58** (1A **10**)
Priory Rd. *Aston* —2F **47**
Priory Rd. *Edg* —2F **73**
Priory Rd. *Hale* —4C **68**
Priory Rd. *Hall G* —1B **104**
Priory Rd. *K Hth* —4A **90**
Priory Sq. Shop. Cen. *B4*
　　　　　　　　—1B **10**
Priory Wlk. *B4*
　　　　　　　　—2C **58** (1B **10**)
Priory Wlk. *S Cold* —5A **28**
Pritchard Clo. *Smeth* —5F **43**
Pritchatts Rd. *B15* —3C **72**
Pritchett Rd. *B31* —2F **109**
Pritchett St. *B6*
　　　　　　　　—5C **46** (2A **6**)
Private Way. *Redn* —5A **108**
Privet Clo. *Gt Barr* —1C **24**
Proctor St. *B7* —5E **47** (2E **7**)
Prospect La. *Sol* —5B **94**

Prospect Pl. *B12* —3D **75**
Prospect Rd. *B13* —2D **91**
Prospect Rd. *Hale* —3A **68**
Prospect Trad. Est. *B1* —1C **8**
Prospero Clo. *Redn* —4E **97**
Pryor Rd. *O'bry* —2A **54**
Pudsey Dri. *S Cold* —3A **14**
Pugh Rd. *B6* —3E **47**
Pugin Gdns. *B23* —4B **26**
Purbeck Cft. *B32* —3D **71**
Purefoy Rd. *B13* —1A **104**
Purley Gro. *B23* —2E **35**
Purslow Gro. *B31* —4E **99**
Putney Av. *B20* —1A **46**
Putney Rd. *B20* —1F **45**
Putney Wlk. *B37* —2F **65**
Pype Hayes Rd. *B24* —4B **38**
Pytchley Ho. *B20* —4D **33**
Pytman Dri. *S Cold* —5E **29**

Quadrangle, The. *B30* —5D **89**
Quantock Clo. *Redn* —4F **97**
Quarrington Gro. *B14* —3E **103**
Quarry Ho. *Redn* —1D **107**
Quarry Ho. Clo. *Redn* —5D **97**
Quarry La. *B31* —3D **99**
Quarry Rd. *B29* —2D **87**
Quarry Wlk. *Redn* —2E **107**
Queen Elizabeth Ct. *B19* —4A **46** (1B **4**)
Queen Elizabeth Rd. *Redn* —4C **96**
Queen Mother Gdns. *Harb* —2E **71**
Queens Av. *B18* —4D **45**
Queen's Av. *K Hth* —3C **90**
Queen's Av. *Shir* —5F **105**
Queensbridge Rd. *B13* —1C **90**
Queens Clo. *B24* —5D **37**
Queens Clo. *Smeth* —5E **43**
Queens Ct. *B3* —1B **58** (4E **5**)
Queens Dri. *B5* —3B **58** (3F **9**)
Queens Dri. *B30* —2E **101**
Queens Dri., The. *Hale* —3A **68**
Queen's Head Rd. *B21* —3C **44**
Queens Hospital Clo. *B15* —4A **58** (5C **8**)
Queen's Pk. Rd. *B32* —2D **71**
Queen's Ride. *B5* —4B **74**
Queens Rd. *Aston* —2E **47**
Queen's Rd. *Erd* —4A **36**
Queen's Rd. *Smeth* —1B **54**
Queens Rd. *Yard* —4D **63**
Queens Sq. *W Brom* —4B **30**
Queens Tower. *B7* —5F **47**

Queen St. *B12* —3F **75**
Queen St. *S Cold* —5A **20**
Queen St. *W Brom* —4B **30**
Queensway. *Hale* —5A **68**
Queensway. *O'bry* —1F **69**
Queensway. *S Cold* —1A **57**
Queensway. *Witt* —4D **35**
Queensway Trad. Est. *B5* —1C **10**
Queenswood Rd. *B13* —4E **75**
Queenswood Rd. *S Cold* —5F **13**
Queslade Clo. *B43* —3E **23**
Queslett. —2A 24
Queslett Rd. *B43* —3D **23** (in two parts)
Queslett Rd. E. *B43 & S Cold* —5C **16**
Quigley Av. *B9* —3F **59**
Quilter Rd. *B24* —5F **37**
Quincey Dri. *B24* —4A **38**
Quinton. —2D 69
Quinton Clo. *Sol* —5B **80**
Quinton Expressway. *Quin* —4F **69**
Quinton La. *B32* —2A **70**
Quinton Rd. *B17* —5E **71**
Quinton Rd. W. *B32* —3F **69**
Quorn Gro. *B24* —5F **37**
Quorn Ho. *B20* —4D **33**

Rabone La. *Smeth* —4F **43**
Rachel Gdns. *B29* —1B **88**
Radbourn Dri. *S Cold* —2A **20**
Radcliffe Dri. *Hale* —2C **68**
Raddens Rd. *Hale* —5D **69**
Raddington Dri. *Sol* —3B **94**
Raddlebarn Farm Dri. *B29* —2D **89**
Raddlebarn Rd. *B29 & S Oak* —2D **89**
Radford Rd. *W Cas* —5E **87**
Radley Gro. *B29* —1E **87**
Radleys, The. *B33* —1A **80**
Radley's Wlk. *B33* —1A **80**
Radnor Clo. *Redn* —4F **97**
Radnor Cft. *Wals* —1A **22**
Radnor Grn. *W Brom* —1A **30**
Radnor Rd. *B20* —2F **45**
Radnor Rd. *O'bry* —1F **69**
Radnor St. *B18* —4A **45**
Radstock Av. *B36* —3A **50**
Raeburn Rd. *B43* —5A **16**
Raford Rd. *B23* —1B **36**
Raglan Av. *Smeth* —1A **56**
Raglan Rd. *B5* —2B **74**
Raglan Rd. *Hand* —2A **44**
Raglan Rd. *Smeth* —1A **56**
Raglan Way. *B37* —3B **66**
Ragley Dri. *Gt Barr* —2B **22**

Ragley Dri. *Sheld* —2A **80**
Ragnall Av. *B33* —1B **80**
Railway Rd. *B20* —5D **35**
Railway Rd. *S Cold* —4F **19**
Railwayside Clo. *Smeth* (off Forest Clo.) —3C **42**
Railway St. *W Brom* —4A **30**
Railway Ter. *B42* —1D **33**
Railway Ter. *Nech* —4F **47**
Railway Vw. *B10* —1A **78**
Rainford Way. *B38* —1A **110**
Rake Way. *B15* —4F **57** (4B **8**)
Raleigh Clo. *B21* —1F **43**
Raleigh Cft. *B43* —1C **22**
Raleigh Ind. Est. *Hand* —1F **43**
Raleigh Rd. *B9* —3B **60**
Raleigh St. *W Brom* —3A **30**
Ralph Barlow Gdns. *B44* —4F **25**
Ralph Rd. *B8* —1B **60**
Ralph Rd. *Shir* —2F **105**
Ralphs Mdw. *B32* —1B **86**
Ramp Rd. *Birm A* —3A **82**
Ramsay Rd. *O'bry* —4A **54**
Ramsden Clo. *B29* —4F **87**
Ramsey Clo. *Redn* —5C **96**
Ramsey Rd. *B7* —3A **48**
Randle Dri. *S Cold* —3A **14**
Randwick Gro. *B44* —3B **24**
Rangoon Rd. *Sol* —4C **80**
Rann Clo. *B16* —4E **57**
Ransom Rd. *B23* —3A **36**
Ratcliffe Rd. *Sol* —4F **95**
Rathbone Clo. *B5* —1C **74**
Rathbone Rd. *Smeth* —3D **55**
Rathlin Cft. *B36* —4F **53**
Rattle Cft. *B33* —2C **62**
Ravenall Clo. *B34* —3F **51**
Ravenfield Clo. *B8* —5D **49**
Ravenhayes La. *B32* —4E **85**
Raven Hays Rd. *B31* —4A **98**
Ravenhurst Dri. *B43* —1C **22**
Ravenhurst M. *Erd* —4C **36**
Ravenhurst Rd. *B17* —1A **72**
Ravenhurst St. *B12* —5B **59**
Ravensbury Ho. *Edg* —1E **73**
Ravenscroft Rd. *Sol* —3E **95**
Ravensdale Rd. *B10* —1D **77**
Ravenshaw Rd. *B16* —3A **56**
Ravenshill Rd. *B14* —2A **104**
Ravenside Retail Pk. *Erd* —4C **38**
Ravenswood. *B15* —5C **56**
Ravenswood Clo. *S Cold* —1F **19**
Raven Wlk. *B15* —1B **74**
Rawdon Gro. *B44* —4F **25**
Rawlings Rd. *Smeth* —3D **55**
Rawlins Cft. *B35* —4A **40**
Rawlins St. *B16* —4E **57** (4A **8**)

Raybon Cft.—Richmond Rd.

Raybon Cft. *Redn* —3E **107**
Ray Hall La. *B43* —4A **22**
Raymond Av. *B42* —1F **33**
Raymond Rd. *B8* —1C **60**
Raymont Gro. *B43* —5A **16**
Rayners Cft. *B26* —4D **63**
Rea Av. *Redn* —1C **106**
Reabrook Rd. *B31* —1C **108**
Rea Clo. *B31* —2E **109**
Readers Wlk. *B43* —3D **23**
Rea Fordway. *Redn* —5D **97**
Reaside Cres. *B14* —1F **101**
Reaside Cft. *B12* —2C **74**
Rea St. *B5* —4D **59** (5C **10**)
Rea St. S. *B5*
—5C **58** (5C **10**)
Rea Ter. *B5* —3D **59** (3D **11**)
Rea Tower. *B19* —1D **5**
Rea Valley Dri. *B31* —4F **99**
Reaview Dri. *S Oak* —1F **89**
Reay Nadin Dri. *S Cold*
—5F **17**
Rebecca Dri. *B29* —1C **88**
Rectory Gdns. *B36* —2E **51**
Rectory Gdns. *O'bry* —5A **42**
Rectory Gro. *B18* —4C **44**
Rectory La. *B36* —2E **51**
Rectory Pk. Av. *S Cold*
—5C **20**
Rectory Pk. Clo. *S Cold*
—5C **20**
Rectory Pk. Rd. *B26* —3F **79**
Rectory Rd. *B31* —3F **99**
Rectory Rd. *S Cold* —4A **20**
Redacre Rd. *S Cold* —2D **27**
Redbank Av. *B23* —4A **36**
Redbrook Covert. *B38*
—1C **110**
Redburn Dri. *B14* —4B **102**
Redcar Cft. *B36* —2A **50**
Redcroft Dri. *B24* —2A **38**
Reddicap Heath. —5C **20**
Reddicap Heath Rd. *S Cold*
—5D **21**
Reddicap Hill. *S Cold*
—5C **20**
Reddicap Trad. Est. *S Cold*
—4B **20**
Reddicroft. *S Cold* —4A **20**
Reddings La. *Hall G & Tys*
—1C **92**
Reddings Rd. *B13* —1B **90**
Redditch Ho. *B33* —3C **64**
Redditch Rd. *B31 & B38*
—2A **110**
Redfern Clo. *Sol* —2F **95**
Redfern Pk. Way. *B11*
—3E **77**
Redfern Rd. *B11* —3D **77**
Redford Clo. *B13* —1F **91**
Redgate Clo. *B38* —1A **108**
Redhall Rd. *B32* —1C **70**
Red Hill Gro. *B38* —2D **111**

Redhill La. *Chad & Redn*
—4A **106**
Redhill Rd. *N'fld & K Nor*
—1F **109**
Redhill Rd. *Yard* —2E **77**
Redhill Ter. *Yard* —2F **77**
Red Ho. Pk. Rd. *B43* —2C **22**
Redhouse Rd. *B33* —2C **62**
Redlands Way. *S Cold*
—1E **17**
Redliff Av. *B36* —1B **52**
Redmead Clo. *B30* —2A **100**
Redmoor Way. *Min* —1A **40**
Rednal. —3A **108**
Rednal Hill La. *Redn*
—3D **107**
Rednal Mill Dri. *Redn*
—2B **108**
Rednal Rd. *B38* —1A **110**
Redstone Farm Rd. *B28*
—5F **93**
Redthorn Gro. *B33* —2B **62**
Redvers Rd. *B9* —4C **60**
Redway Ct. *S Cold* —5C **20**
Redwing Gro. *Erd* —5F **25**
Red Wing Wlk. *B36* —2E **53**
Redwood Clo. *B30* —2C **100**
Redwood Cft. *B14* —4C **90**
Redwood Gdns. *B27* —3F **77**
Redwood Ho. *B37* —5E **53**
Redwood Rd. *B30* —2C **100**
Redwood Rd. *Wals* —1A **22**
Redworth Ho. *Redn* —1D **107**
(off Deelands Rd.)
Reedmace Clo. *B38* —1D **111**
Reed Sq. *B35* —3F **59**
Reeves Rd. *B14* —5A **90**
Reform St. *W Brom* —4B **30**
Regal Cft. *B36* —2F **49**
Regan Av. *Shir* —5E **105**
Regan Ct. *S Cold* —4F **21**
Regan Cres. *B23* —1C **36**
Regency Clo. *B9* —4B **60**
Regency Dri. *B38* —4D **101**
Regency Gdns. *B14* —3A **104**
Regency Wlk. *S Cold* —1B **12**
Regent Clo. *B5* —2B **74**
Regent Ct. *Smeth* —5E **43**
Regent Pde. *B1*
—1A **58** (4C **4**)
Regent Pk. Rd. *B10* —4A **60**
Regent Pl. *B1* —1A **58** (4C **4**)
Regent Rd. *Hand* —2B **44**
Regent Rd. *Harb* —2B **72**
Regent Row. *B1*
—1A **58** (4C **4**)
Regent St. *B1* —1A **58** (4C **4**)
Regent St. *Smeth* —4E **43**
Regent St. *Stir* —4B **89**
Regent Wlk. *B8* —3F **49**
Regina Av. *B44* —4C **24**

Regina Clo. *Redn* —4C **96**
Regina Dri. *B42* —4A **34**
Reginald Rd. *B8* —1B **60**
Reginald Rd. *Smeth* —3D **55**
Regis Ho. *O'bry* —3A **54**
Reid Rd. *O'bry* —4A **54**
Reigate Av. *B8* —1F **61**
Relko Dri. *B36* —3A **50**
Renfrew Sq. *B35* —3F **39**
Rennie Dri. *B32* —3B **70**
Repertory Theatre.
—3A **58** (2D **9**)
Repington Way. *S Cold*
—3F **21**
Repton Gro. *B9* —2F **61**
Repton Ho. *B23* —1D **37**
Repton Rd. *B9* —2F **61**
Reservoir Retreat. *B16*
—4D **57**
Reservoir Rd. *Edg* —3D **57**
Reservoir Rd. *Erd* —3B **36**
Reservoir Rd. *O'bry* —1A **54**
Reservoir Rd. *Redn* —5A **108**
Reservoir Rd. *S Oak* —5F **71**
Reservoir Rd. *Sol* —1C **96**
Retallack Clo. *Smeth* —2F **43**
Retford Dri. *S Cold* —5C **20**
Retford Gro. *B25* —2A **78**
Revesby Wlk. *B7*
—1E **59** (4F **7**)
Reynolds Ct. *O'bry* —1F **69**
Reynolds Rd. *B21* —3C **44**
Reynoldstown Rd. *B36*
—2A **50**
Rhayader Rd. *B31* —1C **98**
Rhone Clo. *B11* —5A **76**
Rhoose Cft. *B35* —5F **39**
Ribblesdale Rd. *B30* —4E **89**
Ribble Wlk. *B36* —2D **53**
Richard Lighton Ho. *B1*
—1C **8**
Richards Clo. *B31* —3D **109**
Richards St. *B7*
—5D **47** (2D **7**)
Richard St. *W Brom* —3A **30**
Richard St. S. *W Brom*
—5A **30**
Richard St. W. *W Brom*
—5A **30**
Richford Gro. *B33* —3B **64**
Richmond Av. *B12* —3D **75**
Richmond Clo. *B20* —4E **33**
Richmond Ct. *O'bry* —5A **42**
Richmond Ct. *S Cold* —5F **27**
Richmond Cft. *B42* —1D **33**
Richmond Hill. *O'bry* —5A **42**
Richmond Hill Gdns. *B15*
—1C **72**
Richmond Hill Rd. *B15*
—2C **72**
Richmond Ho. *B37* —4A **56**
Richmond Pl. *B14* —3D **91**
Richmond Rd. *Hock* —4F **45**

Richmond Rd.—Rosecroft Rd.

Richmond Rd. *Redn*
—2C **106**
Richmond Rd. *Smeth*
—3E **55**
Richmond Rd. *Sol* —2C **94**
Richmond Rd. *Stech* —3B **62**
Richmond Rd. *S Cold*
—3F **19**
Richmond Way. *B37* —2A **66**
Rickman Dri. *B15*
—5B **58** (5F **9**)
Rickyard Clo. *S Oak* —5E **87**
Rickyard Clo. *Yard* —4B **62**
Rickyard Piece. *B32* —4C **70**
Riddfeld Rd. *B36* —2C **50**
Riddings, The. *B33* —1C **62**
Riddings, The. *S Cold*
—4F **29**
Ridgacre. —2B 70
Ridgacre Enterprise Pk.
W Brom —1A **30**
Ridgacre La. *B32* —2F **69**
Ridgacre Rd. *B32* —2F **69**
Ridgacre Rd. *W Brom*
—1A **30**
Ridgacre Rd. W. *B32* —2E **69**
Ridge Clo. *B13* —5A **92**
Ridgefield Rd. *Hale* —1A **68**
Ridgemount Dri. *B38*
—2B **110**
Ridgewater Clo. *Redn*
—3F **107**
Ridgeway. *Edg* —3F **55**
Ridgeway Av. *Hale* —2E **69**
Ridgeway, The. *Erd* —1E **35**
Ridgewood. *B34* —4F **51**
Ridgewood Dri. *S Cold*
—5F **13**
Ridgewood Gdns. *B44*
—5C **24**
Ridgmont Cft. *B32* —3C **70**
Ridley St. *B1* —4A **58** (5D **9**)
Ridpool Rd. *B33* —2F **63**
Riland Av. *S Cold* —4B **20**
Riland Ct. *S Cold* —5A **28**
Riland Gro. *S Cold* —4A **20**
Riland Ind. Est. *S Cold*
—4B **20**
Riland Rd. *S Cold* —4B **20**
Riley Dri. *B36* —1E **53**
Riley Rd. *B14* —3B **104**
Rilstone Rd. *B32* —3D **71**
Ringinglow Rd. *B44* —2A **24**
Ringmere Av. *B36* —2F **51**
Ringswood Rd. *Sol* —4C **78**
Ring, The. *B25* —5A **62**
Ringwood Dri. *Redn* —5E **97**
Ripley Gro. *B23* —2F **35**
Ripon Rd. *B14* —2A **104**
Rippingille Rd. *B43* —5A **16**
Ripple Rd. *B30* —4F **89**
Risborough Ho. *B31*
—1D **109**

Rise Av. *Redn* —2E **107**
Riseley Cres. *B5* —1B **74**
Rise, The. *A'chu* —5F **109**
Rise, The. *Gt Barr* —4E **23**
Rise, The. *Mars G* —1E **81**
Rissington Av. *B29* —3E **89**
Ritchie Clo. *B13* —2E **91**
River Brook Dri. *B30* —3F **89**
River Lee Rd. *B11* —3C **76**
Rivermead Pk. *B34* —5E **51**
Riversdale Rd. *B14* —3B **104**
Riverside Ct. *B31 & B38*
—3B **100**
Riverside Cres. *B28* —2B **104**
River St. *B5* —3E **59** (3E **11**)
Rivington Cres. *B44* —3A **26**
Roach Clo. *B37* —2A **66**
Roach Pool Cft. *B16* —3A **56**
Robert Av. *B23* —1C **36**
Robert Rd. *B20* —1F **45**
Roberts Ct. *Erd* —1A **38**
Robertson Knoll. *B36*
—3D **51**
Robertsons Gdns. *B7*
—3A **48**
Roberts Rd. *B27* —5A **78**
Robin Clo. *B36* —2E **53**
Robin Hood Cres. *B28*
—4C **92**
Robin Hood Cft. *B28* —5D **93**
Robin Hood La. *B13 & B28*
—4B **92**
Robin Rd. *B23* —3C **36**
Robinsfield Dri. *B31* —2E **109**
Robinsons Way. *Min* —2B **40**
Rochdale Wlk. *B10* —1A **76**
Rochester Rd. *B31* —2E **99**
Rochford Clo. *Redn* —2C **106**
Rochford Clo. *S Cold* —4E **29**
Rock Av. *Redn* —2A **108**
Rockford Rd. *B42* —5E **23**
Rock Gro. *Sol* —5C **78**
Rockingham Gdns. *S Cold*
—3F **19**
Rockingham Rd. *B25* —5B **62**
Rockland Dri. *B33* —1C **62**
Rocklands Dri. *S Cold*
—1F **19**
Rockley Gro. *Redn* —2F **107**
Rockmead Av. *B44* —2D **25**
Rockmoor Clo. *B37* —2C **64**
Rock Rd. *Sol* —5C **78**
Rockville Rd. *B8* —1E **61**
Rocky La. *B7* —4F **47**
Rocky La. *Aston & Nech*
—4E **47**
Rocky La. *Gt Barr & P Barr*
—1E **33**
Rocky La. Ind. Est. *B7*
—4E **47**
Rodborough Rd. *B26* —2F **79**
Rodbourne Rd. *B17* —5A **72**
Roddis Clo. *B23* —4B **26**

Roderick Rd. *B11* —3A **76**
Rodlington Av. *B44* —3D **25**
Rodman Clo. *B15* —5B **56**
Rodney Clo. *B16* —3E **57**
Rodney Clo. *Sol* —2F **95**
Rodney Rd. *Sol* —2F **95**
Rodway Clo. *B19* —3C **46**
Rodwell Gro. *B44* —4E **25**
Roebuck Clo. *B34* —5C **52**
Roebuck La. *Smeth* —3C **42**
Roebuck La. *W Brom* —1C **42**
Roebuck St. *W Brom* —1D **43**
Roebuck Wlk. *Erd* —4A **26**
Roedean Clo. *B44* —5F **25**
Rogerfield Rd. *B23* —1E **37**
Rogers Rd. *B8* —5F **49**
Rokeby Clo. *S Cold* —5C **20**
Rokeby Rd. *B43* —2D **23**
Rokeby Wlk. *B34* —4E **51**
Roland Gdns. *B19* —2A **46**
Roland Gro. *B19* —2A **46**
Roland Rd. *B19* —2A **46**
Rolfe St. *Smeth* —4E **43**
Rollason Rd. *B24* —4E **37**
Rolling Mill Clo. *B5* —1C **74**
Roman La. *S Cold* —2A **12**
Roman Pk. *S Cold* —2A **12**
Roman Rd. *S Cold* —1A **12**
Roman Way. *B15* —5B **72**
Romany Rd. *Redn* —5B **96**
Roma Rd. *B11* —3C **76**
Romford Clo. *B26* —2F **79**
Romilly Av. *B20* —5F **33**
Romilly Clo. *S Cold* —5E **21**
Romney Clo. *B28* —4D **93**
Romney Way. *B43* —5B **16**
Romsley Clo. *Redn* —1C **106**
Romsley Rd. *B32* —3F **85**
Romsley Rd. *O'bry* —3A **54**
Romulus Clo. *B20* —4F **33**
Ronald Gro. *B36* —1B **52**
Ronald Pl. *B9* —3C **60**
Ronald Rd. *B9* —3B **60**
Ron Davis Clo. *Smeth*
—5F **43**
Rood End. —4A 42
Rood End Rd. *O'bry* —3A **42**
Rookery La. *Hale* —5D **69**
Rookery Rd. *Hand* —2C **44**
Rookery Rd. *S Oak* —1D **89**
Rookery, The. *Hale* —1E **85**
Rookwood Rd. *B27* —4F **77**
Rosafield Av. *Hale* —2D **69**
Rosary Rd. *B23* —4B **36**
Rosary Vs. *S'hll* —3A **76**
Rose Av. *O'bry* —1B **70**
Rose Bank. *S Cold* —1B **12**
Rosebay Av. *B38* —1D **111**
Rosebery Rd. *Smeth* —1A **56**
Rosebery St. *B18* —1E **57**
Rose Clo. *Smeth* —5A **44**
Rose Cotts. *B29* —1D **89**
Rosecroft Rd. *B26* —2A **80**

Rosedale Av. *B23* —4C **36**
Rosedale Av. *Smeth* —5A **44**
Rosedale Gro. *B25* —5A **62**
Rosedale Rd. *B25* —5A **62**
Rosedene Dri. *B20* —5D **33**
Rosefield Ct. *Smeth* —1E **55**
Rosefield Cft. *B6* —3D **47**
Rosefield Rd. *Smeth* —1E **55**
Rosefields. *B31* —1F **99**
Rose Hill. *Redn* —5E **107**
Rose Hill Clo. *B36* —2F **51**
Rose Hill Rd. *B21* —3E **45**
Roseland Way. *B15*
—4F **57** (5B **8**)
Roseleigh Rd. *Redn* —3F **107**
Rosemary Dri. *S Cold*
—3A **12**
Rosemary Hill Rd. *S Cold*
—3A **12**
Rosemary Nook. *S Cold*
—1B **12**
Rosemary Rd. *B33* —3D **63**
Rosemount. *B32* —4C **70**
Rose Pl. *B1* —1A **58** (4C **4**)
Rose Rd. *B17* —2B **72**
Rosewood Clo. *Lit A* —1B **12**
Rosewood Dri. *B23* —5B **36**
Roshven Av. *B12* —4E **75**
Roshven Rd. *B12* —4E **75**
Roslin Gro. *B19* —4A **46**
Roslyn Clo. *Smeth* —4E **43**
Rosslyn Rd. *S Cold* —1D **39**
Rostrevor Rd. *B10* —4D **61**
Rotherby Gro. *Mars G*
—1F **81**
Rotherfield Rd. *B26* —5F **63**
Rothesay Cft. *B32* —4F **85**
Rothley Wlk. *B38* —1A **110**
Rotton Pk. Rd. *B16* —1B **56**
(in two pages)
Rotton Pk. St. *Edg* —2D **57**
Rough Coppice Wlk. *B35*
—5E **39**
Roughlea Av. *B36* —3D **51**
Roughley. —3B **14**
Roughley Dri. *S Cold* —4A **14**
Rough Rd. *B44* —1E **25**
Roundabout, The. *B31*
—5B **98**
Roundhill Clo. *S Cold*
—1C **28**
Roundhills Rd. *Hale* —1D **69**
Roundlea Rd. *B31* —3C **86**
Round Moor Wlk. *B35*
—4E **39**
Round Rd. *B24* —5F **37**
Roundsaw Cft. *Redn*
—1D **107**
Rousay Clo. *Redn* —5D **97**
Rousdon Gro. *B43* —4B **22**
Rover Dri. *B36* —1D **53**
Rover Dri. *A Grn* —4B **78**
Rovex Bus. Pk. *B11* —3D **77**

Rowallan Rd. *S Cold* —5B **14**
Rowan Clo. *S Cold* —2D **29**
Rowan Ct. *Smeth* —2B **42**
Rowan Dri. *B28* —1E **105**
Rowan Rd. *S Cold* —2A **28**
Rowantrees. *Redn* —4F **107**
Rowan Way. *Chel W* —4A **66**
Rowan Way. *N'fld* —1D **109**
Rowbrook Clo. *Shir* —5C **104**
Rowcroft Covert. *B14*
—3A **102**
Rowdale Rd. *B42* —4A **24**
Rowden Dri. *B23* —1E **37**
Rowheath Rd. *B30* —2D **101**
Rowington Rd. *B34* —4C **52**
Rowlands Cres. *Sol* —3F **95**
Rowlands Rd. *B26* —1C **78**
Rowley Gro. *B33* —2B **64**
Rowney Cft. *B28* —2C **104**
Rowthorn Clo. *S Cold*
—2E **17**
Rowton Dri. *S Cold* —4D **17**
Roxburgh Gro. *B43* —5A **16**
Roxburgh Rd. *S Cold* —1E **27**
***Royal Birmingham Society
of Artists Gallery.***
—3B 58 (2E 9)
Royal Ct. *S Cold* —2F **27**
Royal Mail St. *B1*
—3B **58** (3E **9**)
Royal Oak Rd. *Hale* —4D **69**
Royal Rd. *S Cold* —4A **20**
Royal Star Clo. *B33* —3A **64**
Roydon Rd. *B27* —3A **94**
Roylesden Cres. *S Cold*
—2A **26**
Royston Cft. *B12* —2D **75**
Rubery. —2D **107**
Rubery By-Pass. *Redn*
—2C **106**
Rubery Farm Gro. *Redn*
—1D **107**
Rubery La. *Redn* —5D **97**
Rubery La. S. *Redn* —1D **107**
Ruckley Av. *B19* —3A **46**
Ruckley Rd. *B29* —3F **87**
Ruddington Way. *B19*
—5C **46** (1A **6**)
Rudge Cft. *B33* —1E **63**
Rudge Wlk. *B18* —2E **57**
Rudgewick Cft. *B6* —4D **47**
Rudyard Gro. *B33* —2F **63**
Rudyngfield Dri. *B33* —2D **63**
Rufford Clo. *B23* —4B **26**
Rugeley Gro. *B7* —4F **47**
Ruislip Clo. *B35* —3E **39**
Rumbow. *Hale* —4A **68**
Runcorn Clo. *B37* —1A **66**
Runcorn Rd. *B12* —5D **75**
Runnymede Rd. *B11* —5C **76**
Rupert St. *B7* —1E **59** (3E **7**)
Rushall Ct. *B43* —5C **22**
(off West Rd.)

Rushbrook Clo. *Sol* —1C **94**
Rushbrooke Clo. *B13*
—4D **75**
Rushbrooke Dri. *S Cold*
—1A **26**
Rushbrook Gro. *B14*
—3A **102**
Rushden Cft. *B44* —3D **25**
Rushey La. *B11* —3E **77**
Rush Grn. *B32* —1C **86**
Rushlake Grn. *B34* —5F **51**
Rushmead Gro. *Redn*
—2E **107**
Rushmoor Clo. *S Cold*
—3F **19**
Rushmore Ho. *Redn*
—1D **107**
Rushwick Cft. *B34* —4B **52**
Rushy Piece. *B32* —5B **70**
Ruskin Clo. *B6* —3D **47**
Ruskin Gro. *B27* —1F **93**
Ruskin St. *W Brom* —2A **30**
Russell Bank Rd. *S Cold*
—2C **12**
Russell Hall *G* —1C **92**
Russell Rd. *Mose* —5B **74**
Russells, The. *Mose* —5B **74**
Russet Way. *B31* —5C **86**
Ruston St. *B16*
—4F **57** (4A **8**)
Ruthall Clo. *B29* —4A **88**
Rutherford Rd. *B23* —5C **26**
Rutland Ct. *B29* —4A **88**
Rutland Dri. *B26* —1C **78**
Rutland Rd. *Smeth* —4E **55**
Rutland Rd. *W Brom*
—1A **30**
Rutley Gro. *B32* —4D **71**
Rutters Mdw. *B32* —1A **85**
Rycroft Gro. *B33* —3A **64**
Rydal Way. *B28* —4D **93**
Ryde Gro. *B27* —2E **93**
Ryde Pk. Rd. *Redn* —3A **108**
Ryder St. *B4* —2C **58** (5B **6**)
Ryebank Clo. *B30* —1A **100**
Ryeclose Cft. *B37* —2B **66**
Rye Cft. *B27* —3A **78**
Rye Grass Wlk. *B35* —4F **39**
Rye Gro. *B11* —4D **77**
Ryknild Clo. *S Cold* —1D **13**
Ryland Ho. *B19* —2E **5**
Ryland Rd. *Edg* —1A **74**
Ryland Rd. *Erd* —1D **49**
Ryland Rd. *S'hll* —4B **76**
Ryland St. *B16*
—4F **57** (4A **8**)
Rymond Rd. *B34* —4C **50**
Ryton Clo. *S Cold* —4F **19**
Ryton Gro. *B34* —3B **52**

S
Sabell Rd. *Smeth* —4D **43**
Saddle Dri. *B32* —5D **71**

Sadler Ho. *B19*
—4A **46** (1C **4**)
Sadler Rd. *S Cold* —2D **21**
Sadlers Wlk. *B16* —4E **57**
Sage Cft. *B31* —1D **99**
St Agatha's Rd. *B8* —5F **49**
St Agnes Clo. *B13* —1F **91**
St Agnes Rd. *B13* —1F **91**
St Aidans Wlk. *B10* —5A **60**
St Albans Clo. *Smeth* —4C **42**
St Albans Rd. *B13* —5E **75**
St Alban's Rd. *Smeth* —4C **42**
St Andrews Clo. *B32* —5E **71**
St Andrews Ind. Est. *B9*
—3A **60**
St Andrew's Rd. *B9*
—3F **59** (2F **11**)
St Andrews Rd. *S Cold*
—2A **20**
St Andrews St. *B9* —3F **59**
St Annes Clo. *B20* —3D **33**
St Annes Ct. *B13* —4C **74**
St Annes Ct. *B44* —5E **25**
St Anne's Way. *B44* —5E **25**
St Athan Cft. *B35* —4F **39**
St Augustine's Rd. *B16*
—4B **56**
St Augustus Clo. *W Brom*
—5D **31**
St Benedict's Clo. *W Brom*
—5D **31**
St Benedicts Rd. *B10*
—1D **77**
St Bernard's Rd. *Sol* —5B **94**
St Bernards Rd. *S Cold*
—2A **28**
St Blaise Av. *Wat O* —5F **41**
St Blaise Rd. *S Cold* —3B **14**
St Caroline Clo. *W Brom*
—5D **31**
St Catherines Clo. *S Cold*
—2D **21**
St Chads Cir. Queensway.
B4 —1B **58** (4F **5**)
St Chads Ind. Est. *B19*
—5C **46** (2A **6**)
St Chad's Queensway. *B4*
—1C **58** (5F **5**)
St Chad's Rd. *Redn* —2D **107**
St Chads Rd. *S Cold* —4C **20**
St Christopher Clo.
W Brom —5D **31**
St Christophers. *B20* —3D **33**
St Clements La. *W Brom*
—3B **30**
St Clements Rd. *B7* —4A **48**
St Columbas Dri. *Redn*
—2B **108**
St Cuthbert's Clo. *W Brom*
—5D **31**
St David's Clo. *W Brom*
—5D **31**
St Davids Dri. *B32* —3F **69**

St Davids Gro. *B20* —3D **33**
St Denis Rd. *B29* —5E **87**
St Dominic's Rd. *B24* —1C **48**
(in two parts)
St Edburgh's Rd. *B25*
—4C **62**
St Edmund's Clo. *W Brom*
—5D **31**
St Edwards Rd. *B29* —1D **89**
St Eleanors Clo. *W Brom*
—5D **31**
St Francis Av. *Sol* —5C **94**
St Francis Factory Est.
W Brom —5B **30**
St George Dri. *Smeth* —3E **43**
St Georges Av. *B23* —2E **37**
St Georges Clo. *B15* —1E **73**
St George's Clo. *S Cold*
—3D **21**
St Georges Ct. *B'vlle* —4C **88**
St Georges Ct. *S Cold*
—1C **12**
St Georges Pl. *W Brom*
—3A **30**
St George's St. *B19*
—1B **58** (3E **5**)
St Giles Rd. *B33* —3B **64**
St Helens Pas. *B1*
—2A **58** (4C **4**)
St Helens Rd. *Sol* —5E **95**
St Heliers Rd. *B31* —2C **98**
St James Clo. *W Brom*
—5D **31**
St James Pl. *B7*
—2E **59** (5F **7**)
St James Pl. *Shir* —4F **105**
St James' Rd. *Edg* —5F **57**
St James' Rd. *Hand* —2B **44**
St James Rd. *S Cold* —4A **14**
St John Clo. *S Cold* —2B **14**
St John's Clo. *W Brom*
—5D **31**
St Johns Gro. *B37* —2D **65**
St John's Ho. *W Brom*
—5A **30**
St John's Rd. *Harb* —2B **72**
St John's Rd. *O'bry* —5A **42**
St John's Rd. *S'hll* —3A **76**
St Johns Wlk. *B42* —3B **34**
St Johns Wood. *Redn*
—4F **107**
St Joseph's Av. *B31* —1F **99**
St Joseph's Rd. *B8* —5A **50**
St Jude's Clo. *B14* —4D **103**
St Judes Clo. *S Cold* —3D **21**
St Judes Pas. *B5*
—4B **58** (4F **9**)
St Katherines Rd. *O'bry*
—3A **54**
St Kenelm's Clo. *W Brom*
—5D **31**
St Kilda's Rd. *B8* —1C **60**
St Laurence M. *B31* —3E **99**

St Laurence Rd. *B31* —1F **99**
St Leonard's Clo. *B37*
—1E **81**
St Loye's Clo. *Hale* —1B **68**
St Luke's Rd. *B5* —5B **58**
(in two parts)
St Margaret's. *S Cold* —3A **12**
St Margarets Av. *B8* —4F **49**
St Margaret's Rd. *B8* —4E **49**
St Margaret's Rd. *Gt Barr*
—2D **23**
St Margarets Rd. *Sol* —2C **94**
St Marks Cres. *B1*
—2E **57** (5A **4**)
St Marks Rd. *Smeth* —2B **54**
St Marks St. *B1*
—2F **57** (5A **4**)
St Martin's Cir. Queensway.
B2 —3C **58** (3A **10**)
St Martin's Clo. *W Brom*
—5D **31**
St Martins La. *B5*
—3C **58** (3B **10**)
St Martin's Rd. *S Cold*
—4D **21**
St Martin's St. *B15*
—4F **57** (5B **8**)
St Mary's Clo. *B24* —3B **38**
St Marys Clo. *B27* —5F **77**
St Mary's Rd. *Harb* —3A **72**
St Mary's Rd. *Smeth* —4D **55**
St Mary's Row. *B4*
—2C **58** (5A **6**)
St Marys Row. *Mose* —5D **75**
St Mary's Vw. *B23* —4B **26**
St Matthews Rd. *Smeth*
—5A **44**
St Mawgan Clo. *B35* —3A **40**
St Michaels Ct. *W Brom*
—4A **30**
St Michael's Hill. *B18* —3E **45**
St Michael's Rd. *B18* —3E **45**
St Michael's Rd. *S Cold*
—4D **27**
St Michael St. *W Brom*
—4A **30**
St Nicholas Clo. *B38* —4D **101**
St Nicholas Gdns. *B38*
—4D **101**
St Nicholas Wlk. *Curd*
—1F **41**
St Oswald's Rd. *B10* —5C **60**
St Patricks Clo. *B14* —1C **102**
St Paul's Av. *B12* —3E **75**
St Pauls Ct. *B3*
—1A **58** (4D **5**)
St Pauls Ct. *Wat O* —4F **41**
St Paul's Rd. *B12* —2D **75**
St Paul's Rd. *Smeth* —3B **42**
St Paul's Sq. *B3*
—2A **58** (5D **5**)
St Pauls Ter. *B3*
—1A **58** (4D **5**)

St Peters Clo. *B28* —5B **92**
St Peter's Clo. *S Cold* —1F **27**
St Peters Clo. *Wat O* —5F **41**
St Peter's Rd. *Hand* —1A **46**
St Peter's Rd. *Harb* —3F **71**
St Philips Cathedral.
　　　　—2B **58** (1F **9**)
St Philips Pl. *B3*
　　　　—2C **58** (1A **10**)
St Saviour's Rd. *B8* —1B **60**
St Silas' Sq. *B19* —3F **45**
St Simons Clo. *S Cold*
　　　　—3D **21**
St Stephens Rd. *S Oak*
　　　　—3F **89**
St Stephens Rd. *W Brom*
　　　　—2F **43**
St Stephen's St. *B6*
　　　—4C **46** (1B **6**)
St Thomas Clo. *S Cold*
　　　　—4D **21**
St Thomas' Rd. *B23* —4B **36**
St Valentines Clo. *W Brom*
　　　　—5D **31**
St Vincent St. *B16*
　　　　—3F **57** (2A **8**)
St Vincent St. W. *B16*
　　　　—3E **57** (3A **8**)
Salcombe Av. *B26* —3A **80**
Salcombe Rd. *Smeth* —5F **43**
Salford Circ. *B6* —1B **48**
Salford St. *B6* —2A **48**
Salford Trad. Est. *B6* —2A **48**
Salisbury Dri. *B13* —4C **74**
Salisbury Dri. *Wat O* —4F **41**
Salisbury Gro. *S Cold*
　　　　—5A **28**
Salisbury Rd. *B'fld* —2B **46**
Salisbury Rd. *Mose* —4C **74**
Salisbury Rd. *Salt* —5C **48**
Salisbury Rd. *Smeth* —1F **55**
Salisbury Rd. *W Brom*
　　　　—1C **42**
Salisbury Tower. *B18*
　　　　—2E **57** (5A **4**)
Salop Dri. *O'bry* —3A **54**
Salop Rd. *O'bry* —2A **54**
Salop St. *B12* —5D **59**
Salstar Clo. *B6* —4C **46**
Saltash Gro. *B25* —4A **62**
Salter's La. *W Brom* —3C **30**
Salters Va. *W Brom* —1C **42**
Saltley. —1B 60
Saltley Bus. Pk. *Salt* —4B **48**
Saltley Ind. Est. *B8* —2A **60**
Saltley Rd. *B7* —5F **47**
Saltley Trad. Est. *B8* —4B **48**
Saltley Viaduct. *B7* —5A **48**
Saltney Clo. *B24* —2B **38**
Salwarpe Gro. *B29* —1D **87**
Sambourne Dri. *B34* —3B **52**
Sampson Clo. *B21* —1A **44**
Sampson Rd. *B11* —1F **75**

Sampson Rd. N. *B11* —5F **59**
Sams La. *W Brom* —5A **30**
Samuels Rd. *B32* —3E **69**
Sanda Cft. *B36* —4F **53**
Sandalls Clo. *B31* —5B **98**
Sandals Ri. *Hale* —5B **68**
Sandbourne Rd. *B8* —1E **61**
Sandcroft, The. *B33* —4B **64**
Sandfield. *Smeth* —3C **42**
Sandfield Clo. *Shir* —5E **105**
Sandfields Av. *B10* —5F **59**
Sandfields Rd. *O'bry* —3A **54**
Sandford Rd. *B13* —4E **75**
Sandford Wlk. *B12* —3D **75**
Sandgate Rd. *B28* —2D **105**
Sandhill Farm Clo. *B19*
　　　　—3B **46**
Sandhurst Av. *B36* —4B **50**
Sandhurst Rd. *B13* —1C **90**
Sandhurst Rd. *S Cold*
　　　　—1D **13**
Sandmere Gro. *B14* —3B **104**
Sandmere Rd. *B14* —3B **104**
Sandon Gro. *B24* —3F **37**
Sandon Rd. *Smeth & B16*
　　　　—3E **55**
Sandown Rd. *B36* —2B **50**
Sandown Tower. *B31* —5E **99**
Sandpiper Gdns. *B38*
　　　　—2D **111**
Sand Pits. *B1* —2F **57** (1B **8**)
Sandpits Clo. *Curd* —1F **41**
Sandpits Ind. Est. *B1*
　　　　—2F **57** (1B **8**)
Sandpits, The. *B30* —3C **88**
Sandringham Rd. *B42*
　　　　—1F **33**
Sandstone Av. *Redn* —1E **107**
Sandway Gdns. *B8* —4B **48**
Sandway Gro. *B13* —4A **92**
Sandwell. —2E 43
Sandwell Bus. Development
　　　Cen. *Smeth* —3A **42**
Sandwell Bus. Pk. *Smeth*
　　　　—2A **42**
Sandwell Cen. *W Brom*
　(in two parts) —4B **30**
Sandwell Ind. Est. *Smeth*
　　　　—2A **42**
Sandwell Pk. Farm & Mus.
　　　　—4D **31**
Sandwell Pl. *Smeth* —2E **43**
Sandwell Rd. *B21* —1B **44**
Sandwell Rd. *W Brom*
　　　　—3A **30**
Sandwell Rd. N. *W Brom*
　　　　—3B **30**
Sandwell Rd. Pas. *W Brom*
　　　　—3A **30**
Sandwell Valley Bird
　　　Sanctuary. —1A 32
Sandwell Valley
　　　Country Pk. —4D 31

Sandwood Dri. *B44* —4D **25**
Sandy Cft. *B13* —4A **92**
Sandycroft. *S Cold* —1A **28**
Sandy Hill Ri. *Shir* —1E **105**
Sandy Hill Rd. *Shir* —2E **105**
Sandy La. *Aston* —3F **47**
Sandy La. *Gt Barr* —4A **24**
Sandy La. *Wild & L Ash*
　　　　—5A **106**
Sandy Way. *B15*
　　　　—4F **57** (4B **8**)
Sansome Ri. *Shir* —4D **105**
Sansome Rd. *Shir* —4D **105**
Sant Rd. *B31* —2F **109**
Saplings, The. *S Cold*
　　　　—4E **29**
Sapphire Ct. *B3*
　　　　—1A **58** (4D **5**)
Sapphire Ct. *Sol* —2D **95**
Sapphire Tower. Aston
　(off Park La.) —4D **47**
Sara Clo. *S Cold* —3E **13**
Sarah St. *B9* —3F **59**
Sarehole Rd. *B28* —4B **92**
Sarehole Watermill. —3B 92
Sargent Clo. *B43* —5B **16**
Sargent Ho. *B16*
　　　　—3F **57** (2B **8**)
Sark Dri. *B36* —4F **53**
Saunton Way. *B29* —2A **88**
Saveker Dri. *S Cold* —5C **20**
Savernake Clo. *Redn* —4E **97**
Saville Clo. *Redn* —2F **107**
Savoy Clo. *B32* —3D **71**
Saxelby Clo. *B14* —4C **102**
　(in two parts)
Saxelby Ho. *B14* —4C **102**
Saxondale Av. *B26* —2D **79**
Saxons Way. *B14* —4E **103**
Saxon Way. *B37* —2D **65**
Saxon Wood Clo. *B31*
　　　　—2E **99**
Saxton Dri. *S Cold* —1D **13**
Sayer Ho. *B19* —4B **46** (1E **5**)
Scafell Dri. *B23* —2B **36**
Scarsdale Rd. *B42* —4B **24**
Schofield Rd. *B37* —5E **53**
Scholars Ga. *B33* —3F **63**
Scholefield Tower. *B19* —1E **5**
Schoolacre Ri. *S Cold*
　　　　—1C **16**
Schoolacre Rd. *B34* —4F **51**
School Clo. *B37* —4E **53**
Schoolgate Clo. *B8* —4E **49**
Schoolhouse Clo. *B38*
　　　　—4F **101**
School La. *Buc E* —3F **51**
School La. *Kitts G* —4D **63**
School Rd. *Hall G* —3D **93**
School Rd. *Mose* —2D **91**
School Rd. *Redn* —3C **106**
School Rd. *Shir* —4F **105**
School Rd. *Yard W* —2F **103**

School Ter. *B29* —1D **89**
Scorers Clo. *Shir* —5F **93**
Scotchings, The. *B36*
　—2C **50**
Scotland La. *B43* —3F **85**
Scotland Pas. *W Brom*
　—4B **30**
Scotland St. *B1*
　—2A **58** (1C **8**)
Scott Arms Shop. Cen.
　Gt Barr —3D **23**
Scott Clo. *W Brom* —2B **30**
Scott Gro. *Sol* —5C **78**
Scott Ho. *B43* —5D **23**
Scott Rd. *B43* —2D **23**
Scott Rd. *Sol* —5C **78**
Scout Clo. *B33* —3A **64**
Scribbans Clo. *Smeth*
　—1F **55**
Scriber's La. *B28* —2C **104**
Seacroft Av. *B25* —4C **62**
Seagar St. *W Brom* —3C **30**
Seal Clo. *S Cold* —5C **20**
Seals Grn. *B38* —2B **110**
Seaton Gro. *B13* —2B **90**
Seaton Rd. *Smeth* —5F **43**
Seaton Tower. *B31* —4A **98**
Second Av. *Bord G* —4C **60**
Second Av. *S Oak* —5F **73**
Second Av. *Witt* —4D **35**
Second Exhibition Av. *B40*
　—3B **82**
Sedge Av. *B38* —3D **101**
Sedgeberrow Covert. *B38*
Sedgehill Av. *B17* —4F **71**
Sedgemere Rd. *B26* —4D **63**
Sedgley Gro. *B20* —3C **32**
Seeleys Rd. *B11* —3B **76**
Sefton Rd. *B16* —3D **57**
Segbourne Rd. *Redn*
　—1C **106**
Selborne Gro. *B13* —1A **104**
Selborne Rd. *B20* —5E **33**
Selby Clo. *B26* —4D **63**
Selby Gro. *B13* —1F **103**
Selcombe Way. *B38*
　—2D **111**
Selcroft Av. *B32* —3C **70**
Selecta Av. *B44* —2B **24**
Selkirk Clo. *W Brom* —1A **30**
Selly Av. *B29* —1E **89**
Selly Clo. *B29* —1F **89**
Selly Hill Cft. *B30* —5E **89**
Selly Hill Rd. *B29* —1D **89**
Selly Manor Mus. —4D **89**
Selly Oak. —1B 88
Selly Park. —1F 89
Selly Oak Rd. *B30* —4C **88**
Selly Pk. Rd. *B29* —5E **73**
Selly Wharf. *S Oak* —1C **88**
Selly Wick Dri. *B29* —1F **89**
Selly Wick Rd. *B29* —1E **89**

Sellywood Rd. *B30* —3C **88**
Selma Gro. *B14* —1B **104**
Selsey Av. *B17* —2F **55**
Selsey Rd. *B17* —2F **55**
Selston Rd. *B6* —3C **46**
Selvey Av. *B43* —1F **23**
Selworthy Rd. *B36* —3D **53**
Selwyn Ho. *B37* —2B **66**
Selwyn Rd. *B16* —2B **56**
Selwyn Wlk. *S Cold* —2A **12**
Senneley's Pk. Rd. *B31*
　—3C **86**
Serpentine Rd. *Aston* —1E **47**
Serpentine Rd. *Harb* —2A **72**
Serpentine Rd. *S Oak* —5E **73**
Servite Ct. *B14* —4E **103**
Settle Av. *B34* —4E **51**
Settle Cft. *B37* —4D **65**
Seven Acres Rd. *B31*
　—5A **100**
Seven Acres Rd. *Hale*
　—3E **69**
Seven Star Rd. *Sol* —5E **93**
Severn Clo. *B36* —3D **53**
Severn Ct. *B23* —4F **35**
Severne Gro. *B27* —2A **94**
Severne Rd. *B27* —3A **94**
Severn Gro. *B11* —2A **76**
Severn Gro. *B19* —3A **46**
(in two parts)
Severn St. *B1* —4B **58** (4E **9**)
Severn Tower. *B7*
　—5F **47** (1F **7**)
Seymour Clo. *B29* —1E **89**
Seymour Gdns. *S Cold*
　—3C **12**
Seymour Rd. *O'bry* —3A **42**
Seymour St. *B5*
　—2D **59** (2C **10**)
Seymour St. *B12* —1D **75**
Shadwell St. *B4*
　—1B **58** (4F **5**)
Shady La. *B44* —2B **24**
Shaftesbury Sq. *W Brom*
　—2A **30**
Shaftesbury St. *W Brom*
　—3A **30**
Shaftmoor Ind. Est. *Hall G*
　—1D **93**
Shaftmoor La. *Hall G &*
　A Grn —1C **92**
Shaftsbury Rd. *B26* —3A **80**
Shakespeare Dri. *Shir*
　—5E **105**
Shakespeare Rd. *B23* —4F **35**
Shakespeare Rd. *Smeth*
　—1C **54**
Shakespeare St. *B11* —3A **76**
Shaldon Wlk. *Smeth* —5F **43**
Shalford Rd. *Sol* —4C **78**
Shalnecote Gro. *B14*
　—1A **102**
Shandon Clo. *B32* —5D **71**

Shannon Rd. *B38* —2B **110**
Shapinsay Dri. *Redn* —5D **97**
Shard End. —3A 52
Shard End Cres. *B34* —4A **52**
Shardway, The. *B34* —5A **52**
Sharps Clo. *Redn* —2E **107**
Sharrat Fld. *S Cold* —4B **14**
Shawberry Av. *B35* —4E **39**
Shawberry Rd. *B37* —5D **53**
Shawbrook Gro. *B14*
　—3E **103**
Shawbury Gro. *B12* —5D **59**
Shaw Dri. *B33* —3C **62**
Shaw Hill Gro. *B8* —1E **61**
Shaw Hill Rd. *B8* —1E **61**
Shawley Cft. *B27* —4C **78**
Shawsdale Rd. *B36* —3D **51**
Shaw's Pas. *B5*
　—3D **59** (3C **10**)
Sheaf La. *B26* —3F **79**
Shearwater Clo. *Redn*
　—3D **107**
Shearwater Wlk. *Erd* —5F **25**
Sheddington Rd. *B23*
　—5B **26**
Sheen Rd. *B44* —5C **16**
Sheepclose Dri. *B37* —2E **65**
Sheepcote St. *B16*
　—3F **57** (2A **8**)
Sheepmoor Clo. *B17* —5D **55**
Sheep St. *B4* —1D **59** (4C **6**)
Sheffield Rd. *S Cold* —5E **27**
Shefford Rd. *B6*
　—5D **47** (1C **6**)
Sheldon. —3B 80
Sheldon Country Pk. —1C **80**
Sheldon Dri. *B31* —4B **98**
Sheldonfield Rd. *B26*
　—3B **80**
Sheldon Gro. *B26* —3F **79**
Sheldon Hall Av. *B33* —2B **64**
(in two parts)
Sheldon Heath Rd. *B26*
　—4E **63**
Sheldon Wlk. *B33* —4A **64**
Shelfield Rd. *B14* —3A **102**
Shelley Dri. *B23* —4F **35**
Shelley Dri. *S Cold* —1D **13**
Shelley Tower. *B31* —3A **100**
Shelly Cft. *B33* —2E **63**
Shelly Ho. *O'bry* —1A **54**
Shelsley Dri. *B13* —2F **91**
Shenley Fields. —4D 87
Shenley Fields Dri. *B31*
　—3C **86**
Shenley Fields Rd. *B29*
　—4D **87**
Shenley Gdns. *B29* —4D **87**
Shenley Grn. *B29* —5D **87**
Shenley Hill. *B31* —5C **86**
Shenley La. *B29* —2D **87**
Shenstone Av. *Hale* —3C **68**

Shenstone Clo. *S Cold*
　—1C **12**
Shenstone Ct. *Shir* —4B **104**
Shenstone Flats. *Hale*
　—3D **69**
Shenstone Rd. *Edg* —2A **56**
Shenstone Rd. *Gt Barr*
　—4C **22**
Shenstone Rd. *May* —5E **103**
Shenstone Rd. *Tyb*
　—4A **68**
Shenstone Valley Rd. *Hale*
　—2C **68**
Shenstone Wlk. *Hale* —3B **68**
Shenton Wlk. *B37* —5E **53**
Shepheard Rd. *B26* —3B **80**
Shepherds Gdns. *B15*
　—4F **57** (5C **8**)
Shepherds Grn. Rd. *B24*
　—5D **37**
Shepherds Pool Rd. *S Cold*
　—4C **14**
Shepherds Standing. *B34*
　—4F **51**
Shepherds Way. *B23* —4A **26**
Shepley Rd. *Redn* —3F **107**
Sheppey Dri. *B36* —5F **53**
Sherard Cft. *B36* —4F **53**
Sherborne Clo. *Col* —1E **67**
Sherborne Gro. *B1*
　—2E **57** (1A **8**)
Sherborne St. *B16*
　—3F **57** (3A **8**)
Sherbourne Ct. *A Grn*
　—4A **78**
Sherbourne Dri. *B27* —4A **78**
Sherbourne Rd. *A Grn*
　—4A **78**
Sherbourne Rd. *Bal H*
　—1C **78**
Sherbourne Rd. E. *Bal H*
　—2D **75**
Sheridan St. *W Brom* —3B **30**
Sheridan Wlk. *B35* —4E **39**
Sherifoot La. *S Cold* —2F **13**
Sheringham. *B15* —5C **56**
Sheringham Rd. *B30*
　—3F **101**
Sherlock St. *B5*
　—5C **58** (5B **10**)
Sherratt Clo. *S Cold* —4D **29**
Sherron Gdns. *B12* —3D **75**
Sherston Covert. *B30*
　—4A **102**
Sherwood Clo. *B28* —1D **105**
Sherwood Clo. *Sol* —4D **95**
Sherwood M. *B28* —5C **92**
Sherwood Rd. *B28* —4C **92**
Sherwood Rd. *Smeth* —4E **55**
Sherwood Wlk. *Redn* —3F **97**
Shetland Clo. *B16* —3D **57**
Shetland Dri. *Smeth* —3B **42**
Shetland Wlk. *B36* —4F **53**

Shifnal Wlk. *B31* —1D **109**
Shillcock Gro. *B19*
　—5C **46** (2A **6**)
Shilton Gro. *B29* —3D **87**
Shipbourne Clo. *B32* —3D **71**
Shipley Fields. *B24* —4E **37**
Shipley Gro. *B29* —3E **87**
Shipston Rd. *B31* —5F **99**
Shipton Rd. *S Cold* —1A **28**
Shipway Rd. *B25* —1E **77**
Shirebrook Clo. *B6* —2C **46**
Shire Brook Ct. *B19* —3B **46**
Shire Clo. *B16* —3D **57**
Shire Clo. *O'bry* —3A **54**
Shireland Brook Gdns. *B18*
　—1B **56**
Shireland Clo. *B20* —4C **32**
Shireland Rd. *Smeth* —1F **55**
Shirestone Rd. *B33* —3B **64**
Shirley. —5F 105
Shirley Dri. *S Cold* —5A **20**
Shirley Heath. —5F 105
Shirley Pk. Rd. *Shir* —4F **105**
Shirley Rd. *Hall G & A Grn*
　—5E **93**
Shirley Rd. *K Nor* —1E **101**
Shirley Rd. *O'bry* —4A **42**
Shirley Street. —3F 105
Shirrall Gro. *B37* —5D **53**
Shooters Clo. *B5* —2B **74**
Shooters Hill. *S Cold* —2B **28**
Shopton Rd. *B34* —3E **51**
Shorters Av. *B14* —2F **103**
Short Heath. —1B 36
Short Heath Rd. *B23 & Erd*
　—1B **36**
Shortlands Clo. *B30* —4E **101**
Short Rd. *Smeth* —2B **54**
Shortwood Clo. *B34* —4E **51**
Shottery Clo. *S Cold* —3D **29**
Shottery Gro. *S Cold* —3D **29**
Shottery Gro. *Tys* —3F **77**
Shottery Rd. *Shir* —5F **105**
Showell Green. —4F 75
Showell Grn. La. *B11* —5F **75**
Showells Gdns. *B7* —3A **48**
Shrawley Clo. *Redn* —2D **107**
Shrawley Ho. *B31* —4B **100**
Shrawley Rd. *B31* —4A **100**
Shrewley Cres. *B33* —4C **64**
Shrewton Av. *B14* —5B **102**
Shrubbery Clo. *S Cold*
　—1B **38**
Shrubbery, The. *B16* —2D **57**
Shrublands Av. *O'bry* —1F **69**
Shrub La. *B24* —4F **37**
Shustoke Rd. *B34* —4A **52**
Shut La. *B4* —3C **58** (2B **10**)
Shutlock La. *B13* —2B **90**
Shyltons Cft. *B16*
　—3E **57** (3A **8**)
Sibdon Gro. *B31* —1F **109**
Sidcup Rd. *B44* —3E **25**

Siddeley Wlk. *B36* —1D **53**
Sidenhill Clo. *Shir* —5F **105**
Sidford Gdns. *B24* —4A **38**
Sidford Gro. *B23* —5C **26**
Sidings, The. *Hand* —2A **46**
Signal Hayes Rd. *S Cold*
　(in two parts) —2D **29**
Silesbourne Clo. *B36* —2A **52**
Silhill Hall Rd. *Sol* —5E **95**
Silver Birch Coppice.
　S Cold —1B **12**
Silverbirch Ct. *B24* —1F **37**
Silver Birch Rd. *Erd* —1F **37**
Silver Birch Rd. *K'hrst*
　—4D **53**
Silver Birch Rd. *S Cold*
　—1D **17**
Silvercroft Av. *B20* —4B **32**
Silverdale Rd. *B24* —2B **38**
Silverfield Clo. *B14* —3C **90**
Silverlands Av. *O'bry* —5A **54**
Silverlands Clo. *B28* —2D **93**
Silvermead Rd. *S Cold*
　—3E **27**
Silvermere Rd. *B26* —2B **80**
Silverstone Dri. *S Cold*
　—3D **17**
Silver St. *K Hth* —3C **90**
Silverton Cres. *B13* —2B **92**
Silverton Heights. *Smeth*
　—4D **43**
Silverton Rd. *Smeth* —4C **42**
Silvester Ct. *W Brom* —4B **30**
Silvington Clo. *B29* —4A **88**
Simcox Gdns. *B32* —1B **86**
Simmons Dri. *B32* —3A **70**
Simmons Leasow. *B32*
　—1B **86**
Simpson Rd. *S Cold* —3A **28**
Singer Cft. *B36* —1D **53**
Singh Clo. *B21* —1C **44**
Sir Alfred's Way. *S Cold*
　—1C **28**
Sir Harrys Rd. *Edg & B5*
　—2F **73**
Sir Hilton's Rd. *B31* —2F **109**
Sir Johns Rd. *B29* —5A **74**
Sir Richards Dri. *B17*
　—1D **71**
Sisefield Rd. *B38* —5E **101**
Siskin Dri. *B12* —2C **74**
Siviter St. *Hale* —4A **68**
Six Acres. *B32* —4A **70**
Six Ways. *B23* —3D **37**
Skelcher Rd. *Shir* —2E **105**
Sketchley Clo. *Smeth* —4E **43**
Skiddaw Clo. *B23* —1B **36**
Skinner La. *B5*
　—5B (5B **10**)
Skipton Rd. *B16* —4E **57**
Skomer Clo. *Redn* —5C **96**
Skye Clo. *B36* —4F **53**
Skywalk. *B40* —4C **82**

Slack La. *B20* —5C **32**
Sladefield Rd. *B8* —5E **49**
Slade La. *B28* —3C **104**
Slade La. *S Cold* —3E **15**
Slade Lanker. *B34* —5E **51**
Sladepool Farm Rd. *B14*
　　　　　　　　—3D **103**
Slade Rd. *B23* —3B **36**
Slade Rd. *S Cold & Can*
　　　　　　　　—3C **14**
Slaithwaite Rd. *W Brom*
　　　　　　　　—3C **30**
Slatch Ho. Rd. *Smeth*
　　　　　　　　—3C **54**
Sleaford Gro. *B28* —4E **93**
Sleaford Rd. *B28* —4F **93**
Slieve, The. *B20* —4E **33**
Slingfield Rd. *B31* —4A **100**
Slitting Mill Clo. *B21* —2A **44**
Sloane Ho. *B1* —5C **4**
Sloane St. *B1* —2A **58** (1C **8**)
Slough La. *K Nor & H'wd*
　(in two parts)　—5C **102**
Smallbrook Queensway. *B5*
　　　　　—4B **58** (4F **9**)
Small Clo. *Smeth* —5B **42**
Smalldale Rd. *B42* —5B **24**
Small Heath. —5B 60
Small Heath Bri. *B11* —1F **75**
Small Heath Bus. Pk. *B10*
　　　　　　　　—1D **77**
Small Heath Highway. *B10*
　　　　　　　　—5F **59**
Small Heath Trad. Est. *B11*
　　　　　　　　—2B **76**
Small St. *W Brom* —1A **30**
Smallwood Clo. *B24* —4B **38**
Smallwood Clo. *S Cold*
　　　　　　　　—1C **28**
Smeaton Gdns. *B18* —1C **56**
Smeed Gro. *B24* —4F **37**
Smethwick. —4D 43
Smethwick Ho. *O'bry* —3A **54**
Smethwick New Enterprise
　Cen. *Smeth* —4E **43**
Smirrells Rd. *B28* —1C **104**
Smith Clo. *Smeth* —2B **54**
Smithfield St. *B5*
　　　　　　—4D **59** (4C **5**)
Smiths Clo. *B32* —1F **85**
Smith St. *B19* —5A **46** (1D **5**)
Smiths Way. *Wat O* —4E **41**
Smith's Wood. —3E 53
Smithy, The. *B26* —2A **80**
Snowberry Gdns. *B27*
　　　　　　　　—3A **78**
Snowford Clo. *Shir* —5D **105**
Snow Hill. *B4* —2B **58** (5F **5**)
Snow Hill Queensway. *B4*
　　　　　　—2B **58** (5F **5**)
Soho. —4F 43
Soho Av. *B18* —3E **45**
Soho Clo. *Smeth* —5A **44**

Soho Hill. *B19* —3E **45**
Soho Ho. *Smeth* —5A **44**
Soho Rd. *B21* —2C **44**
Soho Way. *Smeth* —4F **43**
Solihull La. *B28* —5E **93**
Solihull Lodge. —4A 104
Solihull Parkway. *Birm P*
　　　　　　　　—1B **82**
Solihull Rd. *B11* —5B **76**
Solihull Rd. *Shir* —3F **105**
Somercotes Rd. *B42* —4B **24**
Somerdale Rd. *B31* —2A **100**
Somerford Rd. *B29* —3D **87**
Somerland Rd. *B26* —4E **63**
Somerset Dri. *B31* —2D **109**
Somerset Rd. *Edg* —2C **72**
Somerset Rd. *Erd* —1D **37**
Somerset Rd. *Hand* —5D **33**
Somerset Rd. *W Brom*
　　　　　　　　—1B **30**
Somers Rd. *Hale* —3A **68**
Somerton Dri. *B23* —1E **37**
Somerton Dri. *Mars G*
　　　　　　　　—1E **81**
Somerville Ct. *S Cold* —2E **27**
Somerville Dri. *S Cold*
　　　　　　　　—5E **19**
Somerville Ho. *B37* —2B **66**
Somerville Rd. *B10* —5B **60**
Somerville Rd. *S Cold*
　　　　　　　　—5E **19**
Somery Rd. *B29* —1E **87**
Sommerfield Rd. *B32*
　　　　　　　　—1A **86**
Sopwith Cft. *B35* —5E **39**
Sorrel Gro. *B24* —4B **38**
Sorrel Ho. *B24* —4B **38**
Sorrell Dri. *B27* —1F **93**
Southacre Av. *B5* —5C **58**
　(in two parts)
Southam Clo. *B28* —3C **92**
Southam Dri. *S Cold* —3F **27**
Southam Rd. *B28* —3C **92**
Southbourne Av. *B34* —4B **50**
Southbourne Clo. *B29*
　　　　　　　　—1E **89**
S. Car Pk. Rd. *B40* —5C **82**
Southcote Gro. *B38* —5B **100**
South Dene. *Smeth* —5D **43**
Southdown Av. *B18* —4E **45**
South Dri. *B5* —4A **74**
South Dri. *Col* —4A **53**
South Dri. *S Cold* —3A **20**
S. Eastern Arc. *B2* —2A **10**
Southern Rd. *B8* —5A **50**
Southfield Av. *Cas B* —2E **51**
Southfield Av. *Edg* —2B **56**
Southfield Dri. *B28* —1E **105**
Southfield Rd. *B16* —2B **56**
Southfields Clo. *Col* —1E **67**
Southgate Rd. *B44* —2C **24**
South Gro. *Aston* —2B **46**

South Gro. *Erd* —2D **37**
South Gro. *Hand* —2F **45**
South Holme. *B9* —3A **60**
Southlands Rd. *B13* —2E **91**
Southmead Clo. *B30*
　　　　　　　　—2C **100**
Southminster Dri. *B14*
　　　　　　　　—5C **90**
South Pde. *S Cold* —4A **20**
South Range. *B11* —2F **75**
South Rd. *Erd* —3D **37**
South Rd. *Hock* —3E **45**
South Rd. *K Hth* —3C **90**
South Rd. *N'fld* —4D **99**
South Rd. *Smeth* —5D **43**
South Rd. *S'brk* —1F **75**
South Rd. *Av. B18* —4E **45**
South Roundhay. *B33*
　　　　　　　　—2E **63**
South St. *B17* —3B **72**
South Tower. *B7* —1F **59**
South Vw. *B43* —5C **8**
Southville Bungalows. *B14*
　　　　　　　　—2F **103**
South Wlk. *B31* —5A **100**
South Way. *B40* —5C **82**
Southwick Rd. *Hale* —1B **68**
Southwold Av. *B30* —3A **102**
Southwood Av. *B34* —3F **51**
Southwood Covert. *B14*
　　　　　　　　—4B **102**
South Yardley. —2B 78
Sovereign Ct. *B1*
　　　　　—2A **58** (5C **4**)
Sovereign Heights. *B31*
　　　　　　　　—5A **98**
Sovereign Rd. *B30* —2D **101**
Sovereign Way. *Mose*
　　　　　　　　—4D **75**
Sowerby March. *Erd* —3B **38**
Spa Gro. *B30* —3A **90**
Sparkbrook. —1F 75
Sparkhill. —4B 76
Spark St. *B11* —1E **75**
Sparrey Dri. *B30* —3E **89**
Speedwell Clo. *Yard* —2E **77**
Speedwell Rd. *B5* —2B **74**
Speedwell Rd. *Yard* —2E **77**
Spencer St. *B18*
　　　　　—5A **46** (2C **4**)
　(in two parts)
Spen La. Trad. Est. *W Brom*
　　　　　　　　—5B **30**
Spernall Gro. *B29* —2E **87**
Spey Clo. *B5* —2B **74**
Spiceland Rd. *B31* —5D **87**
Spies Clo. *Hale* —2D **69**
Spies La. *Hale* —3D **69**
Spinney Clo. *B31* —3E **99**
Spinney, The. *B20* —3C **32**
Spinney, The. *Lit A* —1A **12**
Spinney Wlk. *S Cold* —5D **29**
Spiral Ct. *B24* —5C **36**

Spiral Grn. *B24* —3A **38**
Spitfire Rd. *B24* —5A **38**
Spitfire Way. *Cas V* —5E **39**
Spondon Gro. *B34* —5A **55**
Spon La. *W Brom* —1B **42**
Spon La. Ind. Est. *Smeth*
    —2B **42**
Spon La. S. *W Brom &*
   Smeth —2B **42**
Spoon Dri. *B38* —4B **100**
Spooner Cft. *B5* —5C **58**
Spouthouse La. *B43* —5C **22**
Spreadbury Clo. *B17* —5D **55**
Sprig Cft. *B36* —2A **50**
Spring Avon Cft. *B17* —2F **71**
Springbank. *B9* —2D **61**
Springbank Rd. *Edg* —1A **74**
Springbrook Clo. *B36*
    —1B **52**
Spring Ct. *Smeth* —5A **44**
Spring Ct. *W Brom* —5B **30**
Springcroft Rd. *B11* —1D **93**
Springfield. —2B 92
Springfield. *B23* —4B **36**
Springfield Av. *B12* —2E **75**
Springfield Av. *O'bry* —1A **54**
Springfield Ct. *Hall G* —3D **93**
Springfield Ct. *S Cold* —4F **21**
Springfield Cres. *Sol* —5A **80**
Springfield Cres. *S Cold*
    —5E **21**
Springfield Cres. *W Brom*
    —1C **42**
Springfield Dri. *Hale* —1B **68**
Springfield Dri. *K Hth*
    —2C **90**
Springfield Rd. *Cas B*
    —2B **52**
Springfield Rd. *Hale* —1B **68**
Springfield Rd. *K Hth*
    —3D **91**
Springfield Rd. *Mose* —2B **92**
Springfield Rd. *O'bry* —1A **54**
Springfield Rd. *S Cold*
    —2D **29**
Springfields. *Col* —1E **67**
Springfield St. *B18* —2E **57**
Spring Gdns. *Hand* —3C **44**
Spring Gdns. *Smeth* —2F **55**
Spring Gro. *B19* —4F **45**
Spring Gro. Gdns. *B18*
    —4D **45**
Spring Hill. *Erd* —4D **37**
Spring Hill. *Hock*
    —1E **57** (5A **4**)
Spring Hill Pas. *B18* —2E **57**
Spring La. *B24* —4E **37**
Springmeadow Rd. *B19*
    —4B **46**
Spring Rd. *Edg* —1B **74**
Spring Rd. *Smeth* —2B **42**
Spring Rd. *Tys* —5D **77**
Springslade Dri. *B24* —4B **38**

Spring St. *B15* —5B **58**
Springthorpe Grn. *B24*
    —3A **38**
Springthorpe Rd. *B24*
    —4B **38**
Spruce Gro. *B24* —5F **37**
Spruce Rd. *Wals* —1A **22**
Squadron Clo. *B35* —3A **40**
Square Clo. *B32* —5A **70**
Square, The. *B15*
    —4F **57** (4A **8**)
Square, The. *Harb* —2F **71**
Squires Cft. *S Cold* —2E **29**
Squires Ga. Wlk. *B35* —4E **39**
Squirrel Hollow. *S Cold*
    —2E **29**
Squirrels Hollow. *O'bry*
    —1B **70**
Squirrel Wlk. *S Cold* —1A **12**
Stableford Clo. *B32* —5D **71**
Stables, The. *B19* —1E **89**
Stacey Dri. *B13* —1E **103**
Stacey Grange Gdns. *Redn*
    —3E **107**
*Stafford Ct. B43 —5C 22
   (off West Rd.)*
Stafford Ho. *B33* —3C **64**
Stafford Rd. *B21* —2D **45**
*Staffordshire Pool Clo. B6
   (off Emscote Rd.) —1D 47*
Stafford Tower. *B4* —5C **6**
Stafford Way. *B43* —5C **22**
Stag Wlk. *S Cold* —5B **28**
Stainsby Av. *B19*
    —5A **46** (1C **4**)
Stamford Gro. *B20* —1A **46**
Stamford Rd. *B20* —1A **46**
Stanbury Rd. *B14* —2F **103**
Stancroft Rd. *B26* —5E **63**
Standard Way. *Erd* —1D **49**
Standlake Av. *B36* —3B **50**
Stanfield Rd. *B43* —4B **16**
Stanfield Rd. *Quin* —1B **70**
Stanford Av. *B42* —5E **23**
Stanford St. *B4*
    —2D **59** (5B **6**)
Stanhope Rd. *Smeth* —2D **55**
Stanhope St. *B12* —1D **75**
Stanhope Way. *B43* —5B **16**
Stanier Gro. *Hand* —5F **33**
Stanier Ho. *B1*
    —3B **58** (3E **9**)
Staniforth St. *B4*
    —1C **58** (3B **6**)
Stanley Av. *B32* —1C **70**
Stanley Av. *Shir* —2F **105**
Stanley Av. *S Cold* —5D **21**
Stanley Clo. *B28* —1E **105**
Stanley Gro. *B11* —2F **75**
Stanley Pl. *Mose* —5D **75**
Stanley Rd. *K Hth* —4B **90**
Stanley Rd. *Nech* —3A **48**
Stanley Rd. *O'bry* —5A **54**

Stanley Rd. *W Brom* —1C **30**
Stanmore Gro. *Hale* —5E **69**
Stanmore Rd. *B16* —4A **56**
Stanton Gro. *B26* —5D **63**
Stanton Gro. *Shir* —2E **105**
Stanton Rd. *B43* —5B **22**
Stanton Rd. *Shir* —2E **105**
Stanville Rd. *B26* —2A **80**
Stanway Gdns. *W Brom*
    —1B **30**
Stanway Gro. *B44* —1D **25**
Stanway Rd. *Shir* —3F **105**
Stanway Rd. *W Brom*
    —1B **30**
Stanwell Gro. *B23* —1C **36**
Stanwick Av. *B33* —2C **64**
Stapleford Cft. *B14* —4A **102**
Staplehall Rd. *B31* —4F **99**
Staplehurst Rd. *B28* —2D **93**
Staple Lodge Rd. *B31*
    —5F **99**
Stapleton Clo. *Min* —1F **39**
Stapleton Dri. *F'bri* —2F **65**
Stapylton Av. *B17* —3F **71**
*Stapylton Ct. Harb —3F 71
   (off Old Church Rd.)*
Starbank Rd. *B10* —5E **61**
Star City. —2B 48
Star City. *B24* —2B **48**
Starcross Rd. *B27* —1A **94**
Star Hill. *B15* —5F **57**
Starkey Cft. *B37* —3A **66**
Starkie Dri. *O'bry* —1A **54**
Starley Way. *B37* —2A **82**
Statham Dri. *B16* —3A **56**
Station App. *S Cold* —3F **19**
    (B73)
Station App. *S Cold* —1D **13**
    (B74)
Station Av. *B16* —4A **56**
*Station Bldgs. Wat O —4F 41
   (off Minworth Rd.)*
Station Dri. *Hall G* —2D **93**
Station Dri. *Sol* —2C **94**
Station Dri. *S Cold* —1F **19**
Station Dri. *Wat O* —4F **41**
Station Rd. *A Grn* —5A **78**
Station Rd. *Aston* —2D **47**
Station Rd. *Crad H* —1A **68**
Station Rd. *Erd* —2D **37**
Station Rd. *Hand* —2A **44**
Station Rd. *Harb* —2A **72**
Station Rd. *K Hth* —3B **90**
Station Rd. *K Nor* —1C **100**
Station Rd. *Mars G* —5D **65**
Station Rd. *N'fld* —4E **99**
Station Rd. *Sol* —5D **93**
Station Rd. *S Cold* —3E **27**
Station St. *B5* —4B **58** (4F **9**)
Station St. *S Cold* —4A **20**
Station Way. *B40* —4B **82**
Staveley Rd. *B14* —5B **90**
Stechford. —3C 62

Stechford La. B8 —5A **50**
Stechford Retail Pk. B33
—1C **62**
Stechford Rd. B34 —5B **50**
—2C **62**
Steel Bright Rd. Smeth
—4A **44**
Steel Gro. B25 —1A **78**
Steelhouse La. B4
—2C **58** (5A **6**)
Steel Rd. B31 —4D **99**
Steene Gro. B31 —3B **98**
Steepwood Cft. B30 —2B **100**
Stella Cft. B37 —3A **66**
Stella Gro. B43 —4A **22**
Stennels Av. Hale —4C **68**
Stennels Cres. Hale —4C **68**
Stephenson Dri. B37 —2F **65**
Stephenson Pl. B2
—3C **58** (2A **10**)
Stephenson St. B2
—3B **58** (2F **9**)
Stephenson Tower. B5 —3F **9**
Stephens Rd. S Cold —5E **21**
Sterndale Rd. B42 —1A **34**
Stevens Av. B32 —1B **86**
Steward Cen., The. Erd
—3F **35**
Steward St. B18 —2E **57**
Stewarts Rd. Hale —1B **68**
Steyning Rd. B26 —3C **78**
Stilthouse Gro. Redn
—2E **107**
Stirchley. —5F 89
Stirchley Trad. Est. B30
—5F **89**
Stirling Rd. B16 —4D **57**
Stirling Rd. S Cold —2B **26**
Stockdale Pl. B15 —5B **56**
Stockfield. —3B 78
Stockfield Rd. A Grn &
Yard —4F **77**
Stockhill Dri. Redn —3D **107**
Stockland Ct. S Cold —1E **17**
Stockland Rd. B23 —3B **36**
Stockmans Clo. B38
—1C **110**
Stocks Wood. B30 —3D **89**
Stockton Clo. Min —2A **40**
Stockton Gro. B33 —4B **64**
Stockwell Rd. B21 —5C **32**
Stokesay Gro. B31 —1D **109**
Stokesay Ho. B23 —1D **37**
Stoke Way. B15
—4A **58** (4C **8**)
Stone Av. S Cold —4E **21**
Stonebridge. —5F 83
Stonebridge Cres. B37
—5D **53**
Stonebridge Rd. Col —1D **67**
(in three parts)

Stonebrook Way. B29
—1D **87**
Stonechat Dri. B23 —5A **36**
Stone Clo. B38 —4D **101**
Stonecroft Av. Redn —2E **107**
Stonecrop Clo. B38 —1D **101**
Stonecross. Wat O —4F **41**
Stoneford Rd. Shir —2E **105**
Stonehaven Gro. B28 —3F **93**
Stonehenge Cft. B14
—5B **102**
Stonehouse Dri. S Cold
—2A **12**
Stonehouse Gro. B32
—1B **86**
Stonehouse Hill. B29 —5E **71**
Stonehouse La. B32 & Quin
—1B **86**
Stonehouse Rd. S Cold
—1D **27**
Stonehurst Rd. B43 —5A **16**
Stoneleigh Clo. S Cold
—1D **19**
Stoneleigh Rd. B20 —1C **46**
Stoneleigh Rd. Sol —5B **94**
Stone Rd. B15 —1B **74**
Stonerwood Av. B28 —4C **92**
Stones Grn. B23 —1D **37**
Stoneton Gro. B29 —3E **87**
Stone Yd. B12
—4D **59** (4D **11**)
Stoneycroft Tower. B36
—2C **50**
Stoneyford Gro. B14
—2F **103**
Stoneyhurst Rd. B24 —1D **49**
Stoney La. Bal H —3F **75**
Stoney La. Quin —2F **69**
Stoney La. W Brom —3B **30**
Stoney La. Yard —5B **62**
Stoneymoor Dri. B36 —1A **52**
Stonor Gro. B23 —1E **37**
Stonor Pk. Rd. Sol —5D **95**
Stonor Rd. B28 —1E **105**
Stony La. Smeth —5D **43**
Stony St. Smeth —4D **43**
Stornoway Rd. B35 —3F **39**
Storrs Clo. B9 —4B **60**
Storrs Pl. B10 —4B **60**
Storrs Way, The. B32 —4F **85**
Stotfold Rd. B14 —4D **103**
Stour St. B18 —2E **57**
Stourton Clo. S Cold —5D **21**
Stourton Rd. B32 —3F **69**
Stowell Rd. B44 —5D **25**
Stow Gro. B36 —3C **50**
Stratford Ct. S Cold —1F **27**
Stratford Pl. S'brk —5E **59**
Stratford Rd. B28 & Shir
—1E **105**
Stratford Rd. S'hll & Hall G
(in two parts) —1E **75**
Stratford St. N. B11 —5E **59**

Stratford Wlk. B36 —3A **50**
Strathdene Gdns. B29
—2A **88**
Strathdene Rd. B29 —1A **88**
Streamside Way. Sol —4B **80**
Streatham Gro. B44 —2E **25**
Streather Rd. S Cold —4A **14**
Streetly. —1D 17
Streetly Cres. S Cold —3B **12**
Streetly Dri. S Cold —3B **12**
Streetly La. S Cold —4A **12**
Streetly Rd. B23 —2B **36**
Streetsbrook Rd. Shir
—5F **93**
Streetsbrook Rd. Sol —5C **94**
Strensham Hill. B13 —4C **74**
Strensham Rd. B12 —4C **74**
Stretton Ct. B24 —5C **36**
Stretton Gro. B8 —4A **50**
Stretton Gro. B11 —2A **76**
Stretton Gro. B19 —3A **46**
Stretton Gro. Bal H —3F **75**
Stretton Rd. Aston —4E **47**
Stretton Rd. Shir —5F **105**
Stringer Clo. S Cold —2E **13**
Stronsay Clo. Redn —5D **97**
Stroud Rd. Shir —4D **105**
Strutt Clo. B15 —5B **56**
Stuart Rd. Hale —3D **69**
Stuarts Dri. B33 —4B **62**
Stuarts Rd. B33 —3B **62**
Stuart St. B7 —3A **48**
Stuarts Way. B32 —4F **85**
Studland Rd. B28 —3E **93**
Stud La. B33 —2D **63**
Studley Cft. Sol —4B **80**
Studley St. B12 —2F **75**
Sudbury Gro. B44 —2F **25**
Sudeley Clo. B36 —1F **51**
Suffield Gro. B23 —2F **35**
Suffolk Pl. B1 —4B **58** (4F **9**)
Suffolk St. Queensway. B1
—3B **58** (3E **9**)
Suffrage St. Smeth —5F **43**
Sugden Gro. B5 —5C **58**
Sumburgh Cft. B35 —4E **39**
Summer Cft. B19 —4B **46**
Summerfield Av. W Brom
(in two parts) —3A **30**
Summerfield Ct. Edg —5A **56**
Summerfield Cres. B16
—2C **56**
Summerfield Dri. B29
—4E **87**
Summerfield Gro. B18
—1C **56**
Summerfield Ind. Est. B18
—1E **57**
Summerfield Rd. B16
—2C **56**
Summerfield Rd. Sol —1E **95**
Summerfields Av. Hale
—1D **69**

Summer Hill Ind. Pk.—Tantallan Dri.

Summer Hill Ind. Pk. B1
   —2F **57** *(5A 4)*
(off Goodman St.)
Summer Hill Rd. *B1*
   —2F **57** *(5A 4)*
Summer Hill St. *B1*
   —2F **57** *(1B 8)*
Summer Hill Ter. *B1*
   —2F **57** *(5B 4)*
Summer La. *B19*
   —1B **58** *(4F 5)*
Summer La. *Min* —1B **40**
Summerlee Rd. *B24* —5F **37**
Summer Rd. *A Grn* —1E **93**
Summer Rd. *Edg* —1A **74**
(in two parts)
Summer Rd. *Erd* —2D **37**
Summer Row. *B1*
   —2A **58** *(1D 9)*
Summer St. *W Brom*
   —3B **30**
Summerville Ter. *B17*
   —3A **72**
Summit Cres. *Smeth* —2C **42**
Sumpner Building. *B4*—5C **6**
Sunbeam Clo. *B36* —1D **53**
Sunbeam Way. *B33* —3A **64**
Sunbury Cotts. *N'fld* —2E **99**
Sunbury Rd. *B31* —2C **108**
Suncroft. *B32* —3A **70**
Sundbury Ri. *B31* —1F **99**
Sunderton Rd. *B14* —1C **102**
Sundew Cft. *B36* —2B **50**
Sundial La. *B43* —3D **23**
Sundridge Rd. *B44* —5C **16**
Sunleigh Gro. *B27* —4C **78**
Sunningdale. *Hale* —4C **68**
Sunningdale *B20*
   —3C **32**
Sunningdale Clo. *S Cold*
   —2E **27**
Sunningdale Rd. *B11* —5E **77**
Sunny Av. *B12* —3E **75**
Sunnybank Av. *B44* —5F **25**
Sunny Bank Ct. *O'bry*
   —1A **70**
Sunny Bank Rd. *O'bry*
   —1A **70**
Sunnybank Rd. *S Cold*
   —4E **27**
Sunnydale Wlk. *W Brom*
   —3A **30**
Sunnydene. *B8* —5E **49**
Sunnymead Rd. *B26* —2D **79**
Sunnymead Way. *S Cold*
   —2D **17**
Sunnyside Av. *B23* —4C **36**
Sunridge Av. *B19* —4B **46**
Sunrise Wlk. *O'bry* —2A **54**
Surrey Rd. *B44* —5C **16**
Sussex Av. *W Brom* —1A **30**
Sutherland Av. *Shir* —3F **105**
Sutherland Clo. *B43* —5B **16**

Sutherland Dri. *B13* —4D **75**
Sutherland St. *B6* —2F **47**
Sutton App. *B8* —1E **61**
Sutton Coldfield. —4F **19**
Sutton Coldfield By-Pass.
(B75)   *S Cold* —4F **15**
Sutton Coldfield By-Pass.
(B76)   *S Cold* —1A **40**
Sutton Ct. *B43* —5C **22**
Sutton Ct. *S Cold* —2A **20**
Sutton New Rd. *B23* —3D **37**
Sutton Oak Corner. *S Cold*
   —4E **17**
Sutton Oak Rd. *S Cold*
   —5E **17**
Sutton Pk. Ct. *S Cold* —2F **27**
Sutton Rd. *B23* —2E **37**
Suttons Dri. *B43* —1D **23**
Sutton Sq. *Min* —1D **41**
Sutton St. *B1* —4B **58** *(5E 9)*
Sutton St. *B6 & Aston*
   —4D **47**
Swains Gro. *B44* —5D **17**
Swale Gro. *B38* —5D **101**
Swale Rd. *S Cold* —3E **29**
Swallow Av. *B36* —2E **53**
Swallow Clo. *B12* —3F **75**
Swallow St. *B2*
   —3B **58** *(3E 9)*
Swanage Rd. *B10* —5B **60**
Swan Av. *Smeth* —3C **42**
Swan Copse. *B25* —3A **78**
Swancote Rd. *B33* —5D **51**
Swan Gdns. *B23* —3D **37**
Swanley Clo. *Hale* —5E **69**
Swansbrook Gdns. *B38*
   —4A **102**
Swan Shop. Cen., The. *Yard*
   —2B **78**
Swanshurst La. *B13* —3A **92**
Swanswell Rd. *Sol* —3B **94**
Swanswood Gro. *B37*
   —2A **66**
Swarthmore Rd. *B29* —4E **87**
Sweetmoor Clo. *B36* —2A **52**
Swift Clo. *B36* —2E **53**
Swinbrook Gro. *B44* —3C **24**
Swindon Rd. *B17* —2F **55**
Swinford Rd. *B29* —5E **71**
Sycamore Av. *B12* —3E **75**
Sycamore Clo. *S Cold*
   —2D **29**
Sycamore Cres. *B37* —5E **65**
Sycamore Cres. *Erd* —4D **37**
Sycamore Pl. *Smeth* —1D **55**
Sycamore Rd. *Aston* —2E **47**
Sycamore Rd. *B'ville* —4D **89**
Sycamore Rd. *Erd* —5D **27**
Sycamore Rd. *Gt Barr*
   —1C **22**
Sycamore Rd. *Hand* —5A **46**
Sycamore Rd. *Smeth* —2F **55**
Sycamore Ter. *K Hth* —5A **90**

Sycamore Way. *B27* —4A **78**
Sydenham Rd. *B11 &*
   New S —2A **76**
Sydenham Rd. *Smeth*
   —3E **43**
Sydney Ho. *B34* —4C **52**
Sydney Rd. *B9* —3A **60**
Sydney Rd. *Smeth* —3C **54**
Sylvan Av. *B31* —3D **99**
Sylvan Grn. *Hale* —3B **68**
Sylvan Gro. *Shir* —1F **105**
Sylvia Av. *B31* —1F **109**
Symphony Ct. *B16*
   —3F **57** *(3B 8)*

Tackford Clo. *B36* —1A **52**
Tackley Clo. *Shir* —5F **105**
Talbot Av. *S Cold* —3A **12**
Talbot Clo. *B23* —4B **26**
Talbot Rd. *Smeth* —2E **55**
Talbot St. *B18* —4D **45**
Talbot Way. *B10* —2D **77**
Talfourd St. *B9* —4B **60**
Talgarth Covert. *B38*
   —2C **110**
Talladale. *B32* —4F **85**
Tallington Rd. *B33* —1A **80**
Tall Trees Clo. *S Cold* —2B **12**
Tamar Dri. *B36* —2D **53**
Tamar Dri. *S Cold* —5F **29**
Tamarisk Clo. *B29* —3F **87**
Tamebridge Ind. Est. *P Barr*
   —3C **34**
Tame Cres. *W Brom* —1A **30**
Tame Ri. *O'bry* —5A **54**
Tame Rd. *B6* —5E **35**
Tame Rd. *O'bry* —5A **54**
Tame Rd. Ind. Est. *B6*
   —1E **47**
Tamerton Rd. *B32* —2B **86**
Tameside Dri. *B35 &*
   Cas V —1D **51**
Tameside Dri. *Holf* —3D **35**
Tamworth Rd. *Bass P*
   —4F **15**
Tamworth Rd. *Four O &*
   S Cold —2A **20**
Tandy Dri. *B14* —3D **103**
Tanfield Rd. *B33* —2D **63**
Tanford Rd. *Sol* —5A **80**
Tanglewood Dri. *B34*
   —5A **52**
Tanglewood Clo. *Quin*
   —3F **69**
Tangmere Dri. *B35* —5D **39**
Tanhouse Av. *B43* —5A **22**
Tanhouse Farm Rd. *Sol*
   —5A **80**
Tanners Clo. *S Cold* —2D **21**
Tansey. *S Cold* —1D **13**
Tansley Gro. *B44* —3D **25**
Tansley Rd. *B44* —4D **25**
Tantallan Dri. *B32* —2B **86**

Tantany La. *W Brom* —3A **30**
Tanworth Gro. *B12*—2D **75**
Tanworth La. *Shir* —5F **105**
Tanyards. *B27* —5A **78**
Tarragon Gdns. *B31*—4A **98**
Tarrant Gro. *B32*—3D **71**
Tarrington Covert. *B38*
—1C **110**
Tarry Rd. *B8*—1C **60**
Tat Bank. —4A 42
Tat Bank Rd. *O'bry* —4A **42**
Taunton Rd. *B12*—4E **75**
Taunton Tower. *B31*—4A **98**
Taverners Grn. *B20*—4D **33**
Tavistock Rd. *B27*—4A **94**
Taw Clo. *B36*—2D **53**
Tay Cft. *B37*—1A **66**
Tay Gro. *B38*—1C **110**
Tay Gro. *Hale* —1C **68**
Taylor Rd. *B13*—1D **103**
Taylors La. *Smeth* —5D **43**
Taylor's La. *W Brom* —3B **30**
Taylors Orchard. *B23* —3F **35**
Taynton Covert. *B30*
—3A **102**
Tay Rd. *Redn* —5F **97**
Taysfield Rd. *B31*—5C **86**
Taywood Dri. *B10*—1A **76**
Tealby Gro. *B29*—2E **89**
Teal Dri. *B23*—4F **35**
Teall Ct. *B27*—5A **78**
Teall Rd. *B8*—5C **48**
Tean Clo. *B11*—5E **77**
Teazel Av. *B30*—5B **88**
Tedbury Cres. *B32*—1C **36**
Teddesley Gro. *B33*—1A **64**
Teddington Clo. *S Cold*
—2E **27**
Teddington Gro. *B42*—4B **34**
Tedstone Rd. *B32*—3C **70**
Teesdale Av. *B34*—4D **51**
Tees Gro. *B38*—5D **101**
Teignmouth Rd. *B29*—1D **89**
Telford Clo. *Smeth* —4B **54**
Temple Av. *B28*—5E **93**
Templefield Gdns. *B9*—4A **60**
Templefield Sq. *B15*—1F **73**
Templefield St. *B9*—4A **60**
Temple Meadows Rd.
W Brom —2C **30**
Templemore Dri. *B43*—5C **22**
Temple Pas. *B2*
—3B **58** (2F **9**)
Temple Row. *B2*
—3B **58** (2F **9**)
Temple Row W. *B2*
—3B **58** (1F **9**)
Temple St. *B2*—3B **58** (2F **9**)
Temple St. *W Brom* —3A **30**
Templeton Rd. *B44*—2C **24**
Ten Acres. —3F 89
Ten Ashes La. *Redn* —5A **108**
Tenbury Rd. *B14*—5B **90**
Tenby Rd. *B13*—2B **92**

Tenby St. *B1*—1F **57** (4B **4**)
Tenby St. N. *B1*
—1F **57** (4B **4**)
Tenby Tower. *B31*—5E **99**
Tennal Dri. *B32*—2D **71**
Tennal Gro. *B32*—2D **71**
Tennal La. *B32*—3C **70**
Tennal Rd. *B32*—2C **70**
Tennant St. *B15*
—4F **57** (5B **8**)
Tennis Ct., The. *B15*—3E **73**
Tennyson Ho. *O'bry* —1A **54**
Tennyson Rd. *B10*—1C **76**
Tenter Ct. *Hale* —4A **68**
Tenter Dri. *Hale* —4A **68**
Tenterfields. *Hale* —4A **68**
Tern Gro. *B38*—5C **100**
Terrace Rd. *B19*—3E **45**
Terry Dri. *S Cold* —2D **29**
Tessall La. *B31*—5F **97**
(in two parts)
Tetbury Gro. *B31*—3B **98**
Tetley Rd. *B11*—5C **76**
Teviot Gro. *B38*—1D **111**
Teviot Tower. *B19*—1D **5**
Tewkesbury Rd. *B20*—1C **46**
Tew Pk. Rd. *B21*—3C **44**
Thackeray Rd. *B30*—1B **100**
Thames Ct. *S Cold* —4F **19**
Thames Tower. *B7*
—5F **47** (1F **7**)
Thanet Gro. *B42*—3A **34**
Thatchway Gdns. *B38*
—2C **110**
Thaxted Rd. *B33*—2C **64**
Theatre App. *B5*
—4C **58** (4A **10**)
Thelbridge Rd. *B31*—3C **108**
Theodore Clo. *B17*—4B **72**
Theresa Rd. *B11*—1F **75**
Thetford Rd. *B42*—5F **23**
Thetford Way. *Wals* —1A **22**
Thimble End. —3D 29
Thimble End Rd. *S Cold*
—1D **29**
Thimble Mill La. *B6* & *B7*
—3F **47**
Thimblemill Rd. *Smeth*
—1B **54**
Third Av. *Bord G* —3D **61**
Third Av. *S Oak* —5A **74**
Third Av. *Witt* —4D **35**
Third Exhibition Av. *B40*
—3B **82**
Thirlmere Dri. *B13*—3A **92**
Thirsk Cft. *B36*—2A **50**
Thistledown Rd. *B34*—3A **52**
Thistle Grn. *B38*—1C **110**
Thistle Ho. *B36*—2B **50**
Thistle La. *Bart G* —3F **85**
Thomas Cres. *Smeth* —5A **44**
Thomas St. *B6*
—4D **47** (1C **6**)
Thomas St. *Smeth* —5F **43**

Thomas St. *W Brom* —5B **30**
Thomas Wlk. *Cas V* —4F **39**
Thompson Dri. *Erd* —2D **59**
Thompson Gdns. *Smeth*
—1D **55**
Thompson Rd. *Smeth*
—1D **55**
Thomson Av. *B38*—5B **100**
Thornberry Wlk. *B7* —4A **48**
Thornbridge Av. *B42*—5A **24**
Thornbury Rd. *B20*—5B **34**
Thornby Av. *Sol* —5F **95**
Thornby Rd. *B23*—4A **26**
Thorncliffe Rd. *B44*—2C **24**
Thorncroft Way. *Wals*
—1A **22**
Thorney Rd. *S Cold* —1D **17**
Thornfield Rd. *B27* —1A **94**
Thornham Way. *B14*
—5B **102**
Thornhill Gro. *B21* —2D **45**
Thornhill Pk. *S Cold* —1E **17**
Thornhill Rd. *Hand* —3D **45**
Thornhill Rd. *Sol* —4F **95**
Thornhill Rd. *S'hll* —5B **76**
Thornhill Rd. *S Cold* —3E **17**
Thornhurst Av. *B32* —1C **98**
Thornley Clo. *B13* —2E **91**
Thornley Gro. *Min* —1A **40**
Thorn Rd. *B30* —4C **88**
Thornsett Gro. *Shir* —5F **93**
Thornthwaite Clo. *Redn*
—4F **97**
Thornton Rd. *B8* —5F **49**
Thornwood Clo. *O'bry*
—5A **42**
Thorpe Clo. *S Cold* —1A **20**
Thorp St. *B5* —4B **58** (4F **9**)
Three Shires Oak Rd.
Smeth —3D **55**
Throstles Clo. *Gt Barr*
—5C **22**
Thruxton Clo. *B14* —3D **103**
Thurcroft Clo. *B8* —1D **61**
Thuree Rd. *Smeth* —3C **54**
Thurlestone Rd. *B31*
—2C **108**
Thurloe Cres. *Redn* —5C **96**
Thurlston Av. *Sol* —4D **79**
Thynne St. *W Brom* —5C **30**
Tibbats Clo. *B32* —5A **70**
Tibberton Clo. *Hale* —5A **68**
Tibbets La. *B17* —4E **71**
Tibland Rd. *B27* —2A **94**
Tiddington Clo. *B36* —1F **51**
Tideswell Rd. *B42* —1A **34**
Tidworth Cft. *B14* —3E **103**
Tiffield Rd. *B25* —3A **78**
Tigley Av. *B32* —2B **86**
Tilbury Gro. *B13* —2B **90**
Tile Cross. —4B 64
Tile Cross Rd. *B33* —4B **64**
Tile Cross Trad. Est. *B33*
—4B **64**

Tile Gro.—Turnberry Rd.

Tile Gro. *B37* —5E **53**
Tillyard Cft. *B29* —2A **88**
Tilshead Clo. *B14* —3C **102**
Tilsley Gro. *B23* —2F **35**
Tilton Rd. *B9* —4A **60**
(in two parts)
Timbercombe Way. *Hand*
—2B **44**
Timberley La. *B34* —4A **52**
(in two parts)
Timber Mill Ct. *Harb* —2F **71**
Timbers Way. *Erd* —3D **39**
Timbers Way. *S'brk* —2E **75**
Tindal St. *B12* —3D **75**
(in two parts)
Tinker's Farm Gro. *B31*
—3C **98**
Tinker's Farm Rd. *B31*
—3C **98**
Tinmeadow Cres. *Redn*
—2A **108**
Tintern Clo. *S Cold* —2E **17**
Tintern Rd. *B20* —1C **46**
Tipperary Clo. *B36* —2C **50**
Tirley Rd. *B33* —5E **51**
Titania Clo. *Redn* —3F **97**
Titterstone Rd. *B31* —1E **109**
Tiverton Clo. *B29* —1D **89**
Tiverton Rd. *Smeth* —5F **43**
Tivoli, The. *B25 & B26*
(off Church Rd.) —2B **7**
Tixall Rd. *B28* —1C **104**
Tollgate Clo. *B31* —1D **109**
Tollgate Dri. *B20* —3E **45**
Tollgate Precinct. *Smeth*
—4D **43**
Toll Ho. Rd. *Redn* —2A **108**
Tollhouse Way. *Smeth*
—3D **43**
Tolworth Hall Rd. *B24*
—4F **37**
Tomey Rd. *B11* —3B **76**
Tomlan Rd. *B31* —2A **110**
Tomlinson Rd. *B36* —1B **52**
Tonbridge Rd. *B24* —1E **49**
Topcroft Rd. *B23* —5D **27**
Top Fld. Wlk. *B14* —4B **102**
Topland Gro. *B31* —4A **98**
Topsham Cft. *B14* —1B **102**
Topsham Rd. *Smeth* —4C **42**
Toronto Gdns. *B32* —2C **70**
Torre Av. *B31* —4C **98**
Torrey Gro. *B8* —1A **62**
Torridon Cft. *B13* —5B **74**
Totnes Gro. *S Oak* —1D **89**
Totnes Rd. *Smeth* —4D **43**
Tottenham Cres. *B44*
—2F **25**
Tourist Info. Cen. —1A **58**
(Broad St.)
Tourist Info. Cen.
(City) —3C **58** (2A **10**)
Tourist Info. Cen. —1A **58**
(Civic Ro.)

Tourist Info. Cen.
—3B **58** (2F **9**)
(Colmore Row)
Tourist Info. Cen.
(ICC) —3A **58** (2C **8**)
Towcester Cft. *B36* —2B **50**
Tower Cft. *B37* —1F **65**
Tower Hill. —1F **33**
Tower Hill. *B42* —1E **33**
Tower Rd. *B6* —3D **47**
(in two parts)
Tower Rd. *S Cold* —3F **13**
Tower St. *B19* —5B **46** (2E **5**)
Townley Gdns. *B6* —1C **46**
Townsend Dri. *S Cold*
—5D **29**
Townsend Way. *B1*
—2F **57** (1B **8**)
Townshend Gro. *B37* —1D **65**
Towpath Clo. *B9* —3F **59**
Towyn Rd. *B13* —1B **92**
Traceys Mdw. *Redn* —2E **107**
Trafalgar Gro. *Yard* —2E **77**
Trafalgar Rd. *Erd* —4D **37**
Trafalgar Rd. *Hand* —2C **44**
Trafalgar Rd. *Mose* —5D **75**
Trafalgar Rd. *Smeth* —1F **55**
Trafalgar Ter. *Smeth* —1F **55**
Tram Way. *Smeth* —3A **42**
Tranter Rd. *B8* —5E **49**
Travellers Way. *B37* —2B **66**
Treaford La. *B8* —1F **61**
Treddles La. *W Brom* —4B **30**
Tredington Clo. *B29* —4E **87**
Treeton Cft. *B33* —3E **63**
Trefoil Clo. *B29* —4E **87**
(in two parts)
Tregea Ri. *B43* —5A **22**
Trehurst Av. *B42* —4A **24**
Trenchard Clo. *S Cold*
—4D **21**
Trent Dri. *B36* —2D **53**
Trentham Gro. *B26* —3C **78**
Trent St. *B5* —5D **59** (3D **11**)
Trent Tower. *B7*
—1E **59** (3F **7**)
Trenville Av. *B11* —3F **75**
Trenville Av. *Bal H* —3F **75**
Tresco Clo. *Redn* —5C **96**
Trescott Rd. *B31* —3B **98**
Tresham Rd. *B44* —3D **25**
Trevanie Av. *B32* —2A **70**
Trevelyan Ho. *B37* —4A **66**
Trevor Clo. *B74* —2D **75**
Trevor St. *B7* —4A **48**
Trevor St. W. *B7* —4A **48**
Trevose Retreat. *B12* —3D **75**
Trewman Clo. *S Cold* —4D **29**
Tricorn Ho. *B16*
—4E **57** (5A **8**)
Trident Clo. *Erd* —5E **27**
Trident Clo. *S Cold* —5D **29**
Trident Ct. *B20* —4E **33**
Trident Dri. *O'bry* —5A **42**

Trigo Cft. *B36* —2C **50**
Trimpley Rd. *B32* —3F **85**
Trinder Rd. *Smeth* —3B **54**
Trinity Clo. *Sol* —2F **95**
Trinity Ct. *S Cold* —4A **20**
(off Midland Dri.)
Trinity Hill. *S Cold* —4A **20**
Trinity Pk. *B40 & B37*
—5B **82**
Trinity Rd. *B6 & Aston*
—1B **46**
Trinity Rd. *S Cold* —5F **13**
Trinity Rd. N. *W Brom*
(in two parts) —1B **42**
Trinity Rd. S. *W Brom*
—1B **42**
Trinity St. *Smeth* —4E **43**
Trinity St. *W Brom* —5B **30**
Trinity Ter. *B11*
—5E **59** (5F **11**)
Trinity Way. *W Brom* —1B **42**
Trippleton Av. *B32* —3F **85**
(in two parts)
Tristram Av. *B31* —5F **99**
Trittiford Rd. *B13* —5F **91**
Triumph Wlk. *B36* —1E **53**
Troon Clo. *S Cold* —1B **20**
Troy Gro. *B14* —2B **102**
Truro Tower. *B16* —3E **57**
Truro Wlk. *B37* —3E **65**
Trysull Av. *B26* —4A **80**
Tudbury Rd. *B31* —2B **98**
Tudman Clo. *S Cold* —5E **29**
Tudor Clo. *B13* —5D **91**
Tudor Clo. *May* —5E **103**
Tudor Clo. *S Cold* —2B **26**
Tudor Ct. *S Cold* —4A **20**
(B72)
Tudor Ct. *S Cold* —4E **13**
(B74)
Tudor Cft. *B37* —4D **65**
Tudor Gdns. *B23* —4C **36**
Tudor Gro. *S Cold* —1E **17**
Tudor Hill. —3F **19**
Tudor Hill. *S Cold* —3E **19**
Tudor Pk. Ct. *S Cold* —3C **12**
Tudor Rd. *B13* —1D **91**
Tudor Rd. *O'bry* —1A **54**
Tudor Rd. *S Cold* —4F **19**
Tudors Clo. *B10* —5A **60**
Tudor St. *B18* —1B **56**
Tudor Ter. *B17* —2A **72**
Tufnell Gro. *B8* —3E **49**
Tugford Rd. *B29* —4A **88**
Tulip Wlk. *B37* —5A **66**
Tulsi Cen. *B19*
—1A **58** (3D **5**)
Tulyar Clo. *B36* —2A **50**
Tunnel La. *K Nor & K Hth*
(in three parts) —2F **101**
Turchill Dri. *S Cold* —4E **29**
Turfpits La. *B23* —1B **36**
Turf Pitts La. *Can* —3D **15**
Turnberry Rd. *B42* —4F **23**

Turners Bldgs. *B18* —4D **45**
Turner St. *B11* —2E **75**
Turnhouse Rd. *B35* —3F **39**
Turnley Rd. *B34* —4A **52**
Turnpike Clo. *B11* —2E **75**
Turves Green. —1E 109
Turves Grn. *B31* —2D **109**
Turville Rd. *B20* —1A **46**
Tustin Gro. *B27* —3A **94**
Tweeds Well. *B32* —4F **85**
Twelve Row. *B12* —1D **75**
Twickenham Rd. *B44* —3F **25**
Twycross Gro. *B36* —3B **50**
Twyford Rd. *B8* —5A **50**
Twyning Rd. *Edg* —1B **56**
Twyning Rd. *Stir* —4F **89**
Tyber Dri. *B20* —4F **33**
Tyberry Clo. *Shir* —5E **105**
Tyburn. —4D 39
Tyburn Gro. *B24* —4B **38**
Tyburn Rd. *B6 & B24*
—1B **48**
Tyburn Sq. *B24* —4B **38**
Tyburn Trad. Est. *B35*
—5B **38**
Tyebeams. *B34* —5A **52**
Tyler Ct. *B24* —4D **37**
Tyler Gro. *B43* —3F **23**
Tylers Grn. *B38* —4F **101**
Tylney Clo. *B5* —1B **74**
Tyndale Cres. *B43* —1A **24**
Tyndall Wlk. *B32* —1E **85**
Tyne Clo. *B37* —1F **65**
Tynedale Rd. *B11* —5D **77**
Tyne Gro. *B25* —5B **62**
Tyseley. —3E 77
Tyseley Hill Rd. *B11* —4E **77**
Tyseley Ind. Est. *B10* —2C **76**
Tyseley Ind. Est. *B11* —3C **76**
Tyseley La. *B11* —4E **77**
Tysoe Dri. *S Cold* —5D **21**
Tysoe Rd. *B44* —5D **25**

Uffculme Rd. *B30* —3B **90**
Ullenhall Rd. *S Cold* —3D **29**
Ullenwood. *B21* —3B **44**
Ulleries Rd. *Sol* —1D **95**
Ullrik Grn. *B24* —5D **37**
Ullswater Clo. *B32* —1D **87**
Ulverley Cres. *Sol* —3D **95**
Ulverley Green. —3D 95
Ulverley Grn. Rd. *Sol* —2C **94**
Ulwine Dri. *B31* —2D **99**
Umberslade Rd. *S Oak & Stir* —2D **89**
Underhill Rd. *B8* —2D **61**
Underpass, The. *B40* —4B **82**
Underwood Clo. *Edg* —4B **72**
Underwood Clo. *Erd* —3A **36**
Underwood Rd. *B20* —2C **32**
Unett St. *Smeth* —5A **44**
Unett St. *B19* —5A **46** (1C **4**)
(in two parts)

Unett St. *Smeth* —1A **56**
Unett Wlk. *B19*
—5A **46** (2D **5**)
Union Dri. *S Cold* —2D **5**
Union Pas. *B2*
—3C **58** (2A **10**)
Union Pas. *Small H* —5A **60**
Union Rd. *B6* —2F **47**
Union Rd. *Shir* —4F **105**
Union Row. *B21* —2D **45**
Union St. *B2* —3C **58** (2A **10**)
Union St. *W Brom* —2B **42**
Unity Pl. *B29* —1D **89**
University Rd. E. *Edg*
—4D **73**
University Rd. W. *Edg*
—4C **72**
Unketts Rd. *Smeth* —2C **54**
Upavon Clo. *B35* —3E **39**
Upland Rd. *S Park* —1B **90**
Uplands Rd. *Hand* —5B **32**
Uplands, The. *Smeth* —5D **43**
Up. Balsall Heath Rd. *B12*
—2D **75**
Up. Clifton Rd. *S Cold*
—4F **19**
Upper Clo. *B32* —5B **70**
Up. Conybere St. *B12*
—1D **75**
Up. Dean St. *B5*
—4C **58** (4A **10**)
Up. Gough St. *B1*
—4B **58** (5E **9**)
Up. Grosvenor Rd. *B20*
—5F **33**
Up. Highgate St. *B12* —1D **75**
Up. Holland Rd. *S Cold*
—5A **20**
Up. Marshall St. *B1*
—4B **58** (4E **9**)
Up. Meadow Rd. *B32*
—3A **70**
Up. Portland St. *B6* —3E **47**
Up. St Mary's Rd. *Smeth*
—4D **55**
Up. Stone Clo. *S Cold*
—5C **20**
Up. Sutton St. *B6* —3D **47**
Up. Thomas St. *B6* —3D **47**
Up. Trinity St. *B9*
—4E **59** (4E **11**)
Up. William St. *B1*
—4A **58** (4C **8**)
Upton Ct. *B23* —4F **35**
Upton Gro. *B33* —4A **62**
Upton Rd. *B33* —3A **62**
Usk Way. *B36* —2D **53**
Uxbridge St. *B19*
—5B **46** (1E **5**)

Valbourne Rd. *B14*
—2A **102**
Vale Clo. *B32* —5D **71**

Valencia Cft. *B35* —3F **39**
Valentine Clo. *S Cold* —3D **17**
Valentine Ct. *B14* —2D **91**
Valentine Rd. *B14* —2C **90**
Valentine Rd. *O'bry* —3A **54**
Valepits Rd. *B33* —4A **64**
Valerian. *S Cold* —2D **13**
Valerie Gro. *B43* —4A **22**
Vales Clo. *S Cold* —5C **28**
Vale St. *W Brom* —1C **30**
Vale, The. *Edg* —2E **73**
Vale, The. *S'hll* —1A **92**
Valiant Ho. *B35* —2F **39**
Valiant Way. *Sol* —3F **95**
Valley Farm Rd. *Redn*
—3D **107**
Valley Rd. *B43* —5A **22**
Valley Rd. *Hale* —1D **69**
Valley Rd. *Smeth* —2D **55**
Valley Rd. *Sol* —5A **80**
Valley Rd. *S Cold* —2D **17**
Vallian Cft. *B36* —3D **51**
Vanguard Clo. *B36* —2C **50**
Vann Clo. *B10* —5A **60**
Varden Cft. *B5* —1B **74**
Vardon Way. *B38* —5B **100**
Varley Rd. *B24* —3B **38**
Varley Va. *B24* —3B **38**
Varlins Way. *B38* —2B **110**
Varney Av. *W Brom* —5B **30**
Vaughan Clo. *S Cold* —1D **13**
Vaughton Dri. *S Cold*
—3C **20**
Vaughton St. *B12* —5B **59**
Vaughton St. S. *B5 & B12*
—5C **58**
Vauxhall. —5F 47
Vauxhall Bus. Pk. *B7* —5A **48**
Vauxhall Cres. *B36* —1D **53**
Vauxhall Gro. *B7*
—2F **59** (5F **7**)
Vauxhall Ho. *B4* —5C **6**
Vauxhall Pl. *B7*
—2E **59** (5F **7**)
Vauxhall Rd. *B7*
—2E **59** (5F **7**)
Vauxhall Ter. *B7* —1F **59**
Vauxhall Trad. Est. *B7*
—1F **59**
Vector Ind. Est. *W Brom*
—1A **30**
Velsheda Rd. *Shir* —4E **105**
Venetia Rd. *B9* —3A **60**
Venning Gro. *B43* —5B **22**
Ventnor Av. *Loz* —3A **46**
Ventnor Av. *W End* —3B **50**
Ventnor Clo. *O'bry* —1A **70**
Ventnor Rd. *Sol* —5A **80**
Venture Way. *B7*
—1D **59** (3D **7**)
Vera Rd. *B26* —1C **78**
Verbena Gdns. *B7*
—5E **47** (2F **7**)
Verbena Rd. *B31* —5D **87**

Vere St. *B5* —5B **58**
Verney Av. *B33* —1B **80**
Vernolds Cft. *B5* —5C **58**
Vernon Av. *B20* —3D **33**
Vernon Clo. *Hale* —1A **68**
Vernon Clo. *S Cold* —1C **12**
Vernon Ct. *O'bry* —1F **69**
Vernon Rd. *B16* —4B **56**
Vernon Rd. *O'bry* —4A **42**
Verstone Cft. *B31* —3E **99**
Vesey Clo. *S Cold* —4D **13**
Vesey Clo. *Wat O* —5F **41**
Vesey Rd. *S Cold* —3F **27**
Vesey St. *B4* —1C **58** (4A 6)
Viacount Ho. *Birm A*
—4A **82**
Viaduct St. *B7*
—2E **59** (1F **11**)
Vibart Rd. *B26* —5D **63**
Vicarage Clo. *B42* —5B **24**
Vicarage Clo. *Stir* —4A **90**
Vicarage Gdns. *S Cold*
—5D **29**
Vicarage La. *Wat O* —5F **41**
Vicarage Rd. *Aston* —3E **47**
(in two parts)
Vicarage Rd. *Edg* —5D **57**
Vicarage Rd. *Harb* —3F **71**
Vicarage Rd. *Hock* —3E **45**
Vicarage Rd. *K Hth* —5A **90**
Vicarage Rd. *O'bry* —1A **54**
Vicarage Rd. *Smeth* —5D **43**
Vicarage Rd. *W Brom*
—1B **30**
Vicarage Rd. *Yard* —4C **62**
Vicarage St. *O'bry* —5A **42**
Viceroy Clo. *B5* —2A **74**
Victoria Av. *B10* —5B **60**
Victoria Av. *Hale* —2D **69**
Victoria Av. *Hand* —2D **45**
Victoria Av. *Smeth* —5E **43**
Victoria Ct. *Smeth* —4F **43**
Victoria Gro. *B18* —1C **56**
Victoria Ho. *B16* —3A **8**
Victoria Pk. Rd. *Smeth*
—5F **43**
Victoria Rd. *A Grn* —1A **94**
(in two parts)
Victoria Rd. *Aston* —3E **47**
(Park Rd. N.)
Victoria Rd. *Aston* —3C **46**
(Witton Rd.)
Victoria Rd. *Erd* —4B **36**
Victoria Rd. *Hand* —3C **44**
Victoria Rd. *Harb* —3F **71**
Victoria Rd. *O'bry* —4A **42**
Victoria Rd. *Stech* —2B **62**
Victoria Rd. *Stir* —4E **89**
Victoria Rd. *S Cold* —4A **20**
Victoria Sq. *B2*
—3B **58** (2E **9**)
Victoria St. *B9* —4B **60**
Victoria St. *W Brom* —4A **30**

Victoria Ter. *Hand* —2C **44**
Victor Rd. *B18* —4C **44**
Victor Rd. *Sol* —5B **80**
Victor Tower. *B7* —5F **47**
Victory Ri. *W Brom* —2A **30**
Village Rd. *B6* —1E **47**
Village Sq. *B31* —5A **98**
Village Way. *S Cold* —4D **29**
Villa Rd. *B19* —3E **45**
Villa St. *B19* —3F **45** (1C **4**)
(in two parts)
Villa Wlk. *B19* —4A **46**
Villette Gro. *B14* —2A **104**
Vimy Rd. *B13* —3F **91**
Vincent Clo. *B12* —2D **75**
Vincent Dri. *B15* —5B **72**
Vincent Pde. *B12* —2D **75**
Vincent Rd. *S Cold* —2C **20**
Vincent St. *B12* —3D **75**
(in two parts)
Vince St. *Smeth* —2E **55**
Vine Av. *B12* —3E **75**
Vine Cres. *W Brom* —1B **30**
Vine La. *Hale* —5A **68**
Vineries, The. *B27* —4B **78**
Vine St. *Aston* —3F **47**
Vine Ter. *Harb* —3A **72**
Vineyard Clo. *B18* —3D **45**
Vineyard Rd. *B31* —1D **99**
Vinnall Gro. *B32* —3F **85**
Vintage Clo. *B34* —5E **51**
Viscount Clo. *B35* —5E **39**
Vista Grn. *B38* —5E **101**
(in three parts)
Vittoria St. *B1* —1A **58** (4C **4**)
Vittoria St. *Smeth* —4B **44**
Vivian Clo. *B17* —3A **72**
Vivian Rd. *B17* —3A **72**
Vixen Clo. *S Cold* —5B **28**
Vyrnwy Gro. *B38* —1C **110**
Vyse St. *B18 & Hock*
—5A **46** (2C **4**)
Vyse St. *Aston* —2F **47**

W

Waddington Av. *B43*
—3C **22**
Wadham Ho. *B37* —2A **66**
Wadhurst Rd. *B17* —3F **55**
Wadley's Rd. *Sol* —5D **95**
Waggon Wlk. *B38* —1A **110**
(in two parts)
Wagoners Clo. *B8* —4D **49**
Wagon La. *Sol & B26*
—4D **79**
Wainwright St. *B6 & Aston*
—3E **47**
Wakefield Clo. *S Cold*
—2E **27**
Wakefield Ct. *B13* —1F **91**
Wakefield Gro. *Wat O*
—4F **41**
Wakeford Rd. *B31* —5A **100**
Wake Green. —1E 91

Wake Grn. Pk. *B13* —1F **91**
Wake Grn. Rd. *B13* —5D **75**
Wakelam Gdns. *B43* —3B **22**
Wakeman Gro. *B33* —1B **80**
Walcot Clo. *S Cold* —3F **13**
Walcot Dri. *B43* —1D **33**
Walden Rd. *B11* —5E **77**
Waldley Gro. *B24* —4A **38**
Waldon Wlk. *B36* —2D **53**
Waldrons Moor. *B14*
—1A **102**
Walford Dri. *Sol* —5B **80**
Walford Grn. *B32* —4F **85**
Walford Rd. *B11* —2F **75**
Walker Dri. *B24* —2C **48**
Walker's Heath. —4E 101
Walkers Heath Rd. *B38*
—5F **101**
Wallace Rd. *B29* —1F **89**
Wallbank Rd. *B8* —4E **49**
Wall Dri. *S Cold* —2D **13**
Walmead Cft. *B17* —1D **71**
Walmer Gro. *B23* —2F **35**
Walmers Wlk., The. *B31*
—5B **98**
Walmer Way. *B37* —2A **66**
Walmley. —4D 29
Walmley Ash. —2D 39
Walmley Ash La. *Min* —1F **39**
Walmley Ash Rd. *S Cold &*
Min —5D **29**
Walmley Rd. *S Cold* —5C **20**
Walnut Clo. *B37* —4F **65**
Walnut Dri. *Smeth* —5F **43**
Walnut Ho. *B20* —4D **33**
Walnut Way. *B31* —1D **109**
Walpole Wlk. *W Brom*
—1B **42**
Walsall Rd. *Four O* —4D **13**
Walsall Rd. *Gt Barr &*
P Barr —3D **23**
Walsall Rd. *Lit A & S Cold*
—1A **12**
Walsall Rd. *W Brom* —1B **30**
Walsall St. *W Brom* —4B **30**
Walsham Cft. *B34* —5A **52**
Walsh Dri. *S Cold* —5D **21**
Walsh Gro. *B23* —4B **26**
Walt Dene Clo. *B43* —2C **22**
Walter Burden Ho. *Smeth*
—2A **56**
Walter Cobb Dri. *S Cold*
—3E **27**
Walter Rd. *Smeth* —4C **42**
Walters Clo. *B31* —3D **109**
Walters Rd. *O'bry* —1E **69**
Walter St. *B7* —4F **47**
Walter St. *W Brom* —5C **30**
Waltham Gro. *B44* —2F **25**
Waltham Ho. *W Brom*
—4B **30**
Walton Gro. *B30* —4F **101**
Walton Ho. *B16*
—3F **57** (3B **8**)

Walton Rd. *O'bry* —3A **54**
Wanderer Wlk. *B36* —1C **50**
Wandle Gro. *B11* —5E **77**
Wandsworth Rd. *B44*
—1C **24**
Wansbeck Gro. *B38* —1C **110**
Wanstead Gro. *B44* —3E **25**
Ward Clo. *B8* —5E **49**
Ward End. —4E 49
Ward End Clo. *B8* —4D **49**
—4E **49**
Ward End Hall Gro. *B8*
—4E **49**
Ward End Pk. Rd. *B8* —5D **49**
Wardend Rd. *B8* —4E **49**
Warden Rd. *S Cold* —4D **27**
Wardle Clo. *S Cold* —2E **13**
Wardlow Rd. *B7*
—5F **47** (2F **7**)
(in two parts)
Wardour Dri. *B37* —3A **66**
Wardour Gro. *B44* —4A **25**
Ward St. *B19* —1C **58** (3A **6**)
Wareham Rd. *Redn* —4F **97**
Wareing Rd. *B23* —4B **26**
War La. *B17* —3F **71**
Warley Cft. *O'bry* —5C **54**
Warley Hall Rd. *O'bry*
—5B **54**
Warley Rd. *O'bry* —5A **42**
Warmington Dri. *S Cold*
—5F **19**
Warmington Rd. *Sheld*
—3A **80**
Warmley Clo. *S Cold* —4D **29**
Warner St. *B12*
—5E **59** (5E **11**)
Warners Wlk. *B10* —5A **60**
Warple Rd. *B32* —3A **70**
Warren Av. *B13* —1D **91**
Warren Farm Rd. *B44*
—4D **25**
Warren Gro. *B8* —4C **48**
Warren Hill Rd. *B44* —1D **35**
Warren La. *Redn* —5F **107**
Warren Rd. *B44* —5E **25**
Warren Rd. *Stir* —4E **89**
Warren Rd. *Wash H* —4C **48**
Warrens End. *B38* —1D **111**
Warrington Clo. *S Cold*
—3E **29**
Warrington Dri. *B23* —5B **26**
Warstock. —3F 103
Warstock La. *B14* —1E **103**
Warstock Rd. *B14* —3E **103**
Warston Av. *B32* —5B **70**
Warstone Dri. *W Brom*
—3C **30**
Warstone La. *B18*
—1F **57** (4B **4**)
Warstone M. *B18* —4C **4**
Warstone Pde. E. *B18*
—1F **57** (3B **4**)
Warstone Ter. *B21* —2C **44**

Warstone Tower. *B36*
—2A **50**
Warwards La. *B29* —2E **89**
Warwell La. *B26* —2B **78**
Warwick Ct. *B13* —1E **91**
Warwick Ct. *B29* —4A **88**
Warwick Ct. *B37* —3B **66**
Warwick Crest. *Edg* —1F **73**
Warwick Cft. *B36* —2A **50**
Warwick Grange. *Sol*
—4D **95**
Warwick Gro. *Sol* —2C **94**
Warwick Pk. Ct. *Sol* —3D **95**
Warwick Pas. *B2*
—3C **58** (2A **10**)
Warwick Rd. *B11* —3B **76**
Warwick Rd. *A Grn & Sol*
—4F **77**
Warwick Rd. *O'bry* —1B **70**
Warwick Rd. *S Cold* —2A **26**
Warwick Rd. *Tys & S'hll*
(in two parts)   —3A **76**
Warwick Rd. *Witt* —5C **34**
(in two parts)
Warwick Rd. Trad. Est. *B11*
—4B **76**
Warwick St. *B12*
—4E **59** (5E **11**)
Wasdale Rd. *B31* —2D **99**
Waseley Hills Country Pk. &
Vis. Cen. —5A 96
Waseley Rd. *Redn* —1C **106**
Washbrook La. *B8* —4E **49**
Washford Gro. *B25* —5F **61**
Washington Dri. *B20* —4F **33**
Washington St. *B1*
—1A **58** (4D **9**)
Wash La. *B25* —1A **78**
Washwood Heath. —4D 49
Washwood Heath Rd. *B8*
—5B **48**
Wasperton Clo. *B36* —2F **51**
Wast Hill Gro. *B38* —2D **111**
Wast Hills La. *A'chu &*
K Nor —5B **110**
Watchbury Clo. *B36* —1A **52**
Waterfall Clo. *Smeth* —3C **42**
Waterford Pl. *B33* —2B **64**
Waterhaynes Clo. *Redn*
—3E **107**
Waterlinks Boulevd. *B6*
—3E **47**
Waterlinks Ho. *B7* —2D **7**
Waterloo Av. *B37* —1F **65**
Waterloo Ind. Est. *B37*
—1F **65**
Waterloo Rd. *K Hth* —3C **90**
Waterloo Rd. *Smeth* —2E **55**
Waterloo Rd. *Yard* —2F **77**
Waterloo St. *B2*
—3B **58** (2E **9**)
Water Mill Clo. *B29* —5B **72**
Water Orton. —4F 41
Water Orton La. *Min* —2B **40**

Water Orton Rd. *B36 &*
Cas B —2A **52**
Waters Dri. *S Cold* —3B **12**
Waters Edge, The. *B1*
—3A **58** (3C **8**)
Waterside. *B15*
—5A **58** (5C **8**)
Waterside. *B43* —5C **22**
Waterside Clo. *B24* —2E **39**
Waterside Clo. *Bord G*
—3A **60**
Waterside Vw. *B18* —5E **45**
Waterson Cft. *B37* —2B **66**
Water St. *B3* —2B **58** (5E **5**)
Water St. *W Brom* —5B **30**
Waterward Clo. *B17* —3A **72**
Waterworks Cotts.
W Brom —1C **30**
Water Works Dri. *B31*
—1B **98**
Waterworks Rd. *B16* —4D **57**
Waterworks St. *B6* —2F **47**
Watery La. *Quin* —5E **69**
Watery La. *Smeth* —5E **43**
Watery La. Middleway.
Bord —3F **59** (3F **11**)
Watford Rd. *B30 & K Nor*
—1D **101**
Watkins Gdns. *B31* —3F **99**
Watland Grn. *B34* —5E **51**
Watney Gro. *B44* —4A **26**
Watson Clo. *S Cold* —2A **28**
Watson Rd. *Alum R* —5D **49**
Watson Rd. *Nech* —3B **48**
(in two parts)
Wattisham Sq. *B35* —3E **39**
Wattis Rd. *Smeth* —3E **55**
Watton Grn. *B35* —5E **39**
(in two parts)
Watton St. *W Brom* —5B **30**
Watt Rd. *B23* —3C **36**
Watt's Rd. *B10* —5B **60**
Watt St. *B21* —3B **44**
Watt St. *Smeth* —4F **43**
Wattville Av. *Hand* —2A **44**
Wattville Rd. *Smeth & B21*
—3F **43**
Watwood Rd. *Shir & B28*
—3D **105**
Waugh Clo. *B37* —3F **65**
Wavell Rd. *B8* —5C **48**
Waveney Cft. *B36* —2D **53**
Wavenham Clo. *S Cold*
—1C **12**
Waverhill Rd. *B21* —3D **45**
Waverley Av. *B43* —5A **16**
Waverley Rd. *B10* —1B **76**
Wayfield Clo. *Shir* —3F **105**
Wayfield Rd. *Shir* —3F **105**
Wayford Dri. *S Cold* —5B **28**
Wayford Gro. *B8* —1F **61**
Waynecroft Rd. *B43* —2C **22**
Wayside. *B37* —5D **65**
Wayside Dri. *S Cold* —3A **12**

Weaman St. *B4*
—2C **58** (5A **6**)
Weates Yd. *A Grn* —4A **78**
Weatheroak Rd. *B11* —3A **76**
Weather Oaks. *B17* —3F **71**
Weatheroaks. *Hale* —1E **69**
Weaver Av. *B26* —2F **79**
Weaver Av. *S Cold* —3E **29**
Webbcroft Rd. *B33* —1C **62**
Webb La. *B28* —5C **92**
Webster Clo. *B11* —2F **75**
Webster Clo. *S Cold* —5F **27**
Webster Way. *S Cold* —3E **29**
Wedgewood Ho. *B37* —1F **65**
Wedgewood Rd. *B32*
—3A **70**
Wedgwood Dri. *B20* —5F **33**
Weeford Dri. *B20* —3D **33**
Weeford Rd. *S Cold* —5C **14**
Weirbrook Clo. *B29* —4A **88**
Weland Clo. *Wat O* —5F **41**
Welbeck Gro. *B23* —2F **35**
Welby Rd. *B28* —2D **93**
Welches Clo. *B31* —1F **99**
Welcombe Dri. *S Cold*
—5D **29**
Welford Av. *B26* —5D **63**
Welford Gro. *S Cold* —3D **13**
Welford Rd. *B20* —2E **45**
Welford Rd. *Shir* —2F **105**
Welford Rd. *S Cold* —3C **26**
Welland Gro. *B24* —4A **38**
Welland Way. *S Cold* —5E **29**
Well Clo. *B36* —2C **50**
Wellcroft Rd. *B34* —3E **51**
Wellesbourne Rd. *B20*
—1F **45**
Wellesley Gdns. *B13* —2B **92**
Wellesley Rd. *O'bry* —4A **42**
Wellfield Rd. *B28* —5F **93**
Wellhead La. *B42* —5C **34**
Wellhead Way. *Holf* —5C **34**
Wellington Ct. *Hand* —5A **34**
Wellington Cres. *Hand*
—5F **33**
Wellington Gro. *Sol* —5D **95**
Wellington Ho. *B32* —4D **71**
Wellington Rd. *Edg* —2F **73**
Wellington Rd. *Hand* —5F **33**
Wellington Rd. *Smeth*
—2E **55**
Wellington St. *Smeth &*
B18 —4B **44**
Wellington St. *W Brom*
—3A **30**
Wellington St. S. *W Brom*
—3A **30**
Wellington Ter. *B19* —3F **45**
Wellington Tower. *B31*
—5E **99**
Wellington Way. *B35* —5F **39**
Well La. *B5* —3D **59** (3B **10**)
Wellman Rd. *B29* —1D **87**
(Dormston Dri.)

Wellman Cft. *B29* —2B **88**
(Lodge Hill Rd.)
Well Mdw. *Redn* —3E **107**
Wellmead Wlk. *Redn*
—1D **107**
Wellsford Av. *Sol* —4E **79**
Wells Green. —4F 79
Wells Grn. Rd. *Sol* —4D **79**
Wells Grn. Shop. Cen. *B26*
—4F **79**
Wells Rd. *Sol* —4A **80**
Wells Tower. *B16* —3E **57**
Well St. *B19* —4B **46** (1D **5**)
(Bridge St. W.)
Well St. *B19* —5A **46** (2C **4**)
(Hockley Hill)
Wells Wlk. *B37* —4E **65**
Welsby Av. *B43* —5C **22**
Welsh Ho. Farm Rd. *B32*
—4D **71**
Welshmans Hill. *S Cold*
—2F **25**
Welton Clo. *S Cold* —2E **29**
Welwyndale Rd. *S Cold*
—1A **38**
Wembley Gro. *B25* —5A **62**
Wendover Ho. *B31* —1D **109**
Wendover Rd. *B23* —5A **26**
Wendron Gro. *B14* —2B **102**
Wenlock Rd. *B20* —1D **47**
Wenman St. *B12* —2D **75**
Wensley Cft. *Shir* —5F **93**
Wensleydale Rd. *B42* —1E **33**
Wensley Rd. *B26* —2D **79**
Wentworth Av. *B36* —2F **51**
Wentworth Ct. *Erd* —5D **37**
Wentworth Pk. Av. *B17*
—2F **71**
Wentworth Ri. *Hale* —4B **68**
Wentworth Rd. *B17* —2E **71**
Wentworth Rd. *Sol* —5D **79**
Wentworth Rd. *S Cold*
—2E **19**
Wentworth Way. *B32*
—5D **71**
Weoley Av. *B29* —1A **88**
Weoley Castle. —2D 87
Weoley Castle. —1E 87
Weoley Castle Rd. *B29*
—2D **87**
Weoley Hill. *B29* —3A **88**
Weoley Pk. Rd. *B29* —2F **87**
Wesley Rd. *B23* —2D **37**
Wesley St. *W Brom* —4A **30**
Wesmacre Gdns. *B33* —2D **63**
West Av. *Cas B* —2B **52**
West Av. *Hand* —3E **33**
West Boulevd. *B32* —2C **70**
Westbourne Av. *B34* —4C **50**
Westbourne Cres. *Edg*
—5E **57**
Westbourne Gdns. *B15*
—1E **73**

Westbourne Gro. *Hand*
—3D **45**
Westbourne Rd. *Edg* —1D **73**
Westbourne Rd. *Hale* —2C **68**
Westbourne Rd. *Hand*
—1B **44**
Westbourne Rd. *Sol* —3D **95**
West Bromwich. —5B 30
W. Bromwich Parkway.
W Brom —4A **30**
(Dartmouth St.)
W. Bromwich Parkway.
W Brom —1C **42**
(Trinity Way)
W. Bromwich Ringway.
W Brom —4A **30**
Westbury Rd. *B17* —2F **55**
Westcliffe Pl. *B31* —2D **99**
Westcombe Gro. *B32* —2E **85**
Westcote Av. *B31* —4A **98**
Westcote Clo. *Sol* —1E **95**
Westcott Rd. *B26* —5E **63**
Westcroft Gro. *B38* —3A **100**
Westcroft Way. *B14* —5F **103**
W. Dean Clo. *Hale* —4A **68**
West Dri. *B5* —3A **74**
West Dri. *Hand* —2F **45**
W. End Av. *Smeth* —3B **42**
Westeria Clo. *B36* —2A **52**
Westerings. *B20* —5A **34**
Western Av. *B19* —3A **46**
Western Av. *Hale* —4C **68**
Western Bus. Pk. *Hale*
—1A **68**
Western Rd. *B18 & Hock*
—1D **57**
Western Rd. *Erd* —4E **37**
Western Rd. *S Cold* —3E **27**
Westfield Av. *B14* —5F **103**
Westfield Ho. *B36* —3E **53**
Westfield Mnr. *S Cold*
—2E **13**
Westfield Rd. *B15 & Edg*
—5B **56**
Westfield Rd. *A Grn* —5F **77**
Westfield Rd. *K Hth* —3B **90**
Westfield Rd. *Smeth* —1D **55**
Westford Gro. *B28* —3C **104**
West Ga. *B16* —2C **56**
West Grn. Clo. *B15* —5F **57**
Westham Ho. *B37* —1F **65**
Westhaven Dri. *B31* —4C **86**
Westhaven Rd. *S Cold*
—3A **20**
West Heath. —5A 100
W. Heath Rd. *N'fld* —4F **99**
W. Heath Rd. *Win G* —1B **56**
Westhill Clo. *Sol* —3C **94**
Westhill Rd. *B38* —3D **101**
West Holme. *B9* —3A **60**
Westholme Cft. *B30* —3C **88**
Westhorpe Gro. *B19*
—5A **46** (1D **5**)

Westhouse Gro. B14
　—2B **102**
Westland Clo. B23 —2D **37**
Westlands Rd. B13 —2E **91**
Westlands Rd. S Cold
　—1D **39**
Westland Wlk. B35 —5D **39**
Westley Brook Clo. B26
　—3F **79**
Westley Clo. B28 —5F **93**
Westley Rd. B27 —5F **77**
Westley St. B9
　—3E **59** (3F **11**)
Westmead Cres. B24 —3A **38**
W. Mead Dri. B14 —5C **90**
West M. B44 —2B **24**
W. Mill Cft. B38 —2C **110**
Westminster Ct. B37 —5D **53**
Westminster Ct. Hand
　—5A **34**
Westminster Dri. B14
　—5C **90**
Westminster Rd. B20 &
　Hand —5A **34**
Westminster Rd. S Oak
　—2E **89**
Westmorland Ct. W Brom
　—1B **30**
Westmorland Rd. W Brom
　—1B **30**
Weston Av. B11 —2A **76**
Weston Ho. B19
　—4C **46** (1A **6**)
Weston Ind. Est. B11 —4C **76**
Weston La. B11 —4C **76**
Weston Rd. B19 —3F **45**
Weston Rd. Smeth —3D **55**
Westover Rd. B20 —3C **32**
W. Park Av. B31 —4C **98**
W. Park Rd. Smeth —3B **42**
West Pathway. B17 —2A **72**
Westray Clo. Redn —5C **96**
Westridge Rd. B13 —4A **92**
West Ri. S Cold —3A **20**
West Rd. B24 —1A **50**
West Rd. B43 —5C **22**
West Rd. Witt —5C **34**
Westside Dri. B32 —2B **86**
West Vw. B8 —1A **62**
W. View Rd. S Cold —3C **20**
Westward Clo. B44 —4D **25**
West Way. B31 —2F **109**
Westwood Av. B11 —4B **76**
Westwood Rd. B6 —1E **47**
Westwood Rd. S Cold
　—5E **17**
Westwood Vw. B24 —4A **38**
Wetherby Clo. B36 —2B **50**
Wetherby Rd. B27 —1A **94**
Wetherfield Rd. B11 —5E **77**
Weybourne Rd. B44 —2C **24**
Weycroft Rd. B44 & B23
　—5F **25**

Weymoor Rd. B17 —5E **71**
Weymouth Dri. S Cold
　—2D **13**
Wharfdale Rd. B11 —3E **77**
Wharf La. B18 —4E **45**
Wharf Rd. K Nor —4E **101**
Wharf Rd. Tys —3F **77**
Wharf St. Hock —4E **45**
Wharf, The. B1
　—3A **58** (3D **9**)
Wharton Rd. Smeth —3A **44**
Wharton St. B7 —2B **48**
Whatecroft, The. B17 —2F **71**
Whateley Cres. B36 —2B **52**
Whateley Grn. B36 —2A **52**
Whateley Grn. S Cold —1E **19**
Whateley Lodge Dri. B36
　—2A **52**
Whateley Rd. B21 —2C **44**
Wheatcroft Clo. Hale —1D **69**
Wheatcroft Rd. B37 —4A **66**
Wheatcroft Rd. B33 —3D **63**
Wheaten Clo. B37 —2B **66**
Wheatfield Clo. B36 —3E **53**
Wheatfield Vw. B31 —5B **86**
Wheatlands Cft. B33 —2C **64**
Wheatley Clo. O'bry —5B **54**
Wheatley Clo. S Cold —3A **14**
Wheatley Rd. O'bry —5B **54**
Wheatmoor Ri. S Cold
　—3C **20**
Wheaton Va. B20 —4C **32**
Wheats Av. B17 —5F **71**
Wheatsheaf Rd. B16 —3B **56**
Wheatstone Gro. B33
　—5D **51**
Wheeler's La. B13 —5D **91**
Wheeler St. B19 —4B **46**
Wheeley Moor Rd. B37
　—5E **53**
Wheeley's La. B15
　—5A **58** (5C **8**)
Wheeley's Rd. B15
　—1F **73** (5C **8**)
Wheelock Clo. S Cold
　—2D **17**
Wheelwright Ct. B24 —5C **36**
Wheelwright Rd. B24 —5C **36**
Wheldrake Av. B34 —4A **52**
Whetstone Clo. Edg —3D **73**
Whetty Bri. Rd. Redn
　—3C **106**
Whetty La. Redn —2C **106**
Whichford Clo. S Cold
　—1B **38**
Whichford Gro. B9 —3F **61**
While Rd. S Cold —5F **19**
Whiston Gro. B29 —5F **87**
Whitacre Rd. B9 —2C **60**
Whitbourne Clo. Bal H
　—3F **75**
Whitburn Av. B42 —2E **33**
Whitby Rd. B12 —4E **75**
Whitcot Gro. B31 —1D **109**

Whitebeam Cft. B38
　—5C **100**
Whitebeam Rd. B37 —5A **66**
Whitecrest. B43 —2D **23**
Whitecroft Rd. B26 —3A **80**
White Farm Rd. S Cold
　—1C **12**
Whitefield Av. B17 —2E **71**
Whitehall Dri. Hale —4A **68**
Whitehall Rd. Hale —4A **68**
Whitehall Rd. Hand —3E **45**
Whitehall Rd. Small H
　—3B **60**
Whitehead Dri. Min —1B **40**
Whitehead Rd. B6 —3C **46**
White Hill. B31 —1F **99**
Whitehill La. B29 —1E **99**
White Ho. B19 —4B **46** (1F **5**)
Whitehouse Common.
　—2D **21**
Whitehouse Comn. Rd.
　S Cold —1C **20**
Whitehouse Ct. S Cold
　—3D **21**
Whitehouse Cres. S Cold
　—1C **20**
White Ho. Pl. Redn —3D **107**
Whitehouse St. B6
　—4D **47** (1D **7**)
White Rd. Quin —2B **70**
White Rd. Smeth —4C **42**
White Rd. S'brk —1A **76**
Whitesmiths Cft. B14 —3C **90**
Whites Rd. W Brom —1A **30**
White St. B12 —3E **75**
Whitethorn Cres. S Cold
　—1B **16**
Whitfield Gro. B15 —5B **58**
Whitland Clo. Redn —3F **107**
Whitland Dri. B14 —3D **103**
Whitley Ct. Rd. B32 —2A **70**
Whitley Dri. S Cold —1E **17**
Whitlock Gro. B14 —3E **103**
Whitminster Av. B24 —4F **37**
Whitmore Rd. B10 —5A **60**
Whitmore St. B18
　—5F **45** (1A **4**)
Whittall St. B4
　—2C **58** (5A **6**)
Whittington Clo. B14
　—1C **102**
Whittington Gro. B33
　—3D **63**
Whittington Oval. B33
　—3E **63**
Whittle Cft. B35 —4D **39**
Whittleford Gro. B36 —1A **52**
Whitworth Ind. Pk. B9
　—3A **60**
Whyle St. Hale —4A **68**
Wibert Clo. B29 —2E **89**
Wichnor Rd. Sol —3D **79**
Wicketts Tower. B5 —3A **74**
Wideacre Dri. B44 —5C **24**

Wide Acres. *Redn* —5D **97**
Widney Av. *B29* —2A **88**
Wiggin Cotts. *B17* —3A **72**
Wiggins Cft. *S Cold* —1D **29**
Wiggins Hill Rd. *Wis* —1D **41**
Wiggin St. *B16* —2D **57**
Wiggin Tower. *B19* —3B **46**
Wight Cft. *B36* —4F **53**
Wigland Way. *B38* —5E **101**
Wigmore Gro. *B44* —4F **25**
Wigorn Rd. *Smeth* —4D **55**
Wilcote Gro. *B27* —3A **94**
Wilde Clo. *B14* —2B **102**
Wilden Clo. *B31* —3A **98**
Wilderness La. *B43* —2B **22**
Wildfell Rd. *B27* —1B **94**
Wildmoor Rd. *Shir* —1F **105**
Wilford Gro. *Min* —1F **39**
Wilford Rd. *W Brom* —1B **30**
Wilkes St. *W Brom* —1C **30**
Wilkinson Clo. *S Cold*
—2F **27**
Wilkinson Cft. *B8* —4A **50**
Wilks Grn. *B21* —4B **32**
Willard Rd. *B25* —2A **78**
Willaston Rd. *B33* —1B **80**
Willclare Rd. *B26* —2E **79**
Willersey Rd. *B13* —3B **92**
Willes Rd. *B18* —4C **44**
Willetts Rd. *B31* —5E **99**
Willey Gro. *B24* —5F **37**
William Booth La. *B4*
—1B **58** (4F **5**)
William Cook Rd. *B8* —5F **49**
William Ct. *B13* —4D **75**
William Henry St. *B7* —4E **47**
William Rd. *Smeth* —2B **54**
William St. *B15*
—4A **58** (5C **8**)
William St. N. *B19*
—1B **58** (3F **5**)
William St. W. *Smeth* —3F **43**
Willmore Gro. *B38* —1E **111**
Willmore Rd. *B20* —5B **34**
Willmott Clo. *S Cold* —3B **14**
Willmott Rd. *S Cold* —3B **14**
Willoughby Dri. *B29* —2E **87**
Willow Av. *B17* —3E **55**
Willow Clo. *Hand* —2B **44**
Willow Coppice. *B32* —2A **86**
Willow Ct. *Smeth* —2B **42**
Willow Dri. *B21* —1A **44**
Willow Gdns. *B16* —1D **57**
Willow Ho. *B7* —4F **7**
Willow M. *B29* —2F **87**
Willow Rd. *B'ville* —3D **89**
Willow Rd. *Gt Barr* —3D **23**
Willowsbrook Rd. *Hale*
—1D **69**
Willows Cres. *B12* —3B **74**
Willows Rd. *B12* —3C **74**
Willows, The. *B27* —1F **93**
Willows, The. *S Cold* —4D **13**
(B74)

Willows, The. *S Cold* —2D **29**
(B76)
Willow Wlk. *S Cold* —5D **29**
Willow Way. *B37* —3F **65**
Willsbridge Covert. *B14*
—4B **102**
Wills Ho. *W Brom* —5A **30**
Willson Cft. *B28* —3B **104**
Wills St. *B19* —3F **45**
Wills Way. *Smeth* —1A **56**
Wilmcote Clo. *B12* —2C **74**
Wilmcote Dri. *S Cold* —3F **13**
Wilmcote Rd. *Sol* —5B **95**
Wilmington Rd. *B32* —2F **69**
Wilmot Dri. *B23* —1E **37**
Wilnecote Gro. *B42* —3B **34**
Wilsford Clo. *B14* —5B **102**
Wilson Dri. *S Cold* —4E **21**
(in two parts)
Wilson Rd. *B19* —2B **46**
Wilson Rd. *O'bry* —5B **54**
Wilson Rd. *Smeth* —2F **55**
Wilton Pl. *Aston* —1C **46**
Wilton Rd. *Erd* —2E **37**
Wilton Rd. *Hand* —1F **45**
Wilton Rd. *S'hll* —3F **75**
Wilton St. *B19* —2B **46**
Wiltshire Clo. *W Brom*
—1A **30**
Wiltshire Way. *W Brom*
—1A **30**
Wimbourne Rd. *B16* —2B **56**
Wimbourne Rd. *S Cold*
—5E **21**
Wimperis Way. *B43* —5A **16**
Wimpole Gro. *B44* —5F **25**
Wincanton Cft. *B36* —2A **50**
Winchcombe Clo. *Sol*
—1F **95**
Winchcombe Rd. *Sol* —1F **95**
Winchester Dri. *B37* —3E **65**
Winchester Gdns. *B31*
—3E **99**
Winchester Gro. *B21* —2A **44**
Winchester Rd. *B20* —1B **46**
Winchfield Dri. *B17* —5D **55**
Wincrest Way. *B34* —5A **52**
Windermere Rd. *Hand*
—5C **32**
Windermere Rd. *Mose*
—2F **91**
Windlass Cft. *B31* —1D **99**
Windleaves Rd. *B36* —2C **52**
Windley Clo. *B19*
—5A **46** (1D **5**)
Windmill Av. *Redn* —1C **106**
Windmill Clo. *B31* —1F **99**
Windmill Cres. *Smeth*
—5A **44**
Windmill Hill. *B31* —1F **99**
Windmill La. *Smeth* —1F **55**
Windmill Precinct. *Smeth*
—5F **43**
Windmill Rd. *Shir* —4C **104**

Windmill St. *B1*
—4B **58** (5F **9**)
Windrush Clo. *Sol* —1E **95**
Windrush Gro. *B29* —3E **89**
Windsor Arc. *B4 & B2*
—2C **58** (1A **10**)
Windsor Clo. *B31* —3E **109**
Windsor Clo. *Redn* —4E **97**
Windsor Dri. *B24* —2A **38**
Windsor Dri. *Sol* —5F **79**
Windsor Ho. *B23* —1D **37**
Windsor Ind. Est. *B7*
—5E **47** (1F **7**)
Windsor Lodge. *Sol* —3B **94**
Windsor Pl. *B23* —4C **36**
Windsor Pl. *Nech*
—2E **59** (5F **7**)
Windsor Rd. *Cas B* —3D **53**
Windsor Rd. *Stir* —1F **101**
Windsor Rd. *S Cold* —3B **26**
Windsor St. *B7*
—5D **47** (2D **7**)
Windsor St. S. *B7*
—1E **59** (4E **7**)
Windsor Ter. *B16* —4D **57**
Windsor Vw. *B32* —4F **85**
Windward Way. *B36* —2D **53**
Windward Way Ind. Est.
B36 —2D **53**
Windyridge Rd. *S Cold*
—1D **39**
Wingate Clo. *B30* —2D **101**
Wingate Ct. *S Cold* —2C **12**
Wingfield Clo. *B37* —2D **65**
Wingfield Ho. *B37* —5D **53**
Wingfield Rd. *Col* —1D **67**
Wingfield Rd. *Gt Barr*
—5A **24**
Wing Yip Cen. *B7* —4F **47**
Winifride Ct. *Harb* —3F **71**
Winkle St. *W Brom* —3A **30**
Winleigh Rd. *B20* —5D **33**
Winnie Rd. *B29* —2C **88**
Winnington Rd. *B8* —3E **49**
Winnipeg Rd. *B38* —1E **111**
Winsford Clo. *S Cold* —1C **28**
Winsham Gro. *B21* —2C **44**
Winslow Av. *B8* —1F **61**
Winson Green. —5D **45**
Winson Grn. Rd. *B18*
—5C **44**
Winson St. *B18* —1B **56**
Winstanley Rd. *B33* —3B **62**
Winster Gro. *B44* —2B **24**
Winster Gro. Ind. Est. *B44*
—2B **24**
Winster Rd. *B43* —4B **22**
Winston Dri. *B20* —1F **45**
Winterbourne Cft. *B14*
—5A **102**
Winterton Rd. *B44* —1E **25**
Winthorpe Clo. *B17* —1E **71**
Winton Gro. *Min* —1E **39**
Winwoods Gro. *B32* —3E **85**

Wiremill Clo. *B44* —1C **34**
Wirral Rd. *B31* —5D **87**
Wiseacre Cft. *Shir* —4C **104**
Wiseman Gro. *B23* —3B **26**
Wishaw Clo. *Shir* —4C **104**
Wishaw Gro. *B37* —5D **53**
Wishaw La. *Curd* —1E **41**
Wishaw La. *Min* —1B **40**
Wisley Way. *B32* —3D **71**
Wistaria Clo. *B31* —5E **87**
Wisteria Gro. *B44* —2C **24**
Witham Clo. *S Cold* —3E **29**
Withdean Clo. *B11* —3B **76**
Witherford Clo. *B29* —3A **88**
Witherford Way. *B29* —3A **88**
Withers Way. *W Brom*
—3B **30**
Withington Covert. *B14*
—4B **102**
Withybrook Rd. *Shir*
—5F **105**
Withy Gro. *B37* —5D **53**
Withy Hill Rd. *S Cold* —2D **21**
Witley Rd. *B31* —4B **100**
Witney Dri. *B37* —3D **65**
Witton. —4D 35
Witton Bank. *Hale* —1D **69**
Witton La. *B6* —1D **47**
Witton Lodge Rd. *B23*
—5F **25**
Witton St. *B6* —2C **46**
Witton St. *B9* —3F **59**
Wixford Cft. *B34* —3E **51**
Woburn Cres. *B43* —3B **22**
Woburn Gro. *B27* —2A **94**
Wolcot Gro. *B6* —2D **35**
Wold Wlk. *B13* —5F **91**
Wollerton Gro. *S Cold*
—3D **21**
Wolseley Av. *B27* —4B **78**
Wolseley Clo. *B36* —1E **53**
Wolseley Dri. *B8* —3F **49**
Wolseley St. *Bord* —3F **59**
(in two parts)
Wolston Clo. *Shir* —2F **105**
Wolverhampton Rd. *O'bry*
—4A **54**
Wolverhampton Rd. S. *B32*
—1C **70**
Wolverley Rd. *B32* —3F **85**
Wolverley Rd. *Sol* —5B **80**
Wolverton Rd. *Mars G*
—1F **81**
Wolverton Rd. *Redn*
—3A **108**
Woodacre Rd. *Erd* —3A **38**
Woodall Rd. *B6* —1D **47**
Wood Bank. *B26* —1C **78**
Woodberry Dri. *S Cold*
—2E **29**
Woodberry Wlk. *B27* —5B **78**
Woodbine Av. *B10* —5B **60**
Woodbine Cft. *B26* —2E **79**
Woodbine Wlk. *B37* —3B **66**

Woodbourne. *B15 & Edg*
5B **56**
Woodbourne Rd. *Harb &
Edg* —5A **56**
Woodbourne Rd. *Smeth*
—3C **54**
Woodbridge Rd. *B13* —5D **75**
Woodbrooke Rd. *B30*
—4B **88**
Woodbrook Ho. *B37* —3F **65**
Woodburn Rd. *Smeth*
—3B **44**
Woodbury Clo. *Hale* —1D **69**
Woodbury Rd. *Hale* —1E **69**
Woodclose Rd. *B37* —2D **65**
Woodcock Clo. *B31* —5F **97**
Woodcock Hill. —4B 86
Woodcock La. *A Grn* —5B **78**
(in two parts)
Woodcock La. *N'fld* —4C **86**
Woodcock La. N. *B27 &
B26* —4B **78**
Woodcock St. *B7*
—1D **59** (4C **6**)
Woodcote Dri. *B8* —5D **49**
Woodcote Pl. *B19* —3A **46**
Woodcote Rd. *B24* —2B **38**
Woodcote Way. *B18* —5E **45**
Woodcote Way. *S Cold*
—3D **17**
Woodcroft Av. *B20* —4C **32**
Woodend. *B20* —1C **32**
Wood End La. *B23 & B24*
—4D **37**
Wood End Rd. *B24* —4D **37**
Woodfall Av. *B30* —1D **101**
Woodfield Clo. *S Cold*
—1F **19**
Woodfield Cres. *S'brk*
—2E **75**
Woodfield Rd. *Bal H* —2E **75**
Woodfield Rd. *K Hth* —3D **91**
Woodfield Rd. *Sol* —5F **95**
Woodford Av. *B36* —2F **51**
Woodford Grn. Rd. *B28*
—3E **93**
Woodfort Rd. *B43* —5C **22**
Woodgate. —2F 85
Woodgate Bus. Pk. *B32*
—1F **85**
Woodgate Dri. *B32* —2E **85**
Woodgate Gdns. *B32* —1E **85**
Woodgate La. *B32* —1E **85**
*Woodgate Valley Country
Pk. —5A 70*
*Woodgate Valley Country
Pk. Vis. Cen. —1F 85*
Woodglade Dri. *B38* —4C **100**
Woodgreen Cft. *O'bry*
—1A **70**
Woodgreen Rd. *O'bry*
—1A **70**
Woodhall Cft. *Sol* —5D **79**

Woodham Clo. *Redn* —5C **96**
Woodhouse Rd. *B32* —2C **70**
Woodhurst Rd. *B13* —4E **75**
Woodington Rd. *S Cold*
—4E **21**
Woodland Dri. *Smeth*
—3C **42**
Woodland Gro. *B43* —1C **22**
Woodland Ri. *S Cold* —5F **19**
Woodland Rd. *Hale* —1B **68**
Woodland Rd. *Hand* —2A **44**
Woodland Rd. *N'fld* —3F **99**
Woodlands Av. *Wat O*
—5F **41**
Woodlands Farm Rd. *B24*
—3D **39**
Woodlands La. *Shir* —5F **105**
Woodlands Pk. Rd. *B30*
—5A **88**
Woodlands Rd. *Redn*
—2B **106**
Woodlands Rd. *Salt* —1D **61**
Woodlands Rd. *S'hll* —5F **75**
Woodlands St. *Smeth*
—5A **44**
Woodlands Way. *B37* —2B **66**
Wood La. *Erd* —1F **49**
Wood La. *Hand* —5E **33**
Wood La. *Harb* —2E **71**
Wood La. *Mars G* —5E **65**
Wood La. *W'gte* —2E **85**
(in two parts)
Woodlea Dri. *B24* —5D **37**
Woodlea Dri. *Sol* —5C **94**
Wood Leasow. *B32* —1B **86**
Woodleigh Av. *B17* —4B **72**
Woodleigh Rd. *S Cold*
—3A **28**
Woodleys, The. *B14*
—2F **103**
Woodman Clo. *Hale* —5A **68**
Woodman Rd. *B14* —5E **103**
Woodman Rd. *Hale* —5A **68**
Woodman Wlk. *B23* —2E **35**
Woodmeadow Rd. *B30*
—3F **101**
Woodnorton Dri. *B13*
—1C **90**
Woodpecker Gro. *B36*
—3E **53**
Woodridge. *B6* —1C **46**
Woodridge Av. *B32* —3F **69**
Wood Rd. *Smeth* —3A **42**
Woodrough Dri. *B13* —1D **91**
Woodshires Rd. *Sol* —4C **94**
Woodside. *B37* —5C **52**
Woodside. *S Cold* —4C **12**
Woodside Dri. *S Cold*
—1A **12**
Woodside Rd. *B29* —2E **89**
(in two parts)
Woodside Way. *Sol* —5C **94**
Woodside Way. *W'gte*
—3E **85**

Woodsome Gro. *B23* —5A **26**
Woods, The. *B14* —2D **91**
Woodstile Clo. *S Cold*
　　　　　　　—3B **14**
Woodstile Way. *B34* —4F **51**
Woodstock Dri. *S Cold*
　　　　　　　—2B **12**
Woodstock Rd. *Hand* —2D **45**
Woodstock Rd. *Mose* —4E **75**
Wood St. *B16* —3E **57**
Woodthorpe Gdns. *B14*
　　　　　　　—1C **102**
Woodthorpe Rd. *B14*
　　　　　　　—1B **102**
Woodvale Dri. *B28* —2C **104**
Woodvale Rd. *Hall G*
　　　　　　　—2C **104**
Woodvale Rd. *W'gte* —2E **85**
Wood Vw. Dri. *B15* —1A **74**
Woodville Rd. *Harb* —2E **71**
Woodville Rd. *K Hth* —3D **91**
Woodward St. *W Brom*
　　　　　　　—3C **30**
Woodway. *B24* —2F **37**
Woodwells Rd. *B8* —5E **49**
Woolacombe Lodge Rd.
　　　　　　B29 —1A **88**
Woolmore Rd. *B23* —3A **36**
Wooton Gro. *B44* —4A **26**
Wootton Rd. *B31* —2E **109**
Worcester Clo. *S Cold*
　　　　　　　—3B **14**
Worcester Grn. *W Brom*
　　　　　　　—1A **30**
Worcester Ho. *B36* —2E **53**
Worcester La. *S Cold* —3B **14**
Worcester Ri. *B29* —2F **89**
Worcester Rd. *Witt* —5D **35**
Worcester Wlk. *B2*
　　　　　—3C **58** (3A **10**)
Worcester Wlk. *B37* —5D **65**
Word Hill. *B17* —1D **71**
Wordsworth Ho. *O'bry*
　　　　　　　—1A **54**
Wordsworth Rd. *B10* —1B **76**
Wordsworth St. *W Brom*
　　　　　　　—2A **30**
Works Rd. *Birm A* —5D **81**
Worlds End. —5E 95
Worlds End Av. *B32* —2B **70**
Worlds End La. *B32* —2B **70**
Worlds End Rd. *B20* —4E **33**
Worthen Gro. *B31* —1E **109**
Worthings, The. *B30* —5F **89**
Worthy Down Wlk. *B35*
　　　　　　　—4F **39**
Wrekin Rd. *B44* —1D **35**
Wrekin Rd. *S Cold* —3E **27**
Wrens Pk. Av. *S Cold* —5C **28**
Wrentham St. *B5*
　　　　—5B **58** (5F **9**)
Wretham Rd. *B19* —4F **45**

Wright Rd. *B8* —5C **48**
Wright St. *B10* —5B **60**
Wright St. *Hale* —4A **68**
Wrottesley Rd. *B43* —3B **22**
Wrottesley St. *B5*
　　　　—4C **58** (4A **10**)
Wroxall Gro. *B13* —5E **91**
Wroxall Rd. *Sol* —5C **94**
Wroxton Rd. *B26* —5C **62**
Wyatt Clo. *B5* —3A **74**
Wyatt Rd. *S Cold* —3F **21**
Wychall La. *B31 & B38*
　　　　　　　—4B **100**
Wychall Pk. Gro. *B38*
　　　　　　　—4B **100**
Wychall Rd. *B31* —3F **99**
Wychbold Cres. *B33* —2A **64**
Wychbury. *S Cold* —3E **29**
Wychbury Rd. *B32* —3E **85**
Wyche Av. *B14* —2B **102**
Wychelm Farm Rd. *B14*
　　　　　　　—5E **103**
Wychwood Cres. *B26*
　　　　　　　—2D **79**
Wyckham Clo. *B17* —4E **71**
Wyckham Rd. *B36* —2C **52**
Wycome Rd. *B28* —5D **93**
Wye Cliff Rd. *B20* —2F **45**
Wye Clo. *S Cold* —5E **29**
Wyemanton Clo. *B43*
　　　　　　　—3A **22**
Wylde Green. —3A 28
Wylde Grn. Rd. *S Cold*
　　　　　　　—3A **28**
Wyndcliff Rd. *B9* —4B **60**
Wyndham Gdns. *K Nor*
　　　　　　　—2B **100**
Wyndham Rd. *B16* —4D **57**
Wyndhurst Rd. *B33* —1C **62**
Wyndley Dri. *S Cold* —5F **19**
Wyndley La. *S Cold* —5E **19**
Wynds Covert. *B14* —4B **102**
Wynds Point. *B31* —1F **99**
Wynfield Gdns. *B14*
　　　　　　　—1D **103**
Wynford Rd. *B27* —3A **78**
Wynford Rd. Ind. Est. *B27*
　　　　　　　—3A **78**
Wynn St. *B15* —5B **58** (5E **9**)
Wynstead Covert. *B14*
　　　　　　　—4A **102**
Wyre Clo. *Redn* —5F **97**
Wyrley Rd. *B6* —4E **35**
Wyrley Rd. *S Cold* —5B **14**
Wyrley Way. *B23* —1E **35**
Wyvern Clo. *S Cold* —2F **19**
Wyvern Gro. *B29* —1A **88**
Wyvern Rd. *S Cold* —2F **19**

Yardley. —5B 62
Yardley Clo. *O'bry* —4A **54**

Yardley Fields Rd. *B33*
　　　　　　　—3B **62**
Yardley Grn. Rd. *Bord G &
　　　　　　Stech* —4D **61**
Yardley Rd. *A Grn & Yard*
　　　　　　　—4A **78**
Yardley Wood. —1C 104
Yardley Wood Rd. *B13*
　　　　　　　—5F **75**
Yardley Wood Rd. *B14 &
　　　　　　Shir* —1F **103**
Yarnbury Clo. *B14* —5C **102**
Yarnfield Rd. *B11* —5E **77**
Yarningale Rd. *B14* —2A **102**
Yarrow Dri. *B38* —1D **111**
Yateley Av. *B42* —5E **23**
Yateley Cres. *B42* —5E **23**
Yateley Rd. *B15* —1C **72**
Yatesbury Av. *B35* —4D **39**
Yates Cft. *S Cold* —1D **13**
Yeames Clo. *B43* —5A **16**
Yelverton Dri. *B15* —5C **56**
Yeman Rd. *O'bry* —2B **54**
Yenton Gro. *B24* —1A **38**
Yeomans Way. *S Cold*
　　　　　　　—3D **21**
Yerbury Gro. *B23* —3F **35**
Yew Cft. Av. *B17* —2E **71**
Yew Tree Av. *B26* —1C **78**
Yew Tree Gdns. *Wals*
　　　　　　　—1A **22**
Yew Tree La. *Quin* —5A **86**
Yew Tree La. *Yard* —1C **78**
Yew Tree Ri. *S Cold* —5D **21**
Yew Tree Rd. *Aston* —1E **47**
Yew Tree Rd. *Cas B* —2C **52**
Yew Tree Rd. *Edg* —5A **58**
Yew Tree Rd. *Mose* —1B **90**
Yew Tree Rd. *Smeth* —1C **55**
Yew Tree Rd. *S'tly* —1B **16**
Yew Tree Rd. *S Cold* —5E **27**
Yew Tree Vs. *S Cold* —5E **27**
Yew Wlk. *B37* —3F **65**
Yockleton Rd. *B33* —2A **64**
Yorkbrook Dri. *B26* —3F **79**
York Clo. *B30* —1E **101**
York Dri. *B36* —2F **49**
Yorklea Cft. *B37* —3D **65**
Yorkminster Dri. *B37*
　　　　　　　—3A **66**
York Rd. *Edg* —4C **56**
York Rd. *Erd* —3D **37**
York Rd. *Hall G* —1C **92**
York Rd. *Hand* —2D **45**
York Rd. *K Hth* —3C **90**
York St. *B17* —2B **72**
Yorks Wood Dri. *B37*
　　　　　　　—4D **53**
York Ter. *Hock*
　　　　—5A **46** (2C **4**)
Yoxall Gro. *B33* —2E **63**

HOSPITALS and HOSPICES
covered by this atlas
with their map square reference

N.B. Where Hospitals and Hospices are not named on the map,
the reference given is for the road in
which they are situated.

Acorns Childrens Hospice —3C **88**
103 Oak Tree La.,
Selly Oak,
BIRMINGHAM
B29 6HZ
Tel: 0121 2484850

ALL SAINTS HOSPITAL (BIRMINGHAM)
—5D **45**

Lodge Rd., Hockley,
BIRMINGHAM
B18 5SD
Tel: 0121 6856220

BIRMINGHAM CHILDREN'S HOSPITAL
(DIANA PRINCESS OF WALES HOSPITAL)
—2C **58** (5B **6**)

Steelhouse La.,
BIRMINGHAM
B4 6NH
Tel: 0121 3339999

BIRMINGHAM DENTAL HOSPITAL
—2C **58** (5A **6**)

St Chad's Queensway,
BIRMINGHAM
B4 6NN
Tel: 0121 2368611

BIRMINGHAM HEARTLANDS HOSPITAL
—3F **61**

Bordesley Green E.,
BIRMINGHAM
B9 5SS
Tel: 0121 7666611

BIRMINGHAM NUFFIELD HOSPITAL, THE
—3D **73**

22 Somerset Rd.,
Edgbaston,
BIRMINGHAM
B15 2QQ
Tel: 0121 4562000

BIRMINGHAM WOMENS HOSPITAL
—4B **72**

Metchley Park Rd.,
BIRMINGHAM
B15 2TG
Tel: 0121 4721377

CITY HOSPITAL (BIRMINGHAM) —1D **57**
Dudley Rd.,
BIRMINGHAM
B18 7QH
Tel: 0121 5543801

EDWARD STREET HOSPITAL —4A **30**
Edward St.,
WEST BROMWICH
West Midlands
B70 8NL
Tel: 0121 553 7676

GOOD HOPE HOSPITAL —3B **20**
Rectory Rd.,
SUTTON COLDFIELD
West Midlands
B75 7RR
Tel: 0121 3782211

HALLAM DAY HOSPITAL —2B **30**
Lewisham St.,
WEST BROMWICH
West Midlands
B71 4HJ
Tel: 0121 553 1831

HIGHCROFT HOSPITAL —4B **36**
Fentham Rd., Erdington,
BIRMINGHAM
B23 6AL
Tel: 0121 6235500

John Taylor Hospice —2A **38**
76 Grange Rd., Erdington,
BIRMINGHAM
B24 0DF
Tel: 0121 3735526

MOSELEY HALL HOSPITAL —5C **74**
Alcester Rd.,
BIRMINGHAM
B13 8JL
Tel: 0121 4424321

NORTHCROFT HOSPITAL —3B **36**
Reservoir Rd., Erdington,
BIRMINGHAM
B23 6DW
Tel: 0121 3782211

Hospitals and Hospices

PRIORY HOSPITAL, THE —3F **73**
Priory Rd., Edgbaston,
BIRMINGHAM
B5 7UG
Tel: 0121 4402323

QUEEN ELIZABETH HOSPITAL —4C **72**
Edgbaston,
BIRMINGHAM
B15 2TH
Tel: 0121 6271627

QUEEN ELIZABETH PSYCHIATRIC
HOSPITAL —4C **72**
Mindelsohn Way, Edgbaston,
BIRMINGHAM
B15 2QZ
Tel: 0121 6272999

ROYAL ORTHOPAEDIC HOSPITAL —1F **99**
Bristol Rd. Sth., Northfield,
BIRMINGHAM
B31 2AP
Tel: 0121 685 4000

St Mary's Hospice —2E **89**
176 Raddlebarn Rd.,
BIRMINGHAM
B29 7DA
Tel: 0121 4721191

SANDWELL DISTRICT GENERAL HOSPITAL
—2B **30**

Lyndon,
WEST BROMWICH
West Midlands
B71 4HJ
Tel: 0121 553 1831

SELLY OAK HOSPITAL —2D **89**
Raddlebarn Rd.,
BIRMINGHAM
B29 6JD
Tel: 0121 6721627

SUTTON COLDFIELD COTTAGE HOSPITAL
—5F **19**

Birmingham Rd.,
SUTTON COLDFIELD
West Midlands
B72 1QH
Tel: 0121 3556031

WEST HEATH HOSPITAL —1A **110**
Rednal Rd.,
BIRMINGHAM
B38 8HR
Tel: 0121 6271627

WOODBOURNE PRIORY HOSPITAL —5A **56**
23 Woodbourne Rd.,
Harborne,
BIRMINGHAM
B17 8BY
Tel: 0121 4344343

YARDLEY GREEN HOSPITAL —4E **61**
Yardley Green Rd.,
BIRMINGHAM
B9 5PX
Tel: 0121 7666611